Excel 365 2019 2016 2013 対応

即効! 仕事に役立つ マクロ/VBA ワザ!

関　由紀子
佐藤　薫

日経BP

はじめに

本書では、Microsoft 365およびExcel 2019、2016、2013のマクロとVBA（Visual Basic for Applications）の基礎から、マクロの記録と修正、実行、VBAの構文、記述方法、実行方法、コントロールの利用方法、データの集計方法、マクロを利用したコードの作成方法まで、画面や図を示しながらわかりやすく解説しています。また、最後の章では、複数の機能を組み合わせた実務的なアプリケーションの作成方法を紹介します。

本書の表記

■リボン、ウィンドウ、アイコン、メニュー、コマンド、ツールバー、ダイアログボックスの名称やボタン上の表示、各種ボックス内の選択項目の表示を、原則として［ ］で囲んで表記しています。
■本書でのボタン名の表記は、画面上にボタン名が表示される場合はそのボタン名を、表示されない場合はポップヒントに表示される名前を使用しています。
■手順説明の中で、「［○○］タブの［××］ボタンをクリックする」とある場合は、［○○］をクリックしてタブを表示し、［××］ボタンをクリックしてコマンドを実行します。

使用したソフトウェアと表記

本書の編集にあたり、次のソフトウェアを使用しました。

Windows 10 ……………………………………………Windows
Microsoft 365……………………………………………Microsoft 365、Excel
Microsoft Excel 2019 ………………………………Excel 2019、Excel
Microsoft Excel 2016 ………………………………Excel 2016、Excel
Microsoft Excel 2013 ………………………………Excel 2013、Excel

本書に掲載した画面は、デスクトップ領域を1366×768ピクセルに設定しています。ご使用のコンピューターやソフトウェアのパッケージの種類、セットアップの方法、ディスプレイの解像度などの状態によっては、画面の表示が本書と異なる場合があります。また、Officeのリボンのボタンは、ディスプレイの解像度やウィンドウのサイズなどによっては、形状が本書と異なる場合があります。あらかじめご了承ください。

本書の使い方

サンプルファイルのダウンロード

本書で使用しているファイルは、サンプルファイルとしてダウンロードしていただけます。本書のWebページ（下記のURL）にアクセスし、「データダウンロード」欄にある「サンプルファイルのダウンロード」のリンクをクリックしてください。開いたページにダウンロードに関する説明があります。それに従ってダウンロードしてください。

https://project.nikkeibp.co.jp/bnt/atcl/21/S80080/

※ファイルのダウンロードには日経IDおよび日経BPブックス＆テキストOnlineダウンロードサービスへの登録が必要になります（いずれも登録は無料）。

ダウンロードしたファイルはZIP 形式になっています。収録しているファイルについては、ZIPファイルを展開して取り出せる「はじめにお読みください.txt」をご覧ください。

※本書のWebページのURLは予告なく変更されることがあります。その場合は開いたページの検索欄から、書名もしくはISBNを入力して本書のWebページに移動してください。

第5章 セルの操作 47

第6章 ワークシートとブックの操作 93

第7章 VBAの基本構文 127

第8章 VBA関数 157

マクロとVBA

第1章

この章では、マクロとは何か、マクロを利用する利点とはなどのマクロの概要を説明します。またマクロを利用するために必要な画面設定やセキュリティ設定についても説明します。

1 マクロとは

マクロは、Excelの作業を効率よく行える便利な機能です。マクロを使用すると、繰り返して行う処理を自動化できます。

マクロについて

マクロとは、アプリケーションの特定の操作を自動的に実行する機能の名称です。よく使用する一連の操作をマクロとしてあらかじめ登録しておけば、マウスのクリックやキー操作だけですばやく一連の操作を実行できます。特に、毎日または定期的に同じ操作で作業する定型処理でマクロは威力を発揮します。たとえば、月ごとの売上データを利用して、四半期や1年分などの売上集計表を作成するという作業は、手作業で行うとかなりの手間と時間がかかります。マクロを作成しておけば、集計したいときにマクロを実行するだけですぐに売上集計表を作成できます。このようなデータ量が多く時間がかかる作業や複雑な操作の組み合わせが多く操作ミスを起こしやすい作業を定期的に行うという場合にマクロは効果的です。また、あらかじめワークシートにボタンを作成してマクロを登録しておけば、クリックするだけでマクロを実行することができるので、Excelの操作に精通していない人でも簡単にマクロを使うことができます。

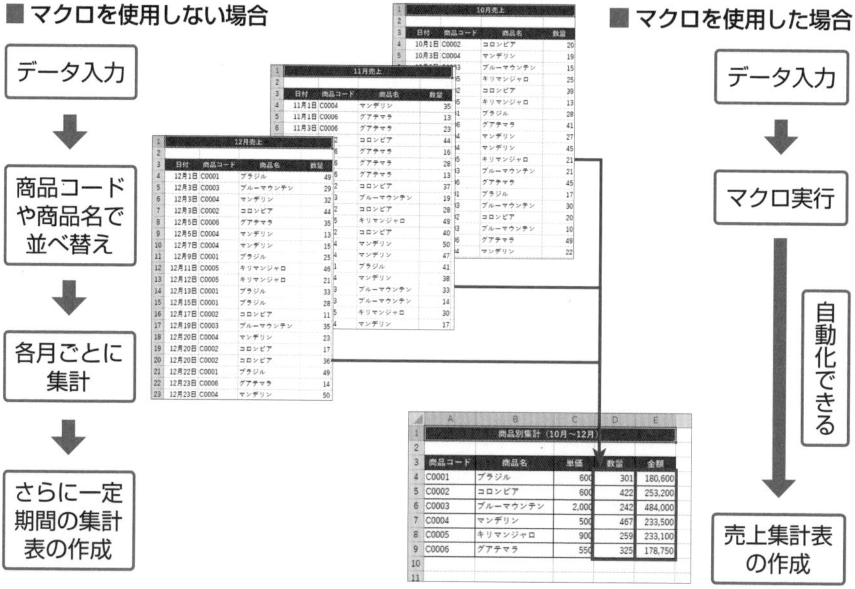

▲上記のマクロは第11章の2「複数のシートから集計するには」で作成します。

2 VBAとは

VBAとは、Visual Basic for Applicationsの略で、マクロを作成するために使用するプログラミング言語です。マクロの１つ１つの操作手順はVBAの命令文で記述されています。

VBAについて

VBAは、アプリケーション開発用のプログラミング言語「Visual Basic」を基に、Officeアプリケーションのマクロ用の言語として開発されました。VBAは、Excelだけでなく WordやAccessにも搭載されています。ExcelのVBAは、Excel上から入力したり編集ができ、VBAで作成したマクロはExcelのブックに保存されます。マクロの作成には、マクロ記録とVBAの命令語を記述していく方法があります。VBAの命令語をコードともいい、コードを入力してマクロを作成すると、マクロ記録では実現できない次のようなことが可能となります。

■ 条件分岐や繰り返し処理

条件によって操作する内容を分岐させたり、一定の回数操作を繰り返すなどの処理が実行できます。たとえば、会員名簿の中で利用履歴のないデータを削除して、利用履歴のあるデータだけにポイントを加算するなどという処理を自動で行えます。

■ 独自の関数を作成できる

数式や関数を組み合わせて独自の関数を作成することができます。Excelのワークシート関数では計算できないような複雑な計算が可能になります。

■ 自動で操作を実行できる

ブックを開く、セルをクリックするなどの操作に対応した動作を指定できます。たとえば、ブックを開くと自動的にメッセージを表示するというようなことができます。

■ 独自の入力画面を作成できる

データを入力したり、処理を選択する画面（ユーザーフォーム）を作成できます。テキストボックスやコマンドボタンなどのコントロールを配置してリストから入力したり、クリック操作で選択するなどのオリジナルの画面を作成できます。

3 マクロを作成するには

Excelでマクロを作成するには、マクロを自動記録する方法とVBAの命令語を記述していく方法の2通りがあります。どちらも［開発］タブを使用します。

マクロの自動記録を利用する

マクロの自動記録は、Excelで操作した内容を、そのまま記録して自動的にマクロを作成する機能です。VBAに関する知識がなくても、Excelのコマンド操作ができればマクロを作成できます。自動記録で作成したマクロは、自動的にVBAのコードに置き換えられて保存されます。ただし、マクロの自動記録では、Excel上でマウスやキーボードから操作した内容が登録されるため、何度も操作を繰り返して行う場合や条件を設定してデータに応じた結果を変更させるような処理はできません。また、自動記録では、初期設定の値もVBAのコードとして記録されるためVBAのコードが長文になったり、マクロを実行するのに時間がかかる場合もあります。なお、自動記録したマクロは、後からVBAのコードを追加したり編集して、使いやすいマクロに変更することもできます。

VBAを直接記述する

最初から直接VBAのコードを入力していき、マクロを作成することができます。VBAのコードや書き方のルールを覚える必要がありますが、自動記録で作成したマクロよりも複雑な処理を行うマクロを作成できます。VBAの入力や編集には、VBEというプログラム言語を記述するための専用のアプリケーションを使用します。VBEはVisual Basic Editorの略で、Excelとは別のアプリケーションですが、Excel上から起動ができます。

［開発］タブを表示する

マクロの作成や編集には、［開発］タブを使用します。初期状態では［開発］タブは表示されていないため、次の方法で表示します。

❶ リボンを右クリックする。
❷ ショートカットメニューの［リボンのユーザー設定］をクリックする。
❸［Excelのオプション］ダイアログの［リボンのユーザー設定］が表示される。
❹［メインタブ］の［開発］にチェックを入れる。
❺［OK］をクリックする。
❻［開発］タブが表示される。

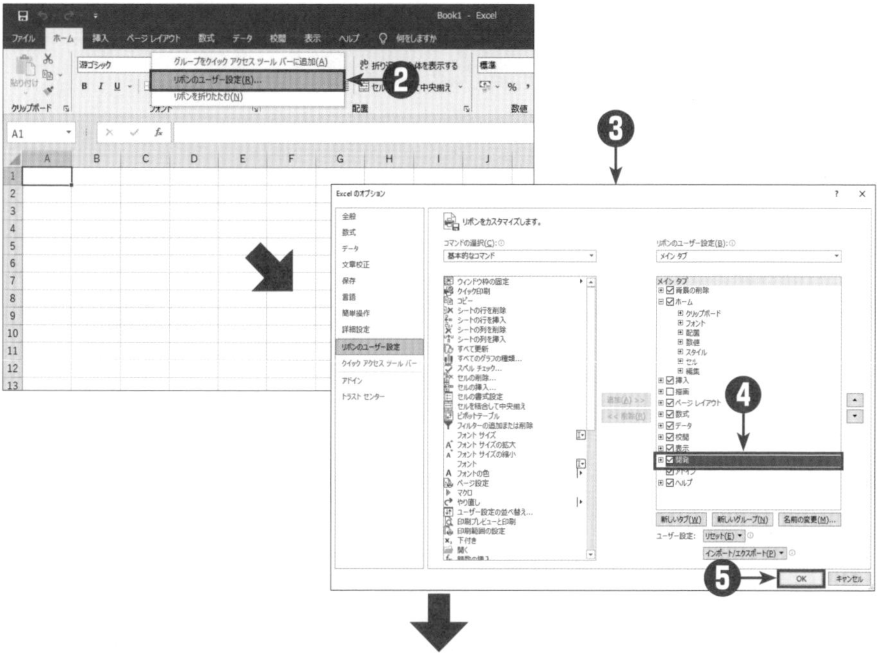

◀[開発] タブを選択した状態。マクロに関する主な操作は [コード] グループのボタンを使用する。

ヒント

[開発] タブの表示

次の操作でも [開発] タブを表示できます。

❶ [ファイル] タブの [オプション] をクリックする。

❷ [Excelのオプション] ダイアログが表示されるので、左側の一覧の [リボンのユーザー設定] をクリックする。

❸ [メインタブ] の [開発] にチェックを入れる。

❹ [OK] をクリックする。

ヒント

その他のマクロのボタン

マクロの自動記録と実行は、[表示] タブの [マクロ] グループの [マクロ] からも行えます。VBAの表示や編集は [開発] タブのボタンを使用します。

4 マクロを呼び出すには

マクロを実行するには複数の方法があります。それぞれの実行方法の詳細は、各ページを参照してください。

■［マクロ］ダイアログを表示して実行する 参照➡第2章の2

［マクロ］ダイアログを表示して、実行したいマクロを選択して実行します。

■ショートカットキーで実行する 参照➡第2章の1

マクロ作成時にショートカットキーを登録しておけば、Ctrlといずれかのキーとの組み合わせですばやくマクロを実行できます。

■VBEの画面から実行する 参照➡第3章の6

VBAの入力や編集を行うVBEの画面からもマクロを実行できます。VBAのコードを確認しながらマクロが実行できます。

■ワークシート上に配置したオブジェクトからマクロを実行する 参照➡第5章の30

ワークシート上に図形や図、コマンドボタンなどのオブジェクトを作成して、マクロを登録することができます。オブジェクトをクリックするとマクロが実行されます。

■クイックアクセスツールバーから実行する 参照➡第2章の4

クイックアクセスツールバーにマクロのボタンを登録できます。クイックアクセスツールバーは常に画面上部に表示されているため、よく使用するマクロを登録すると便利です。また、特定のブックを使用する時だけ、クイックアクセスツールバーにマクロのボタンを表示することもできます。

■リボンに独自のタブやグループを作成して実行する 参照➡第2章の4

Excelのリボンに独自のタブを作成してマクロのボタンを登録できます。既存のタブに新しいグループを作成することもできます。たとえば、マクロ専用のタブを新規に作成してマクロのボタンを配置させることができます。

5 マクロのセキュリティを設定するには

マクロは便利な機能ですが、他人が作成したマクロはコンピューターに損害を与えたり、セキュリティ上の問題を起こす可能性もあります。Excelの初期設定では、マクロを含むブックを開いてもマクロが実行できないようになっています。

セキュリティの設定を確認する

マクロの主なセキュリティ設定は4種類あります（次項のヒント参照）。状況に合わせて変更できます。

❶［開発］タブの［コード］の マクロのセキュリティ ［マクロのセキュリティ］をクリックする。
❷［トラストセンター］ダイアログが表示されるので、［マクロの設定］の一覧からセキュリティを選択する。
❸［OK］をクリックする。

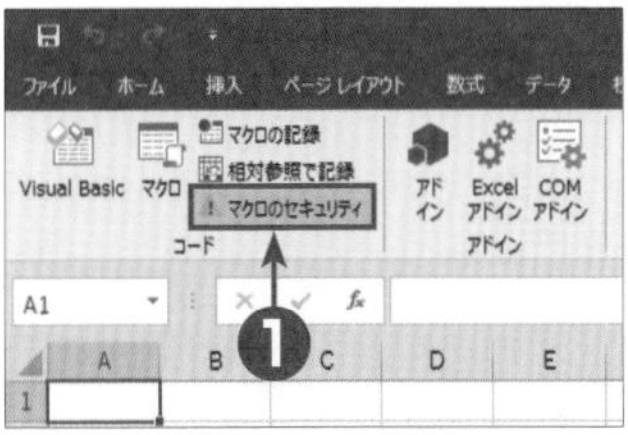

▲状況に応じて、マクロの設定を変更できる。初期値は［警告を表示してすべてのマクロを無効にする］が選択されている。

ヒント

マクロのセキュリティ設定

［トラストセンター］ダイアログで設定できる主なセキュリティの内容は次のとおりです。

警告を表示せずにすべてのマクロを無効にする	信頼できる場所に保存されているブック以外のマクロはすべて無効になる。
警告を表示してすべてのマクロを無効にする	マクロを含むブックを開くとセキュリティの警告が表示される。マクロは無効だが有効にすることもできる。初期設定で選択されている。
デジタル署名されたマクロを除き、すべてのマクロを無効にする	信頼できる発行元がデジタル署名したブック以外はマクロを実行できない。
すべてのマクロを有効にする（推奨しません。危険なコードが実行される可能性があります）	ブックを開いたときに警告は表示されずに、すべてのマクロが有効になる。有害なマクロを実行する可能性があるため極力選択しないほうがよい。

以前の Office からの変更点

マクロを有効にして開く

Excel 2016/2013では、セキュリティ設定のダイアログのタイトルバーには［セキュリティセンター］と表示されます。

ヒント

［開発］タブが表示されていない場合は

［開発］タブが表示されていない場合は、次の操作でも［トラストセンター］ダイアログを表示できます。

❶［ファイル］タブの［オプション］をクリックする。
❷［Excelのオプション］ダイアログの左側の一覧の［トラストセンター］をクリックする。
❸ 右側の［トラストセンターの設定］をクリックする。
❹［トラストセンター］ダイアログが表示されるので、左側の一覧の［マクロの設定］をクリックする。

マクロを含むブックを開く

安全なマクロであることを確認できたらメッセージバーからマクロを有効にします。

❶ マクロを含むブックを開く。
❷ セキュリティが初期設定の場合、メッセージバーに［セキュリティの警告］と表示されるので、［コンテンツの有効化］をクリックする。
❸ マクロが実行できるようになり、メッセージバーは非表示になる。

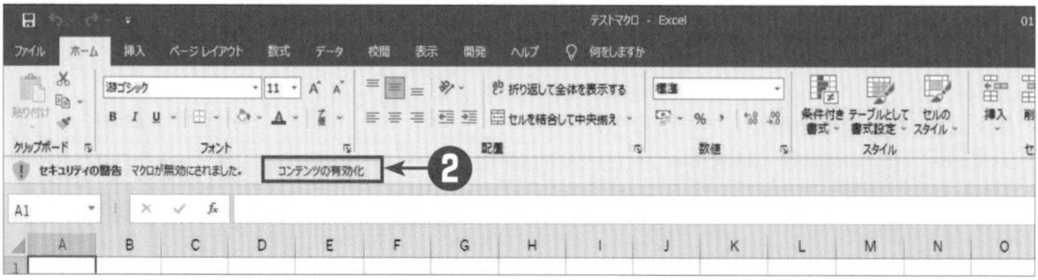

▲マクロを含むブックを開くと、セキュリティの警告のメッセージバーが表示され、マクロが無効にされている。信用できるマクロであることを確認してから、マクロを有効にする。

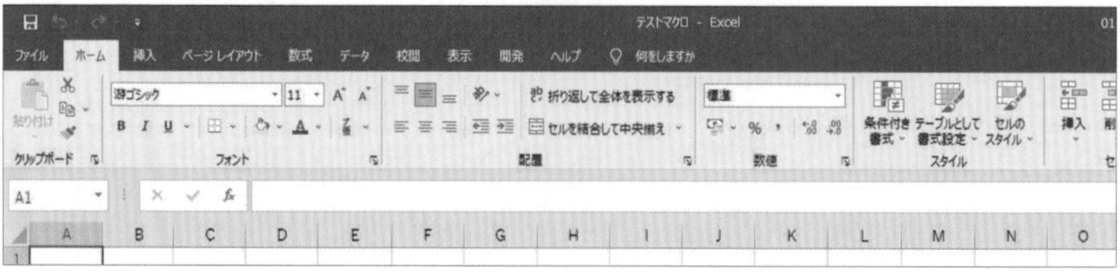

▲セキュリティの警告が非表示になり、マクロが実行できる状態になる。一度有効にすると次回開くときに警告は表示されずにマクロが有効になる。

信頼できる場所に保存する

マクロを含むブックが格納されているフォルダーを信頼できる場所に追加しておくと、そのフォルダー内のすべてのブックはセキュリティの設定に関係なくマクロが有効になります。

❶［開発］タブの［コード］の マクロのセキュリティ［マクロのセキュリティ］をクリックする。
❷［トラストセンター］ダイアログが表示されるので、左側の一覧から［信頼できる場所］をクリックする。
❸［新しい場所の追加］をクリックする。
❹［Microsoft Officeの信頼できる場所］ダイアログが表示されるので［参照］をクリックする。

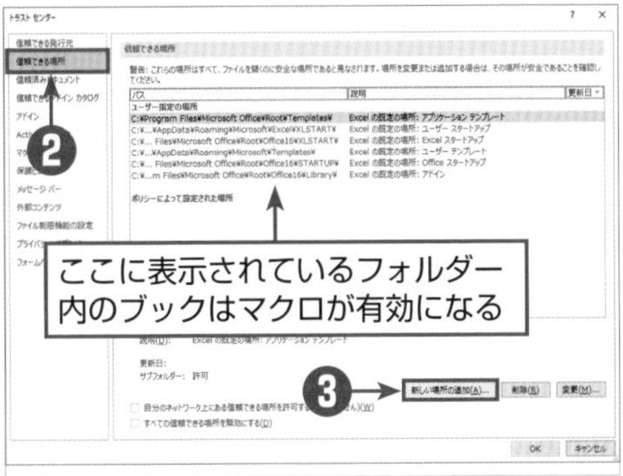

▲サブフォルダーも含めるには［この場所のサブフォルダーも信頼する］をオンにする。

❺［参照］ダイアログが表示されるので、マクロを含むブックが保存されているフォルダーを指定し、［OK］をクリックする。

▲信頼できる場所には、普段使用している安全なフォルダーかマクロ専用のフォルダーを作成して指定するとよい。［参照］ダイアログで［新しいフォルダー］をクリックして、新しいフォルダーを作成することもできる。

❻［Microsoft Officeの信頼できる場所］ダイアログの［OK］をクリックする。

❼［トラストセンター］ダイアログの［信頼できる場所］に指定したフォルダーのパスが表示されたことを確認して、［OK］をクリックする。

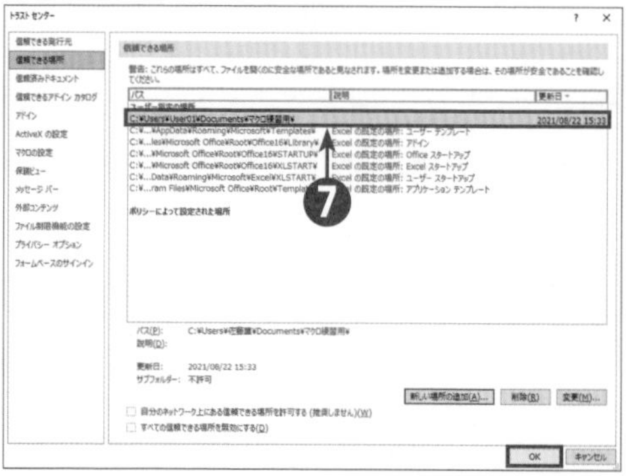

ヒント

信頼済みドキュメント

Excelでは、一度マクロを有効にすると信頼済みドキュメントになり、セキュリティの設定にかかわらず常にマクロが有効になります。再度ブックを開いても、セキュリティの警告のメッセージバーは表示されません。

一時的にマクロを有効にするには

Excelでブックを開いて作業しているときだけ一時的にマクロを有効にすることもできます。［ファイル］タブの［情報］をクリックして、［セキュリティの警告］の［コンテンツの有効化］をクリックします。一覧の［詳細オプション］をクリックして、次のダイアログで［このセッションのコンテンツを有効にする］を選択して、［OK］をクリックします。
ブックを閉じて、再度ブックを開くとマクロは無効に戻ります。

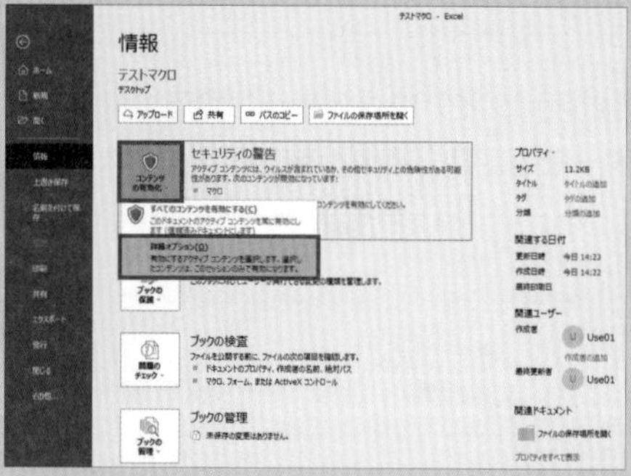

第2章 マクロの基本操作

Excelには、一連の操作をそのままマクロにする「マクロの記録」という便利な機能があります。この章では、「マクロの記録」でマクロを作成する方法からマクロの実行方法やマクロを含むブックの保存方法を説明します。また、マクロをすばやく実行するためにリボンのタブやクイックアクセスツールバーに登録する方法も紹介します。

1 マクロの記録を使用してマクロを作成するには

マクロの記録を使用すると、Excelで操作した内容が自動的に記録されて、マクロが作成されます。

［マクロの記録］ダイアログの設定

マクロを記録するには、［マクロの記録］ダイアログで、マクロの名前やマクロの保存先などを設定してから、記録する操作を開始します。

■ マクロ名

マクロの名前を入力します。次の規則があります。

・全角127文字、半角255文字以内の文字や数字を使用する。
・記号は、アンダースコア（_）のみ使用できる。
・先頭には必ず文字を使用する。
・Excelの関数名などVBAで定義されている単語は使用できない。

■ ショートカットキー

Ctrlとの組み合わせで実行する半角のアルファベットを指定します。大文字は、Shiftを押しながら入力します。省略もできます。Excelの既定のショートカットキーと同じキーを指定した場合は、マクロのショートカットキーが優先されます。

■ マクロの保存先

マクロの保存先は、次の3通りがあります。

作業中のブック	現在のブックにマクロを保存する。現在のブックが開いているときのみマクロを実行できる。
個人用マクロブック	すべてのブックで実行できるマクロとして保存する。PERSONAL.XLSBというマクロブックが自動的に作成され、Excel起動時に読み込まれる。
新しいブック	現在のブックとは別に新規ブックを作成してマクロを保存する。その新規ブックを開いているときのみマクロが実行できる。

■ 説明

マクロに関する説明や情報を入力します。省略もできます。

マクロの記録を開始する

この例では、「マクロの練習」というマクロ名で、ショートカットキーと説明を設定してマクロの記録を開始します。

参照
[開発] タブの表示
第1章の3

❶ [開発] タブの [コード] の マクロの記録 [マクロの記録] をクリックする。
❷ [マクロの記録] ダイアログが表示されるので、[マクロ名] に「マクロ記録の練習」と入力する。
❸ [ショートカットキー] に「j」と入力する。
❹ [マクロの保存先] に [作業中のブック] と表示されていることを確認する。
❺ [説明] にマクロの説明を入力する。
❻ [OK] をクリックする。
❼ マクロの記録が開始される。

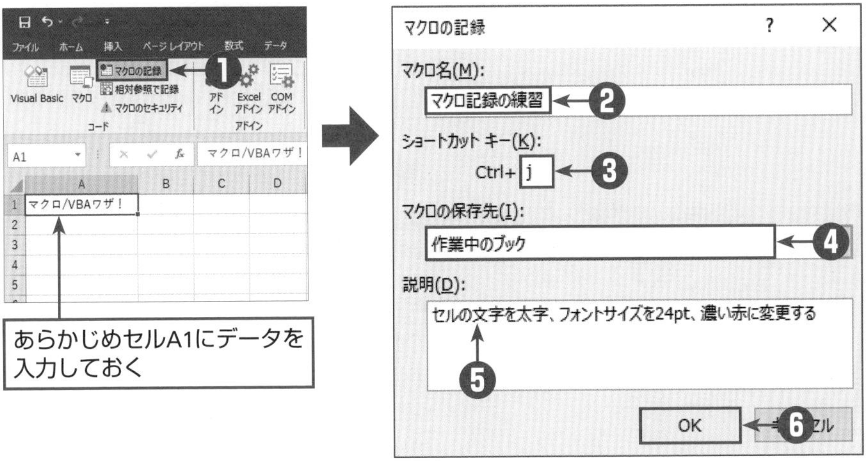

▲[マクロの記録] ダイアログで設定した内容は、マクロの情報として記録される。[マクロの保存先] 以外は、後から変更することもできる。

操作を記録する

この例では、セルのフォントを濃い赤色の24ptの太字に設定する操作を記録します。

❶ セルA1が選択されていることを確認する。
❷ [ホーム] タブの [フォント」の [太字] をクリックする。
❸ [ホーム] タブの [フォント] の [フォントサイズ] の▼から [24] をクリックする。
❹ [ホーム] タブの [フォント] の [フォントの色] の▼から [標準の色] の [濃い赤] をクリックする。
❺ [開発] タブの [コード] の ■記録終了 [記録終了] をクリックする。
❻ マクロの記録が終了する。

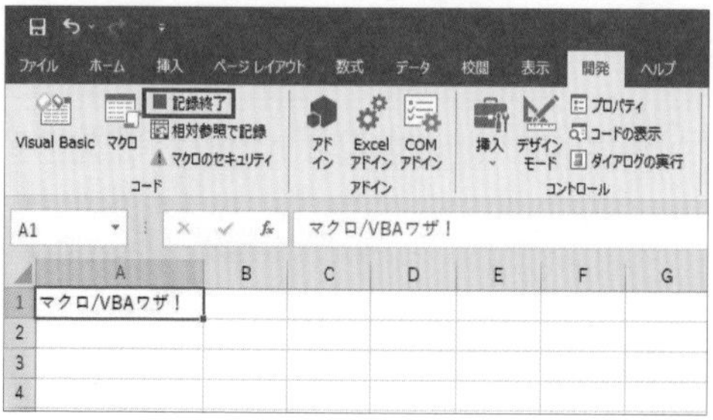

◀マクロ記録が開始されると、[マクロの記録]が[記録終了]に切り替わる。記録したい操作を実行する。

▶記録中に操作を間違えた場合は、クイックアクセスツールバーの [元に戻す]をクリックして取り消す。元に戻した操作は記録されない。

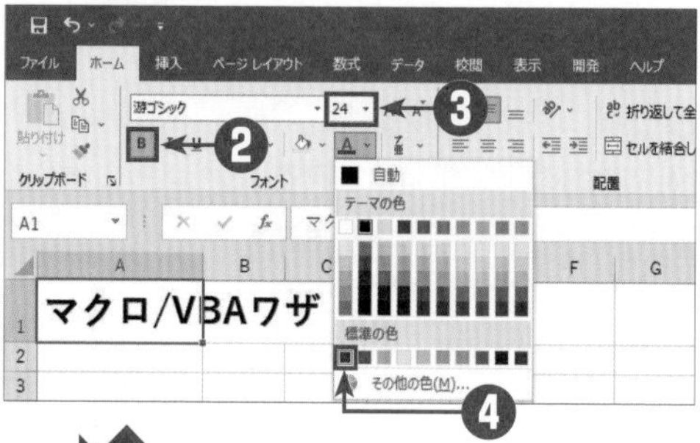

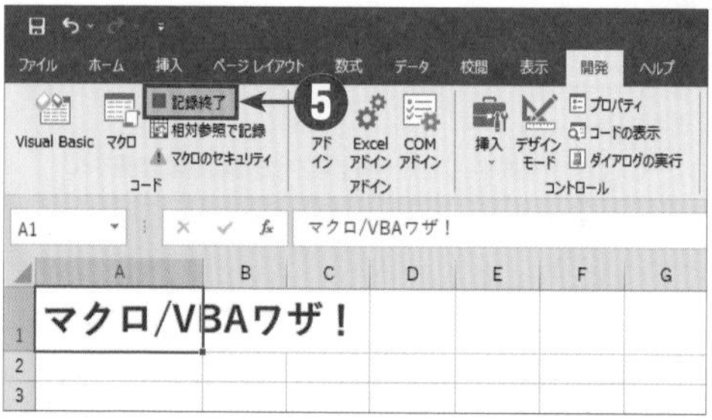

◀[記録終了]をクリックしてマクロ記録を終了する。

ヒント

マクロに記録されない操作

マクロ記録では、[元に戻す]で取り消したりダイアログを開いて何も設定せずに閉じた場合やExcel以外のアプリケーションで操作した内容は記録されません。それ以外のキーボード、マウスの操作はすべて記録されます。

ヒント

セルの参照方法の切り替え

マクロ記録ではセル参照は絶対参照で記録されます。たとえば、セルA1からセルA2に移動して書式設定する操作をマクロ記録した場合、そのマクロを実行するとアクティブセルの位置にかかわらず、セルA2に書式が設定されます。アクティブセルのすぐ下のセルに移動して書式設定するようなコードを記録したい場合は、[開発]タブの[コード]にある 相対参照で記録 [相対参照で記録]をクリックしてからマクロ記録を開始します。

2 マクロを実行するには

作成したマクロを実行するには、複数の方法があります。ここでは［マクロ］ダイアログからマクロを選択して実行する方法を説明します。

マクロを実行する

❶ マクロを実行したいセルを選択する。
❷［開発］タブの［コード］の［マクロ］をクリックする。
❸［マクロ］ダイアログが表示されるので、［マクロ名］から実行したいマクロを選択する。
❹［実行］をクリックする。
❺ マクロが実行される。

注意

マクロを実行する

このマクロは、選択したセルに対して実行されます。あらかじめ別のセルにデータを入力し、そのセルを選択してからマクロを実行しましょう。

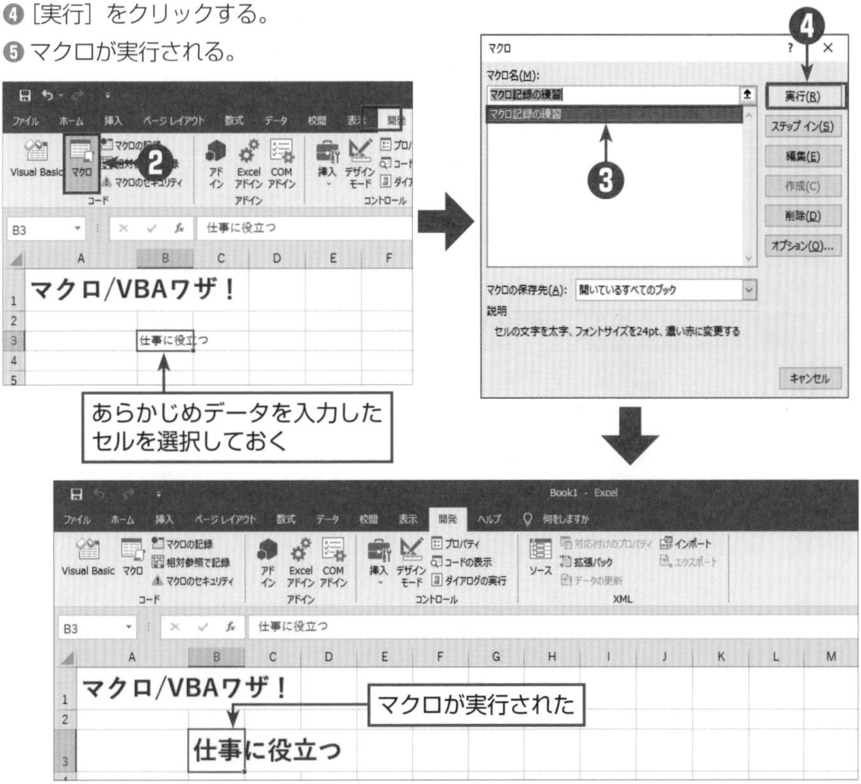

▲マクロ作成時にショートカットキーが設定されていれば、［マクロ］ダイアログを表示せずに、すばやくマクロを実行できる。実行したマクロの操作には、［元に戻す］は使えない。

ヒント

[マクロ] ダイアログの表示方法

次の方法でも、[マクロ] ダイアログを表示できます。
- Alt + F8 を押す。
- [表示] タブの [マクロ] の [マクロ] をクリックする。

[マクロ] ダイアログでマクロの情報を編集できる

[マクロ] ダイアログを使用すると、マクロのショートカットキーや説明を後から追加したり、変更することができます。編集したいマクロを [マクロ名] から選択して [オプション] をクリックします。[マクロオプション] ダイアログが表示されるので、ショートカットキーや説明を入力して [OK] をクリックします。[マクロ] ダイアログに表示が戻るので [OK] をクリックします。

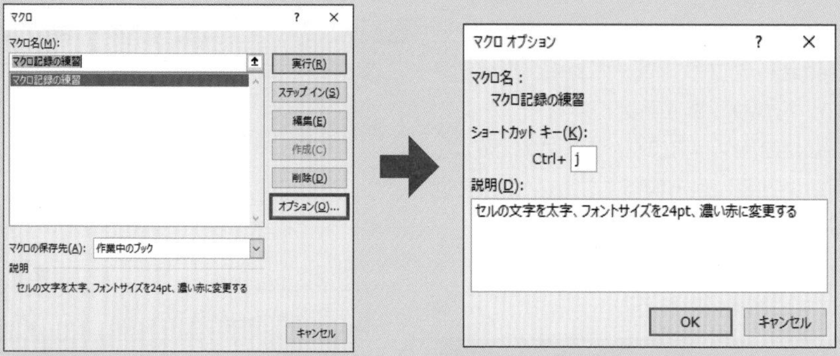

[開発] タブ以外のマクロのボタン

次の方法でも [マクロの記録] ダイアログを表示してマクロ記録が行えます。
- [表示] タブの [マクロ] の [マクロ] の▼をクリックして [マクロの記録] をクリックする。マクロ記録の終了は、同じボタンから [記録終了] をクリックする。
- ステータスバーに表示されている [マクロの記録] をクリックする。同じ位置に表示される、 [記録終了] をクリックしてマクロ記録を終了する。

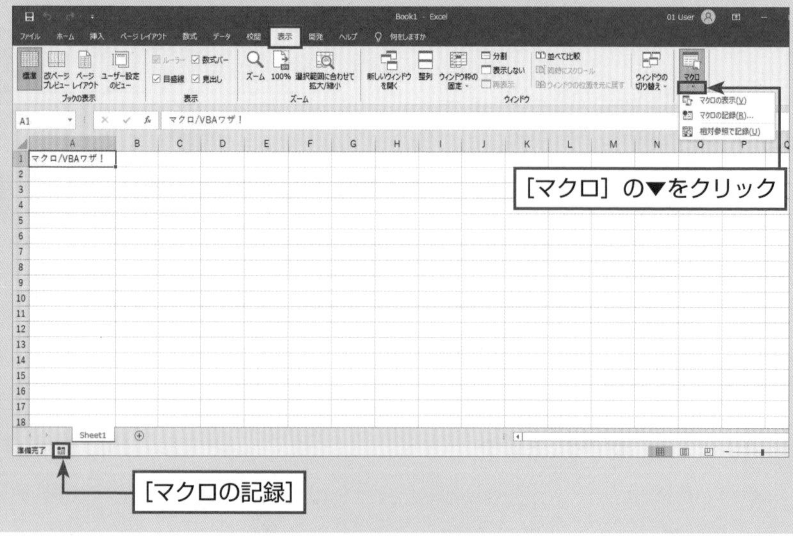

3 マクロを保存するには

マクロを含むブックを保存するには、「Excelマクロ有効ブック」として保存します。Excelの通常のブック形式で保存すると、マクロは保存されません。

マクロ有効ブックとして保存する

マクロを保存するには、ファイルの種類を［Excelマクロ有効ブック］に切り替えて保存します。

❶［ファイル］タブの［名前を付けて保存］をクリックする。
❷［参照］をクリックする。
❸［名前を付けて保存］ダイアログが表示されるので、保存先を指定する。
❹［ファイルの種類］の▼をクリックして［Excelマクロ有効ブック］を選択する。
❺［ファイル名］にブック名を入力する。
❻［保存］をクリックする。
❼マクロ有効ブックとして保存される。

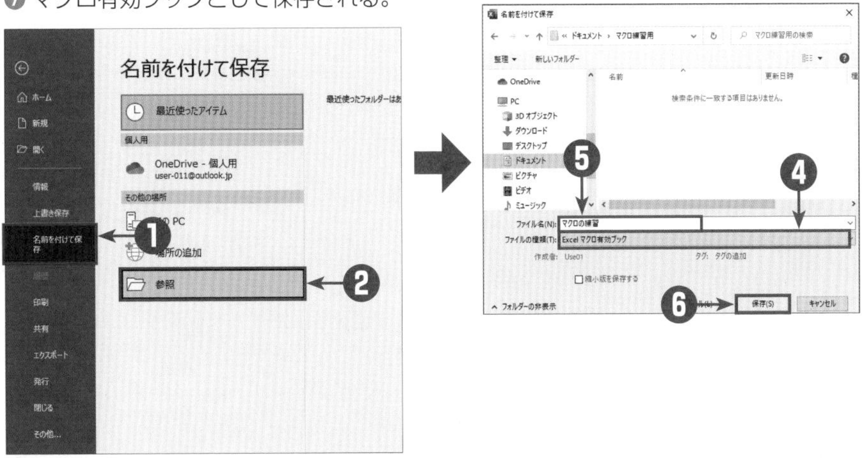

ヒント

VBAの互換性

Excel 2007以降のバージョンは基本的なファイル形式が同じなので、上位のバージョンで作成したマクロを下位バージョンでも実行できます。ただし、バージョンごとに使える機能や関数が異なるため、上位バージョンで新機能を使用したマクロは下位バージョンでは正常に動作しないことがあるため注意が必要です。

ヒント

通常のブック形式で保存しようとした場合

マクロを通常のブック形式［Excelブック］で保存しようすると、次のような警告のメッセージが表示されます。マクロを保存する場合は、必ず［いいえ］をクリックして、［名前を付けて保存］ダイアログで［ファイルの種類］を［Excelマクロ有効ブック］に切り替えてから保存します。［はい］をクリックすると通常のブック形式になり、マクロは削除されてしまいますので注意が必要です。

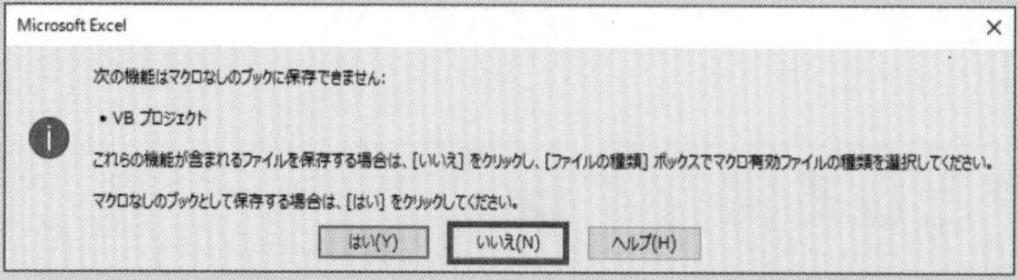

なお、それぞれのファイルの拡張子は、マクロ有効ブックは「.xlsm」、Excelブック形式は「.xlsx」になります。ファイルのアイコンも次のように異なります。

マクロ有効ブック

Excelブック

▲上記のファイルアイコンは拡張子を表示した状態のものです。

4 マクロをすばやく実行するには

作成したマクロをクイックアクセスツールバーのボタンとして表示したり、リボンに独自のタブやグループを作成してマクロを登録することができます。

クイックアクセスツールバーにマクロのボタンを登録する

❶ クイックアクセスツールバーの3つのボタンのいずれかを右クリックする。
❷ ショートカットメニューの［クイックアクセスツールバーのユーザー設定］をクリックする。

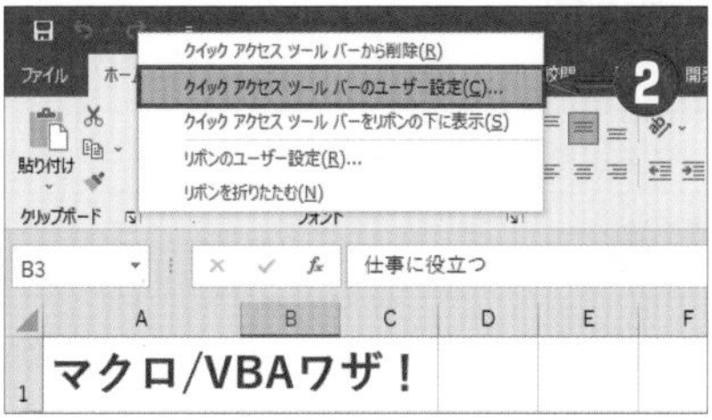

❸［Excelのオプション］ダイアログが表示されるので、［コマンドの選択］の▼をクリックして、一覧から［マクロ］をクリックする。
❹［クイックアクセスツールバーのユーザー設定］の▼をクリックして、一覧から適用先のブック名をクリックする。
❺［コマンドの選択］のリストから目的のマクロをクリックする。
❻［追加］をクリックする。
❼ 右側のリストに目的のマクロ名が表示されたことを確認して、［OK］をクリックする。

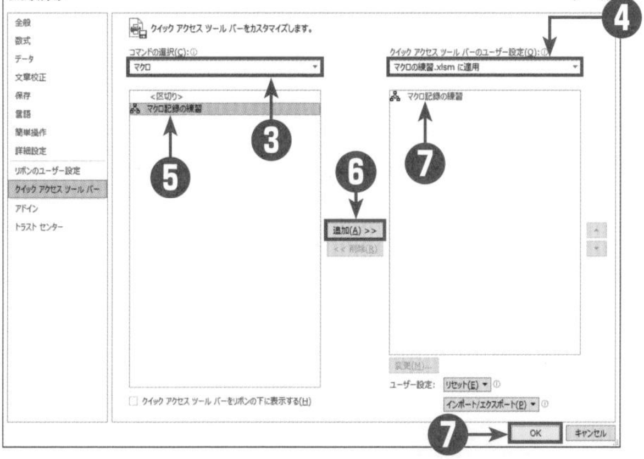

❽ クイックアクセスツールバーに ［マクロの練習］ が追加される。

ヒント

クイックアクセスツールバーの適用先

［クイックアクセスツールバーのユーザー設定］ボックスで、現在のブックを指定すると、そのブックを開いたときだけマクロのボタンが表示されます。初期値の［すべてのドキュメントに適用（既定）］の場合は、どのブックを開いても常にマクロのボタンが表示されます。

クイックアクセスツールバーからボタンを削除するには

クイックアクセスツールバーに登録したボタンを削除するには、ボタンを右クリックして［クイックアクセスツールバーから削除］をクリックします。

リボンに新しいタブを作成する

マクロのボタンはリボンの既存のグループには登録できません。新しいグループを作成する必要があります。ここでは、リボンに新しいタブやグループを作成する方法を紹介します。

❶ リボン内を右クリックし、ショートカットメニューの［リボンのユーザー設定］をクリックする。

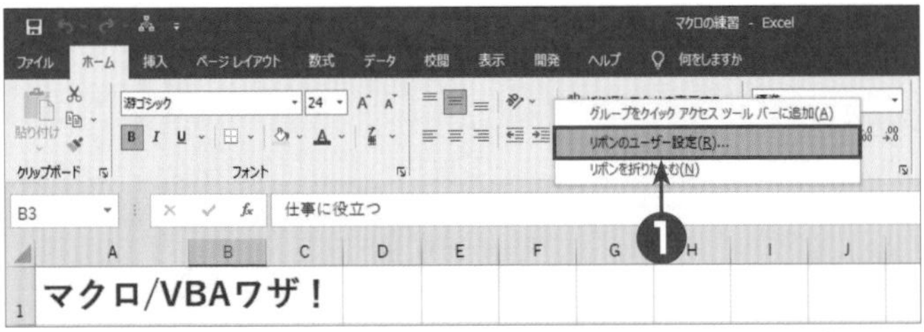

❷ ［Excelのオプション］ダイアログが表示されるので、［新しいタブ］をクリックする。

❸ ［リボンのユーザー設定］の下にある一覧に［新しいタブ（ユーザー設定）］と［新しいグループ（ユーザー設定）］が表示される。

❹ 作成した［新しいタブ（ユーザー設定）］をクリックする。

❺ ［名前の変更］をクリックする。

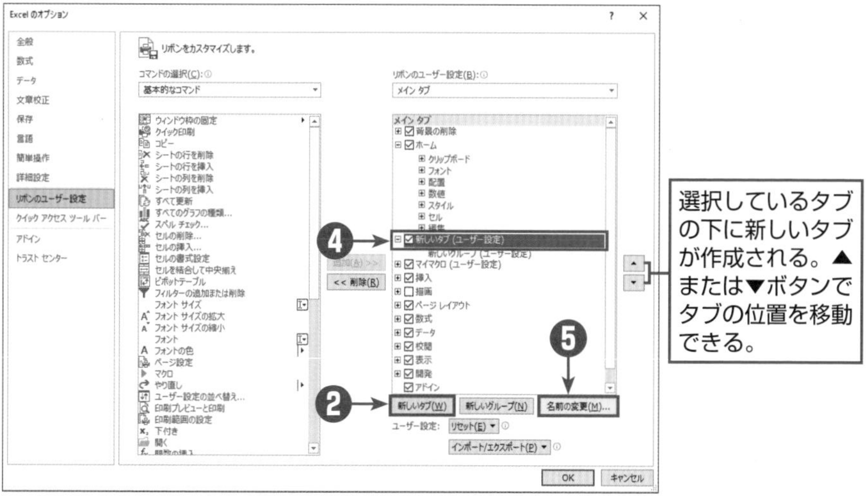

❻［名前の変更］ダイアログが表示されるので、タブの名前を入力して、［OK］をクリックする。

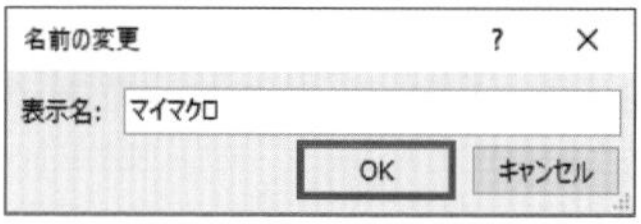

❼新しいタブの名前が変更される。同様に、［新しいグループ（ユーザー設定）］を選択して［名前の変更］をクリックすればグループ名を変更できる。

タブにマクロのボタンを登録する

作成したタブにマクロのボタンを登録するには、［Excelのオプション］ダイアログで続けて次のように操作します。

❶［Excelのオプション］ダイアログの右側の一覧からグループ名を選択する。
❷［コマンドの選択］の▼をクリックして、［マクロ］をクリックする。
❸すぐ下のリストからタブに登録したいマクロを選択する。
❹［追加］をクリックする。
❺右側の新しいグループの下にマクロ名が表示されたことを確認して、［OK］をクリックする。

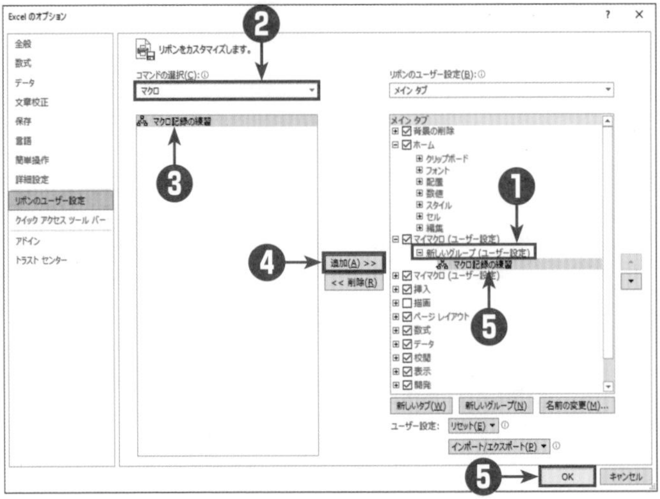

❻ リボンにタブが追加され、グループにマクロのボタンが表示される。

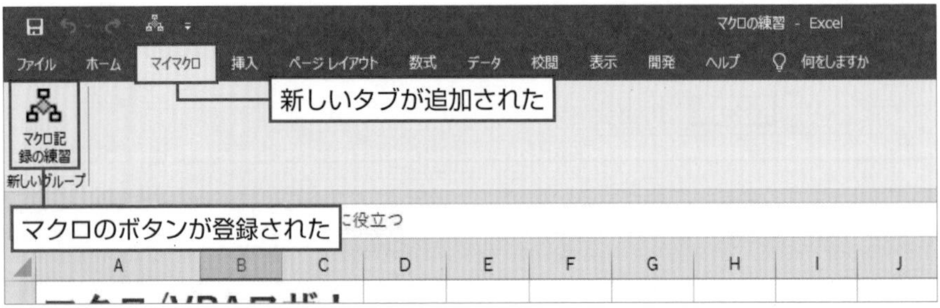

▲この機能を使えば、マクロ専用のタブを作成してマクロボタンを複数配置することができる。既存のタブに新しいグループを作成することもできる。

ヒント

リボンを初期設定に戻すには

［Excelのオプション］ダイアログを表示して、左側の一覧の［リボンのユーザー設定］を選択し、右下の［リセット］をクリックします。変更した箇所すべてを元に戻すには［すべてのユーザー設定をリセット］をクリックします。

ヒント

ボタン画像の変更

上記の［Excelのオプション］ダイアログでボタン名を選択して［名前の変更］をクリックすると［名前の変更］ダイアログが表示され、アイコンの一覧からボタン画像を選択できます。

第3章

VBAを書くための基本操作

マクロを構成するVBAを入力したり、修正するにはVBE（Visual Basic Editor）というエディターを使用します。この章では、VBEでマクロのコードを入力するための基本操作やマクロの印刷や削除、エラーの対応方法などを説明します。

1 VBEを起動するには

　マクロ記録で作成したマクロは、自動的にVBAのコードに変換されています。VBAのコードを表示したり、直接コードを入力したりするにはVBE（Visual Basic Editor）というプログラミング用のアプリケーションを使用します。VBEはExcel上から起動ができます。

VBEを起動する

　VBEを起動するには、次の3通りの方法があります。この例では、2章で作成したマクロ有効ブックを使用してVBEを起動します。

■［マクロ］ダイアログからVBEを起動する

❶［開発］タブの［コード］の［マクロ］をクリックする。
❷［マクロ］ダイアログの［マクロ名］からマクロを選択する。
❸［編集］をクリックする。
❹ VBEが起動して、選択したマクロのコードが表示される。

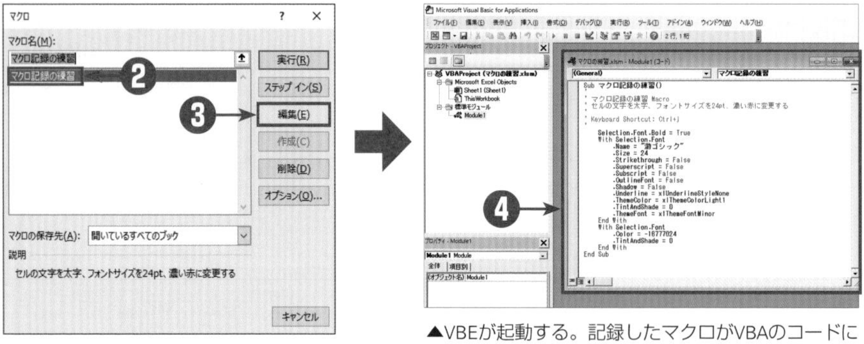

▲VBEが起動する。記録したマクロがVBAのコードに変換されて、右側のコードウィンドウに表示されている。

■ショートカットキーで操作する

❶ Altを押しながらF11を押す。
❷ VBEが起動する。

■リボンのボタンから起動する

❶［開発］タブの［コード］の［Visual Basic］をクリックする。
❷ VBEが起動する。

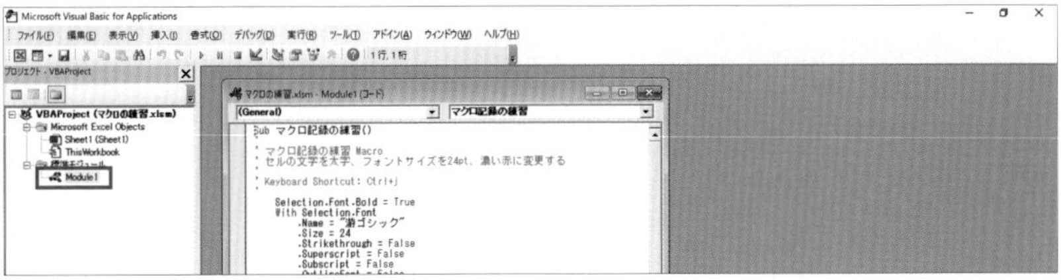

▲[Visual Basic] をクリックしてVBEを起動したときにコードウィンドウが表示されていない場合には、左側のウィンドウの［標準モジュール］をダブルクリックするか、左側の ⊞ をクリックし、その下に表示される［Module1］をダブルクリックする。

VBEからExcelに切り替える

VBEを起動したままExcelの画面に切り替えることができます。VBEのツールバーのボタンをクリックします。

❶［標準］ツールバーの ⊠［表示Microsoft Excel］をクリックする。

❷ Excelに表示が切り替わる。

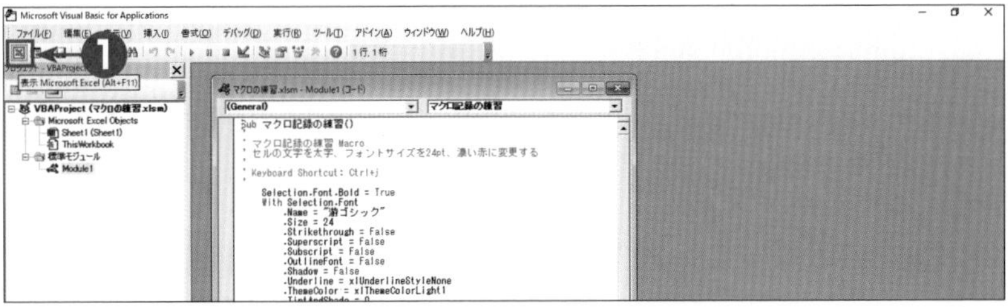

▲Excelに切り替わる。Altを押しながらF11を押しても、同様に操作できる。

2 VBEの画面構成

VBEの画面は3つのウィンドウとメニューバー、ツールバーで構成されています。

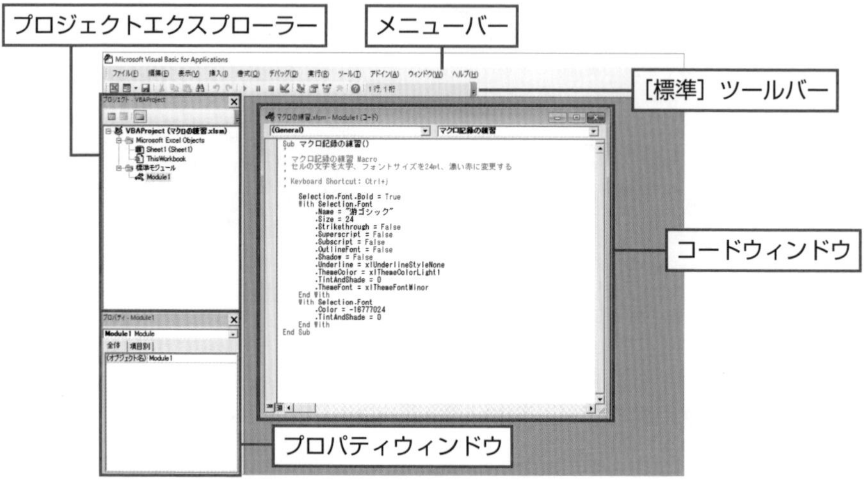

■ プロジェクトエクスプローラー

Excelのブックのシートやマクロは、プロジェクトという単位で管理されています。プロジェクトの構成要素が階層構造で表示されています。

■ プロパティウィンドウ

プロジェクトエクスプローラーで選択している項目の属性や情報が表示されます。

■ コードウィンドウ

マクロの内容であるVBAのコードが表示されます。命令文の入力や編集もこのウィンドウで行います。マクロが含まれていないブックでVBEを起動するとコードウィンドウは表示されていません。

参照

コードウィンドウの表示

この章の4

ヒント

ウィンドウの操作

それぞれのウィンドウは、必要に応じて表示／非表示を切り替えたり、ウィンドウのサイズを変更することができます。閉じてしまったウィンドウを再表示するには、[表示] メニューの一覧からウィンドウの名称をクリックします。ウィンドウのサイズ変更は、ウィンドウの境界線をドラッグします。

3 マクロの構成要素

マクロは、プロシージャ、モジュール、プロジェクトという要素で構成されています。

■ プロシージャ

マクロのプログラムの実行単位のことです。VBAのコードの「Sub」から「End Sub」までが1つのマクロの実行単位となり、「Subプロシージャ」と呼ばれます。プロシージャには、Sub、Function、Propertyの3種類があります。

```
Sub マクロ記録の練習()
'
' マクロ記録の練習 Macro
' セルの文字を太字、フォントサイズを24pt、濃い赤に変更する
'
' Keyboard Shortcut: Ctrl+j
'
    Selection.Font.Bold = True
    With Selection.Font
        .Name = "游ゴシック"
        .Size = 24
        .Strikethrough = False
        .Superscript = False
        .Subscript = False
        .OutlineFont = False
        .Shadow = False
        .Underline = xlUnderlineStyleNone
        .ThemeColor = xlThemeColorLight1
        .TintAndShade = 0
        .ThemeFont = xlThemeFontMinor
    End With
    With Selection.Font
        .Color = -16777024
        .TintAndShade = 0
    End With
End Sub
```

マクロの実行単位
＝
プロシージャ

■ モジュール

マクロを記述したり、編集する専用のシートのことです。マクロのコードを記述するには「標準モジュール」を使用します。その他、Microsoft Excel Objects、ユーザーフォーム、クラスモジュールの4種類のモジュールがあり、プロジェクトエクスプローラーに表示されます。

■ プロジェクト

マクロを構成する複数のモジュールの集まりをプロジェクトと呼びます。

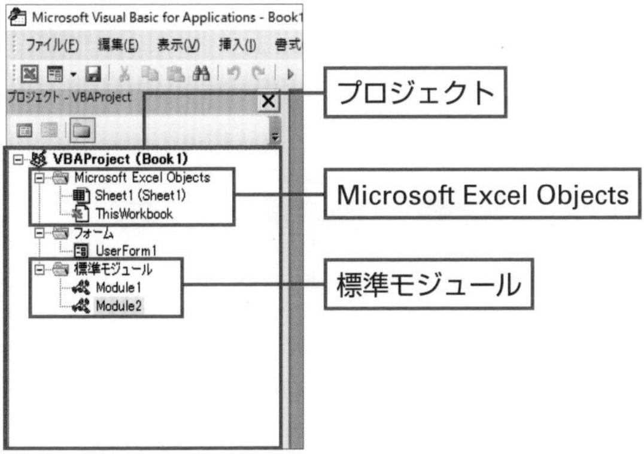

ヒント

Functionプロシージャ

Functionプロシージャは、処理の結果を値として返すプロシージャです。VBAでユーザーが作成できる関数「ユーザー定義関数」の作成に使用します（第8章の13参照）。

4 VBEの基本操作

VBEで最初からマクロを作成する場合は、標準モジュールを挿入して、コードウィンドウにVBAのコードを入力します。マクロの記録を行った場合は、標準モジュールは自動的に作成されます。

標準モジュールを挿入する

❶［挿入］メニューをクリックして、［標準モジュール］をクリックする。

❷ 新しいコードウィンドウが表示される。

❸ プロジェクトエクスプローラーに［標準モジュール］と［Module1］が表示されたことを確認する。

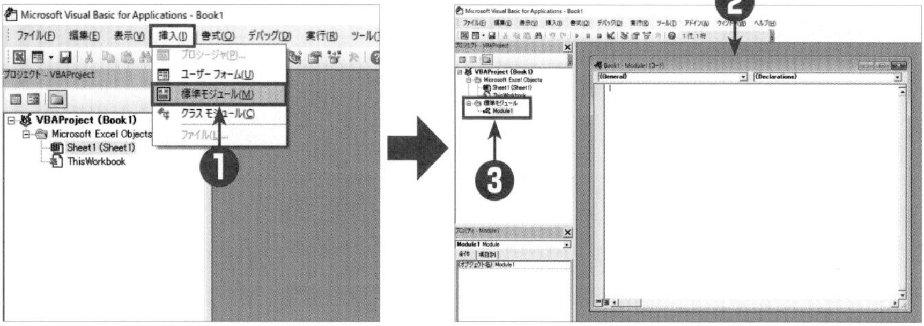

▲VBAを入力するためのコードウィンドウが表示される。ブックには複数のモジュールを挿入できる。

ヒント

その他の方法

［標準モジュール］を挿入するには、次の方法もあります。

・［標準］ツールバーの ［ユーザーフォームの挿入］の右側の▼をクリックし、［標準モジュール］をクリックする。

・プロジェクトエクスプローラー内を右クリックし、ショートカットメニューの［挿入］をポイントし、［標準モジュール］をクリックする。

コードウィンドウの表示／非表示を切り替える

コードウィンドウを閉じてしまった場合は、次の操作で再表示します。

❶ プロジェクトエクスプローラーの［標準モジュール］の［Module1］をダブルクリックする。

❷ コードウィドウが表示される。

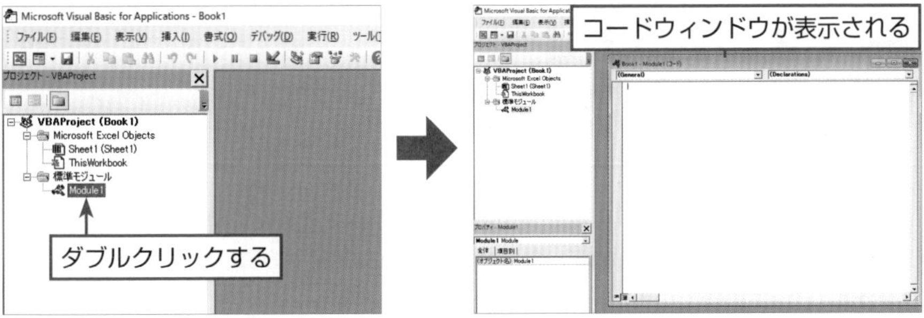

▲［標準モジュール］の下に［Module1］が表示されていない場合は、［標準モジュール］をダブルクリックする。ダブルクリックすると下の階層を展開したり折りたたむことができる。

ヒント

その他の方法

プロジェクトエクスプローラーの［Module1］を選択して、上部にある ［コードの表示］をクリックしてもコードウィンドウを表示できます。

VBEを終了する

VBEの作業が終わったら、VBEを終了してExcelに表示を切り替えます。

❶［ファイル］メニューをクリックして［終了してMicrosoft Excelへ戻る］をクリックする。

❷ VBEが終了して、Excelが表示される。

ヒント

その他の方法

VBEのウィンドウの閉じるボタンをクリックしてもVBEを終了できます。

マクロの保存

VBEを終了してもマクロは保存されません。作成したマクロはブックを保存したときに同時に保存されます。また、VBEの［標準］ツールバーの ［上書き保存］をクリックしてもマクロが保存されます。このときブック自体も保存されます。

5 VBAのコードを入力するには

マクロの実行単位であるプロシージャを記述していく方法を説明します。VBEには、コードの入力をサポートする機能があります。プロシージャの構成要素は次のようになります。

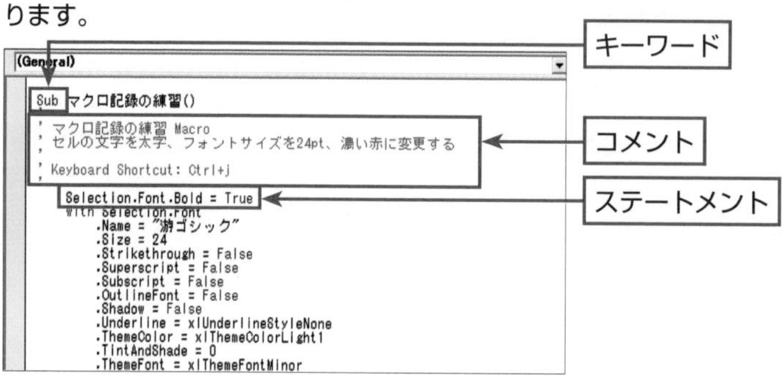

■キーワード

VBAに用意されている命令のための単語のことです。キーワードには青色で表示されるものがあります。

■コメント

行頭または行の途中にシングルクォーテーション（'）を付けると、以降はその行の終わりまでがコメントになります。コメントはマクロの情報を表示したい箇所に必要に応じて記述します。コメントは緑色で表示され、プロシージャの実行時には無視されます。

■ステートメント

プロシージャ内の1つの命令文のことです。上のステートメントから下方向に1行ずつ実行されます。

プロシージャを入力する

プロシージャは「Sub」で始まり「End Sub」までが1つのプロシージャです。コードの入力は日本語入力がオフの状態で行います。

❶ コードウィンドウに「sub」と入力し、半角スペースを挿入して、次にマクロ名として「メッセージ表示」と入力する。
❷ Enterを押す。
❸「Sub メッセージ表示()」に変換され、自動的に3行目に「End Sub」が入力される。

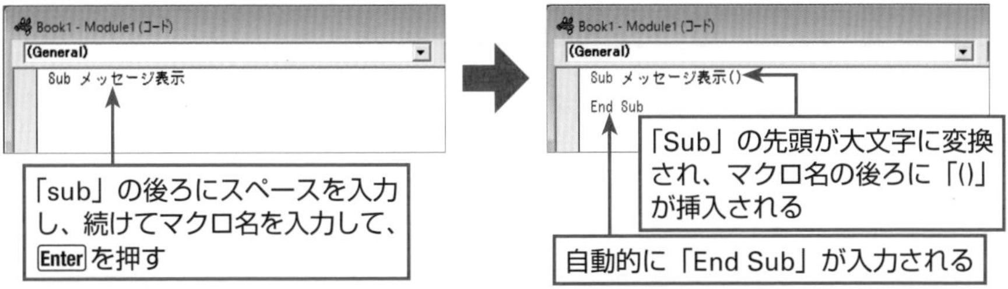

ヒント

大文字の自動変換

コードを小文字で入力してEnterまたは↓を押すなどして他の行にカーソルを移動するとVBAのキーワードの場合は自動的に先頭が大文字に変換されます。

ステートメントを入力する

この例では、画面にメッセージを表示するステートメントを入力します。

❶ 2行目にカーソルが表示されていることを確認して、Tabを押す。

❷ 半角4字分の字下げが実行される。

❸「msgbox」と半角スペースを入力し、「"VBAの練習です"」と入力する。

❹ Enterを押す。

❺「MsgBox "VBAの練習です"」と変換される。

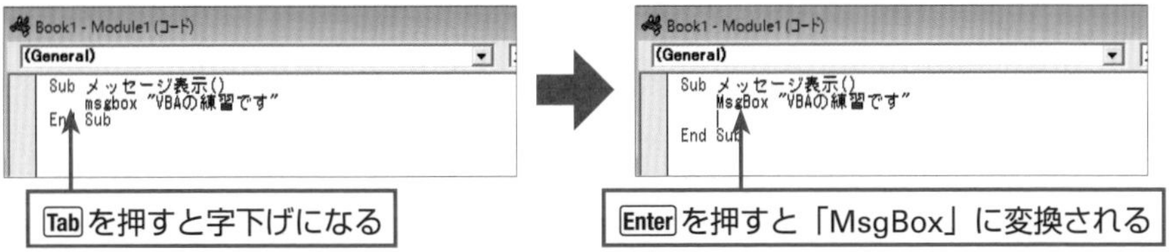

▲Enterの代わりに↓を押すと改行せずにステートメントの確定ができる。

ヒント

字下げについて

行頭を字下げするとプロシージャ内の処理のまとまりを確認しやすくなります。字下げはTabを使用します。字下げしてもプロシージャの処理速度は変わりません。

自動クイックヒント

関数やメソッド、プロパティに続けて半角かっこや半角スペースを入力すると、すぐ下に引数などの構文が情報として表示されます。入力を続けていくと自動的に非表示になります。このクイックヒントはCtrl+Iを押しても表示できます。

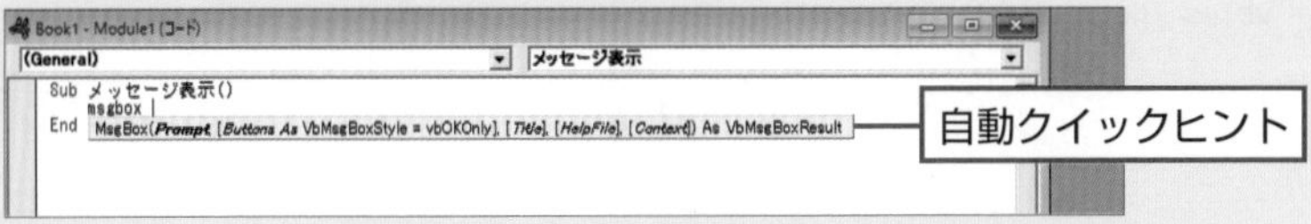

自動メンバー表示機能を利用する

この例では、セルB1に文字を表示するステートメントを入力します。

❶ 3行目に「range("B1").」と入力する。

❷ 自動メンバー表示のリストが表示される。

❸ コードの頭文字「v」を入力すると、リストの候補の先頭にジャンプする。

❹ ↓を押して「Value」に移動して、Tabを押す。

❺ 選択したコード「Value」が入力される。続けて「="マクロ/VBAワザ！"」と入力する。

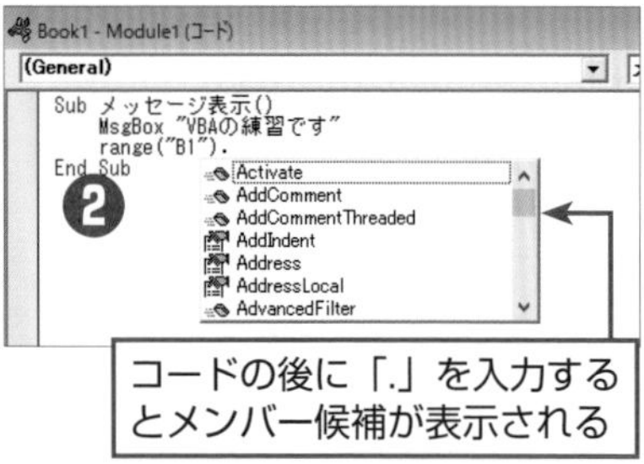

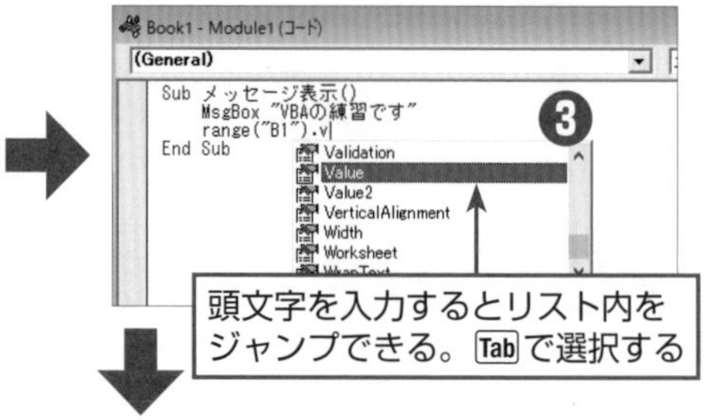

参照

MsgBox関数

第8章の1

Rangeプロパティ

第5章の1

Valueプロパティ

第5章の11

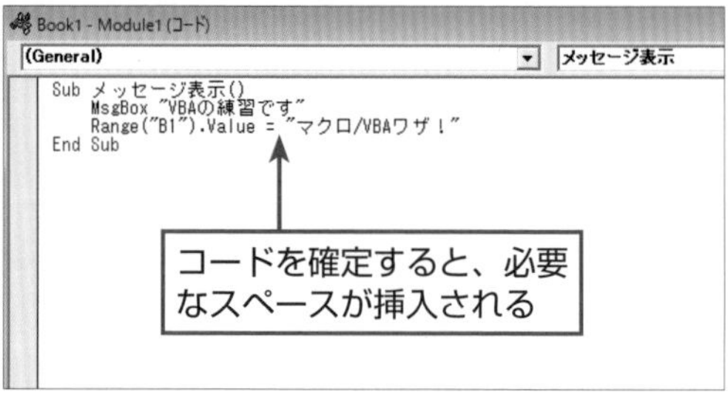

ヒント

その他の方法

自動メンバー表示は、Ctrl+SpaceまたはCtrl+Jを押しても表示できます。［編集］メニューの［入力候補］をクリックしても表示できます。

長いステートメントを複数行に分けるには

ステートメントは基本的には1行に1つですが、途中で改行して複数行にすることもできます。改行したい位置で半角スペースとアンダースコア（_）を入力すれば次の行に続けて記述ができます。ただし、コードの単語の途中では改行しないようにします。

```
If MsgBox("数量を消去しますか?", vbYesNo + vbQuestion) = vbYes Then
  ↓
If MsgBox("数量を消去しますか?", vbYesNo + vbQuestion) _
    = vbYes Then
```

改行したい位置で、半角スペースとアンダースコア（_）を入力する

6 VBEからマクロを実行するには

作成したマクロはVBEの画面上から実行することもできます。

マクロを実行する

❶ プロシージャ内にカーソルを表示する。
❷［標準］ツールバーの［Sub/ユーザーフォームの実行］をクリックする。
❸ マクロが実行され、Excel上にダイアログが表示される。
❹［OK］をクリックする。
❺ マクロの実行が終了すると、自動的にVBEに切り替わる。
❻［標準］ツールバーの［表示Microsoft Excel］をクリックしてExcelに切り替え、マクロが実行されたことを確認する。

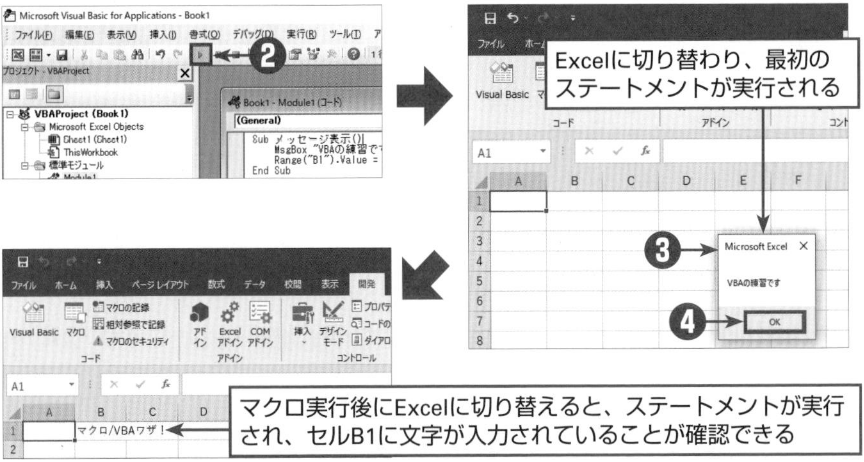

ヒント

マクロの実行

F5 を押してもマクロの実行ができます。

プロシージャ内にカーソルがない場合は

プロシージャ内にカーソルがない状態で［Sub/ユーザーフォームの実行］をクリックした場合は、［マクロ］ダイアログが表示されます。マクロ名を選択して［実行］をクリックしてマクロを実行します。

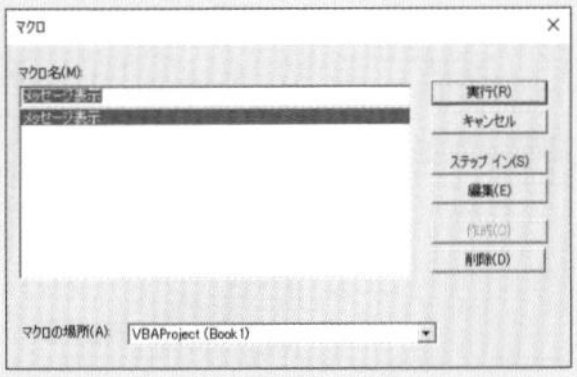

7 マクロのコードを印刷するには

作成したマクロのコードは印刷ができます。コードウィンドウで長いマクロが確認しにくい場合などに印刷して参照すると便利です。

モジュールを印刷する

❶ 印刷したいモジュールを選択する。
❷［ファイル］メニューの［印刷］をクリックする。
❸［印刷-VBAProject］ダイアログが表示されるので、［印刷範囲の選択］の［カレントモジュール］をクリックする。
❹［OK］をクリックする。
❺ 印刷が実行される。

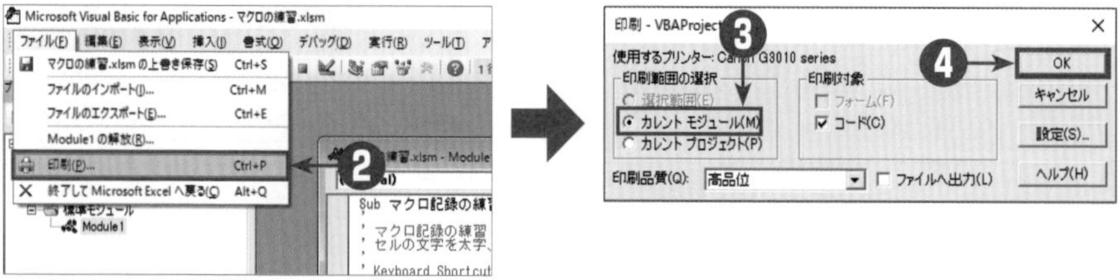

▲複数のモジュールがある場合に［カレントプロジェクト］を選択すると、改ページしながらすべてのモジュールが印刷される。

ヒント

その他の方法

プロジェクトエクスプローラーで印刷したいモジュールを右クリックして、ショートカットメニューの［印刷］をクリックしても［印刷-VBAProject］ダイアログが表示されます。

モジュールの一部を印刷するには

モジュールの一部分だけを印刷することもできます。コードウィンドウで印刷したいステートメントをドラッグして選択し、［ファイル］メニューの［印刷］をクリックします。［印刷-VBAProject］ダイアログの［選択範囲］が選択されていることを確認して［OK］をクリックします。

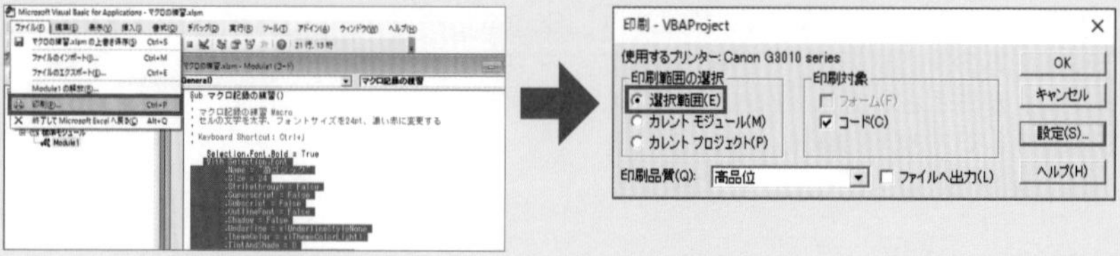

8 マクロを削除するには

マクロを削除するには、コードウィンドウで「Sub マクロ名()」から「End Sub」までの行を選択してプロシージャ単位で削除するか、モジュールの解放でモジュール全体を削除します。

モジュールを削除する

❶ プロジェクトエクスプローラーの削除したいモジュール名を右クリックする。
❷ ショートカットメニューの［Module1の解放］をクリックする。
❸ エクスポートの確認のメッセージが表示されるので、［いいえ］をクリックする。
❹ モジュールが削除される。

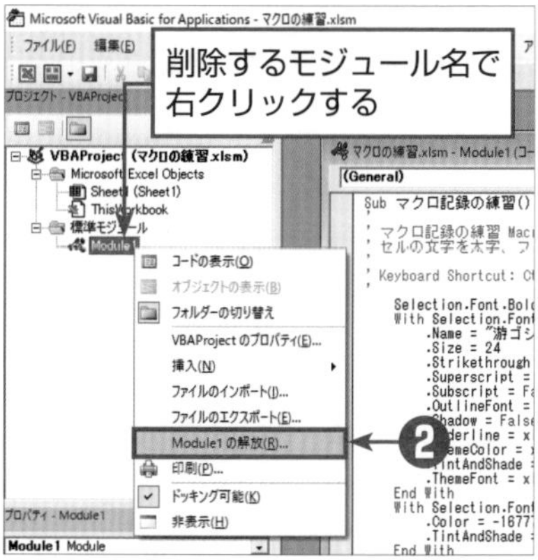

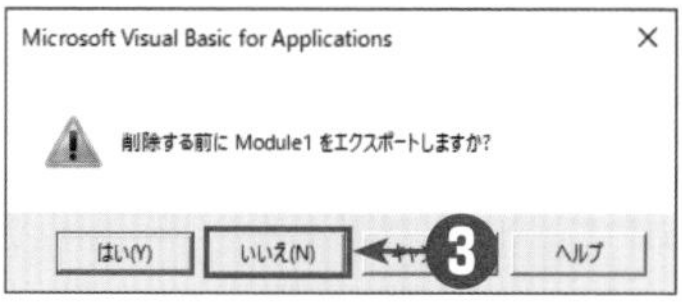

▲モジュールを削除する前に、モジュールを別のファイルとして保存するかを選択する。

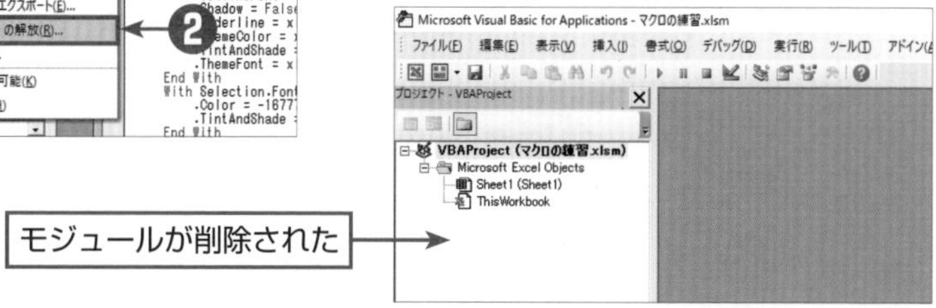

ヒント

モジュールのエクスポート

上記のダイアログで［はい］をクリックすると、［ファイルのエクスポート］ダイアログが表示され、モジュールを別のファイルとして保存できます。エクスポートしたファイルはショートカットメニューの［ファイルのインポート］で再び取り込みができます。

［マクロ］ダイアログで削除する

Excelの画面でマクロを削除するには、Alt＋F8で［マクロ］ダイアログを表示し、削除したいマクロを選択して［削除］をクリックします。確認メッセージが表示されるので［はい］をクリックします。この操作では、モジュールは削除されません。

9 エラーに対応するには

マクロの作成中や実行時にエラーが表示されることがあります。エラーには次の3種類があります。それぞれの対処方法を説明します。

■ コンパイルエラー

コードの構文の間違いによるエラーです。コードの入力時には自動的に構文のチェック機能が働くため、入力ミスや、不要な記号の入力、かっこやダブルクォーテーション(")が不足している場合などにコンパイルエラーが表示されます。

コードの記述中のエラーは、エラーメッセージの内容を読み［OK］をクリックします。間違えているステートメントが赤字で表示されるので、正しい構文に修正します。

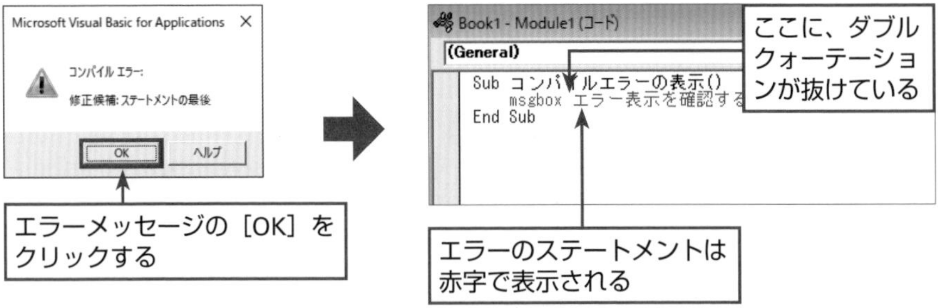

マクロ実行時のエラーは、エラーメッセージの［OK］をクリックすると間違えているステートメントが反転表示され、マクロの実行が中断されます。［リセット］をクリックして、いったんマクロの実行を取り消してから修正します。

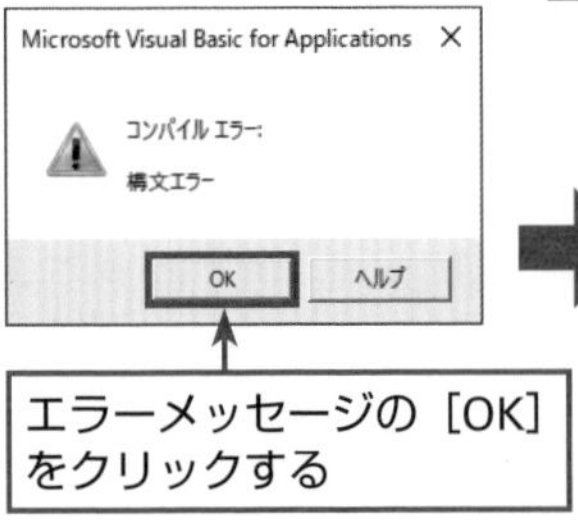

▲［ヘルプ］をクリックすると、エラーの原因や対処方法などのヘルプ画面が表示される。

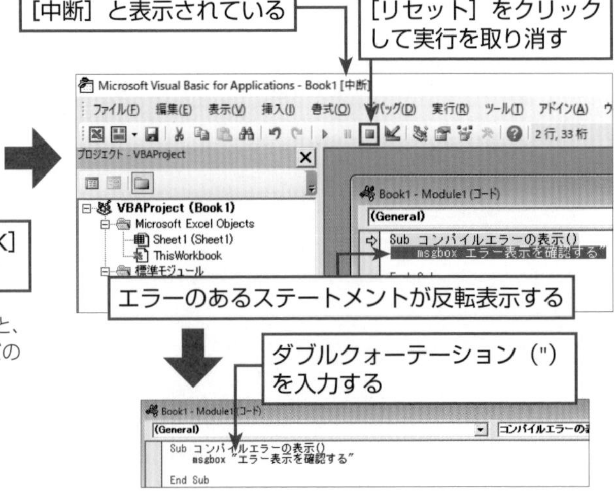

■ 実行時エラー

　コードの構文上は正しいが、実行できない処理がマクロに含まれている場合に表示されるエラーです。エラーメッセージにはエラー番号が表示されています。マクロを終了するには［終了］をクリックし、修正を行うには［デバッグ］をクリックします。エラーのステートメントの左側には矢印が表示され、ステートメントに黄色の背景色が付きます。コンパイルエラーと同様に、■［リセット］をクリックして、修正します。

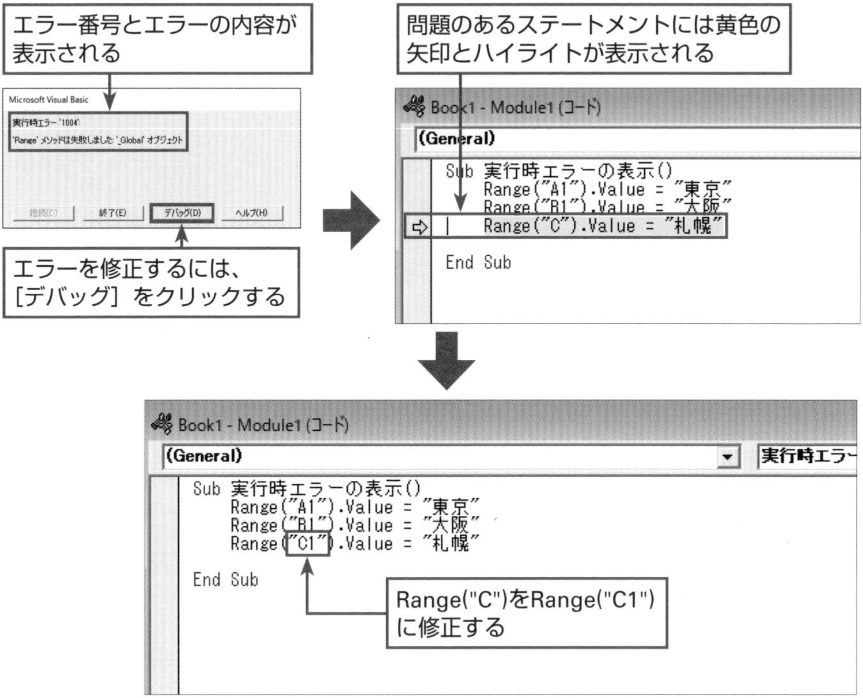

■ 論理エラー

　マクロの実行はできても意図した結果を得られない状態を論理エラーといいます。コードの構文は正しいので問題のあるステートメントを見つけにくく、修正作業に時間がかかることがあります。

ヒント

ステートメントを1行ずつ実行するには

F8 を押すか、［デバッグ］ツールバーの ［ステップイン］をクリックするごとに、ステートメントを1行ずつ実行できます。ExcelとVBEのウィンドウを並べて表示しておけば、1つずつのステートメントの処理を確認できるためエラーが見つけやすくなります。［デバッグ］ツールバーは、ツールバーを右クリックして［デバッグ］をクリックすると表示できます。

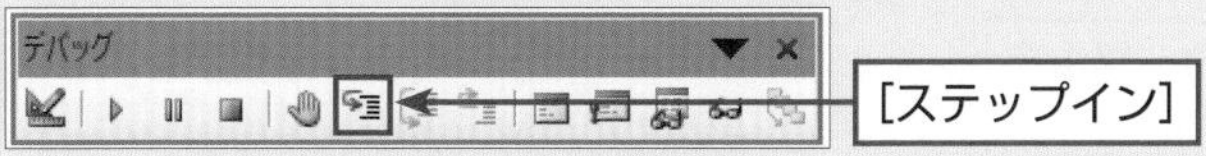

10 ヘルプを利用するには

VBAのコードの意味がわからないときや、構文の記述方法や使用例を調べたい場合はヘルプを利用すると便利です。

ヘルプを起動して調べる

❶ VBEのツールバーの [Microsoft Visual Basic Applications ヘルプ] をクリックする。

❷ Webブラウザーが起動し、Microsoft社のサイトが表示される。次の方法でヘルプを参照する。

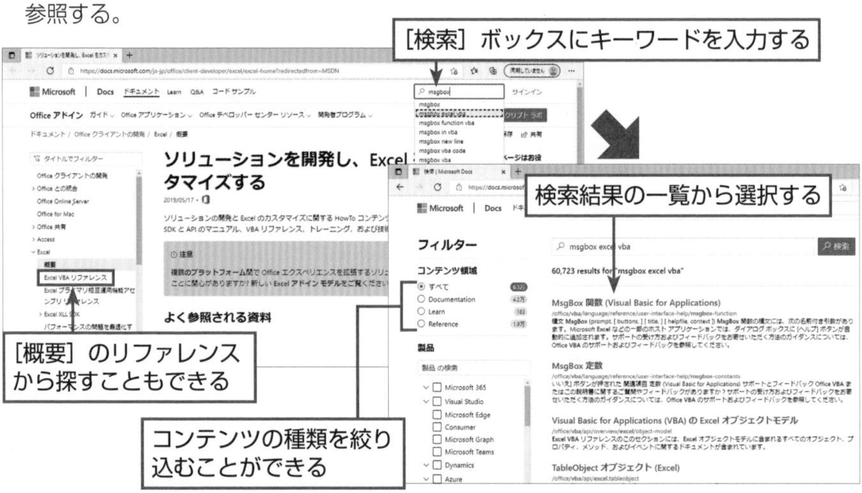

ヒント

特定のコードの意味を調べる

コードウィンドウのコードから直接ヘルプを呼び出して参照することができます。

❶ 調べたいコードにカーソルを移動して、F1キーを押す。

❷ Webブラウザーが起動して、そのコードの構文の説明や使用例が表示される。

オブジェクトの操作

第4章

この章では、Excelのブック、ワークシート、セルを操作するためのプロパティ、メソッド、コレクションについて説明します。

1 オブジェクトとは

VBAでは、Excelのブックやワークシート、セルなどを操作することができます。これらの操作の対象となるものを「オブジェクト」といいます。

オブジェクトとは

Excelは、ブック、ワークシート、セルなどのオブジェクトで構成されています。VBAで、Excelのオブジェクトを操作することによって、処理の自動化を実現することができるのです。オブジェクトに対する操作を指示するために、各オブジェクトには「プロパティ」と「メソッド」が用意されています。プロパティとメソッドについては後述しています。

VBAのオブジェクト構造

VBAでは、各オブジェクトの関係は階層構造で管理されています。上位のオブジェクトから、階層をたどって目的のオブジェクトを操作します。

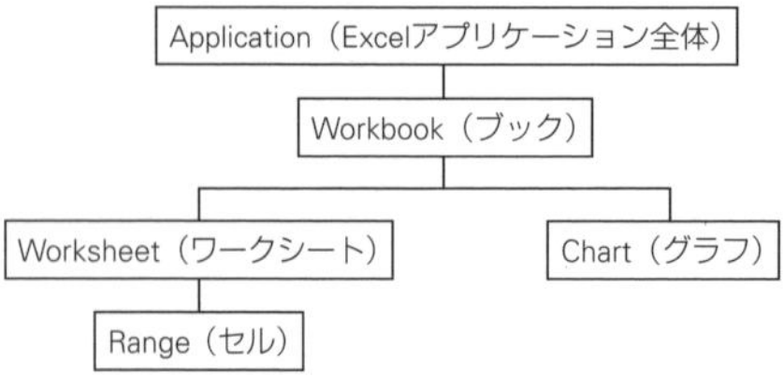

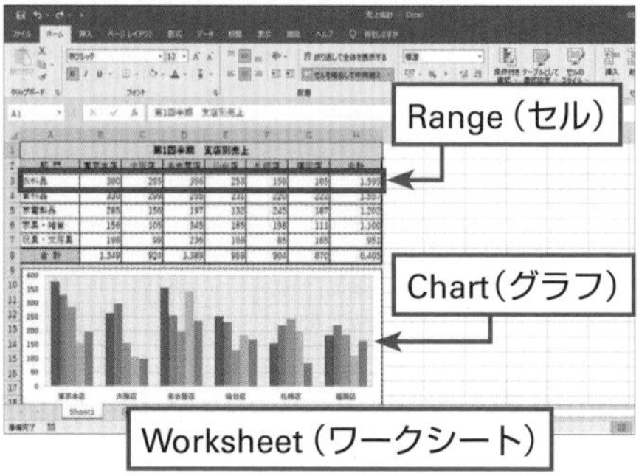

たとえば、ブック「Example」のシート「Sheet1」のセル「A1」を指定するには、階層構造の上位から「.」で区切って記述します。

```
Application.Workbooks("Example").Worksheets("Sheet1").Range("A1")
```

ただし、現在アクティブになっているブックのアクティブシートのセルを参照する場合は、上位階層は省略することができます。次のように記述するとアクティブブックのアクティブシートのセルA1を指します。

```
Range("A1")
```

2 プロパティとは

オブジェクトの状態を「プロパティ」といいます。セルに入力されている値、フォントのサイズや色、ワークシートの名前などがプロパティです。オブジェクトによって使用できるプロパティは決まっています。

プロパティの値の取得

プロパティの値を取得することで、オブジェクトの状態を取得することができます。たとえば、セルに入力されている値や、セルに設定されているフォントを取得することができます。

書式　**オブジェクト名.プロパティ**

使用例**MsgBox Range("A1").Value**
セルA1の値をダイアログに表示する。

▲MsgBox関数はダイアログにメッセージを表示する。Valueプロパティはセルに入力された値を取得する。

プロパティに値を代入

プロパティに値を設定することで、オブジェクトの状態を変更することができます。たとえば、Rangeオブジェクトのプロパティに値を代入すると、セルに文字や数値を入力したり、セルのフォントを変更することなどができます。Worksheetオブジェクトのプロパティに値を代入すると、ワークシートの名前を変更したり、シート見出しの色を変更することなどができます。

書式　**オブジェクト名.プロパティ ＝ 値**

使用例**Range("A1").Value = "Excel"**
セルA1に「Excel」という文字列を入力する。

ヒント

値の代入

プロパティに値を代入するには「=」を使用します。ここでの「=」は等号を意味するのではなく、右辺から左辺に値を代入することを意味します。

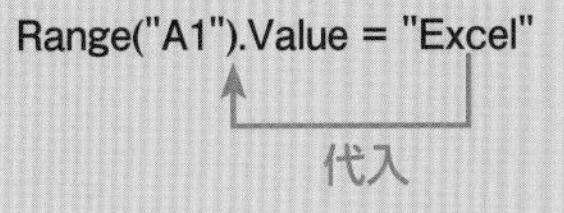

引数を指定するプロパティ

プロパティには、引数を必要とするものがあります。引数が複数ある場合は、「コンマ（,）」で区切ります。

書式　**オブジェクト名.プロパティ(引数1，引数2,…)**

使用例**Range("A1").Offset(1,1)**
セルA1の1行下、1列右のセルを参照する。

▲Offsetプロパティは相対的な位置のセルを参照する。

■ 省略可能な引数を指定する

引数には、必ず指定しなければいけない必須の引数と、省略が可能なオプションの引数があります。プロパティの引数を省略するには、プロパティの書式に指定されている引数を順番どおり指定する方法と、引数の名前を指定する方法があります。

ここでは、Offsetプロパティの引数を例に挙げて説明します。Offsetプロパティの引数の指定は次のとおりです。RowOffsetとColumnOffsetはどちらも省略可能な引数です。

```
オブジェクト名.Offset(RowOffset,ColumnOffset)
```

Offsetプロパティの第1引数であるRowOffsetだけを指定して、第2引数のColumnOffsetを省略する場合は、次のように第1引数だけを記述します。

```
Range("A1").Offset(1)
```

第2引数のColumnOffsetだけを指定したい場合は、2番目の引数であることがわかるように、最初に「コンマ（,）」だけを入力し、第2引数を指定します。第3引数があり、第3引数だけを指定する場合は、「,,」のように「,」を2つ入力します。

```
Range("A1").Offset(,1)
```

引数の名前を明記する「名前付き引数」を使用すると、書式どおりの順序で各引数を指定しなくても、任意の順序で必要な引数だけを指定することができます。「名前付き引数」は「引数名:=値」という書式で記述します。

```
Range("A1").Offset(ColumnOffset:=2)
```

▲名前付き引数は大文字、小文字のどちらで記述しても問題ありません。

3 メソッドとは

オブジェクトに対する動作の命令を「メソッド」といいます。たとえば、セルを選択する、コピーする、削除するなどの命令がメソッドです。プロパティと同様に、オブジェクトによって使用できるメソッドは決まっています。

メソッドの指定

メソッドを使用すると、オブジェクトに対してさまざまな動作をさせることができます。

書式　**オブジェクト名.メソッド**

使用例**Rang("A1").ClearContents**
　セルA1の値を消去する。

▲ClearContentsメソッドはセルの値を消去する。

引数を指定するメソッド

プロパティと同様に、引数を必要とするメソッドがあります。

■戻り値を取得する場合

メソッドやプロパティには、処理結果を戻り値として返すものがあります。戻り値が必要な場合は引数をかっこで囲みます。

書式　**オブジェクト名.メソッド(引数1，引数2,…)**

使用例**Ans =Application. InputBox("名前を入力してください",Type:=2)**
　「名前を入力してください」と表示される文字列を入力するダイアログボックスを表示し、入力された文字列を変数Ansに代入する。

▲Application.InputBoxメソッドはダイアログを表示して文字列を入力する。

■戻り値を取得しない場合

戻り値を必要としない場合は引数をかっこで囲みません。

書式　**オブジェクト名.メソッド　引数1，引数2,…**

使用例**Range("A1").BorderAround xlContinous**
　セルA1に外枠罫線を実線で引く。

▲BorderAroundメソッドはセルの外枠に罫線を引く。

■ 組み込み定数を指定する

メソッドやプロパティの引数には、数値や文字列だけでなく、VBAで用意されている組み込み定数を指定することができます。たとえば、上記のBorderAroundメソッドの使用例では、線の種類で実線を指定するために、「xlContinous」という定数で指定しています。指定できる組み込み定数はメソッドやプロパティで決められています。

■ 名前付き引数を指定する

メソッドではプロパティと同様に引数の名前を明記する「名前付き引数」を指定できます。「名前付き引数」を使用すると、任意の順序で必要な引数だけを指定することができます。「名前付き引数」は「引数名:=値」という書式で記述します。

```
Range("A1:C3").BorderAround Weight:=xlMedium
```

▲名前付き引数は大文字、小文字のどちらで記述しても問題ありません。

ヒント

プロパティやメソッドに必要な引数を調べるには

プロパティやメソッドの書式はヘルプで調べることができます。ヘルプには必須となる引数、オプションとなる引数、引数の順序、名前付き引数が明記されています。

4 コレクションとは

Excelには、ワークシートやセルが複数存在します。同じ種類のオブジェクトの集まりのことを「コレクション」といいます。たとえば、Excelでは複数のブックを同時に開くことができます。現在開かれているブックをまとめて操作するときに、ブックのコレクションであるWorkbooksコレクションを使用します。

コレクションの指定

Workbookオブジェクトのコレクションは Workbooks、Worksheetオブジェクトのコレクションは Worksheetsのように複数形で記述します。コレクションもオブジェクトと同様にプロパティとメソッドを持っています。

書式　**コレクション名.プロパティ**
　　　コレクション名.メソッド

使用例 **Workbooks.Close**
　　　現在開かれているすべてのブックを閉じる。

▲Closeメソッドはブックを閉じる。

参照
Closeメソッド
第6章の22

コレクションからオブジェクトを参照するには

コレクション内の特定のオブジェクトを参照するには、コレクションの何番目にあるかを示すインデックス番号を指定する方法と、直接名前を指定する方法があります。

書式　**コレクション名(インデックス番号)**
　　　コレクション名(名前)

使用例 **Worksheets(1)**
　　　1枚目のワークシートを参照する。
　　　Worksheets("Sheet1")
　　　「Sheet1」という名前のワークシートを参照する。

第5章 セルの操作

VBAを使うと、セルを操作することができます。セルを操作するには、対象となるセル位置を指定する必要があります。この章では、セルの指定方法から、セルに値や数式を入力したり、セルの移動やコピー、書式設定する方法についてを説明します。また、ワークシートにボタンを作成してすばやくマクロを実行する方法も紹介します。

1 セルを参照するには

VBAでは、セルはRangeオブジェクトとして扱われます。セルに値を入力したり、セルの値を取得したり、セルに書式を設定するには対象となるセルを参照する必要があります。セルを参照するにはRangeプロパティまたはCellsプロパティを使用します。

●Rangeプロパティ ［レンジ］

セルまたはセル範囲を表すRangeオブジェクトを返す。

書式 **Range(セル範囲)**

引数 **セル範囲**：参照するセルまたはセル範囲を指定する。

●Cellsプロパティ ［セルズ］

単一セルをあらわすRangeオブジェクトを返す。

書式 **Cells(行番号,列番号)**

引数 **行番号**：参照するセルの行番号を指定する。
列番号：参照するセルの列番号を指定する。

■ セル参照の使用例

Rangeプロパティと Cellsプロパティは、引数の指定によってさまざまなセルを参照することができます。

Range("A1")	セルA1
Range("A1:C5")	セル範囲A1～C5
Range("A1","C5")	セル範囲A1～C5
Range("A1,C5")	セルA1とセルC5
Range("A1:C5,A10:C15")	セル範囲A1～C5とセル範囲A10～C15
Range("A1:C5,A10")	セル範囲A1～C5とセルA10
Cells(5,3)	セルC5
Cells(5,"C")	セルC5
Range(Cells(1,1),Cells(5,3))	セル範囲A1～C5

2 セルを選択するには

セルを選択するには、RangeオブジェクトのActivateメソッドまたはSelectメソッドを使用します。Activateメソッドは単一のセルをアクティブにします。Selectメソッドは単一セルまたはセル範囲を選択します。単一セルを選択する場合は、ActivateメソッドとSelectメソッドのどちらを使用しても結果は同じです。ただし、あらかじめセル範囲が選択されている状態で、Activateメソッドを使用して選択範囲内のセルをアクティブにすると、選択範囲は解除されずに、範囲内のアクティブセルが移動します。

●Activateメソッド　［アクティベイト］

指定したセルをアクティブにする。

書式　**Rangeオブジェクト.Activate**

使用例 **Range("A1").Activate**
セルA1をアクティブにする。
Cells(2,6).Activate
セルF2をアクティブにする。

●Selectメソッド　［セレクト］

指定したセルまたはセル範囲を選択する。

書式　**Rangeオブジェクト.Select**

使用例 **Range("A1:C5").Select**
セル範囲A1～C5を選択する。

単一セルを選択する

セルB1を選択します。

```
Sub 単一セルを選択する()
    Range("B1").Activate
End Sub
```

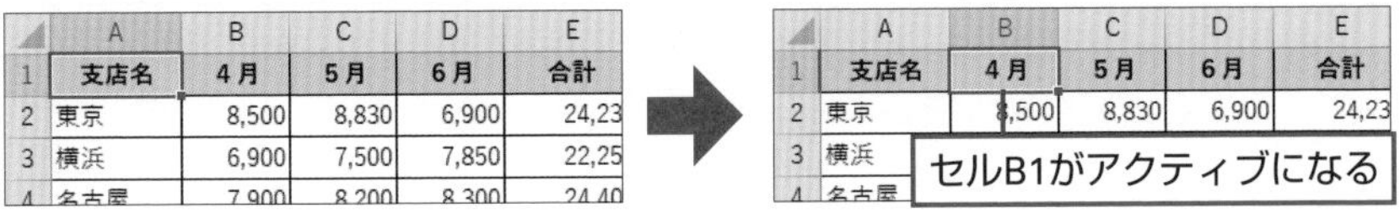

▲「Cells(1,2).Activate」「Range("B1").Select」と記述しても同様の動作になる。

セル範囲を選択する

セル範囲A1～E6を選択します。

```
Sub セル範囲を選択する()
    Range("A1:E6").Select
End Sub
```

	A	B	C	D	E
1	支店名	4月	5月	6月	合計
2	東京	8,500	8,830	6,900	24,230
3	横浜	6,900	7,500	7,850	22,250
4	名古屋	7,900	8,200	8,300	24,400
5	大阪	8,200	8,110	7,850	24,160
6	合計	31,500	32,640	30,900	95,040

	A	B	C	D	E
1	支店名	4月	5月	6月	合計
2	東京	8,500	8,830	6,900	24,230
3	横浜	6,900	7,500	7,850	22,250
4	名古屋	7,900	8,200	8,300	24,400
5	大阪	8,200	8,110	7,850	24,160
6	合計	31,500	32,640	30,900	95,040

セル範囲A1～E6が選択される

選択範囲内のセルをアクティブにする

セル範囲A1～E6を選択し、選択範囲内のセルD4をアクティブにします。

```
Sub 選択範囲内のセルをアクティブにする()
    Range("A1:E6").Select
    Range("D4").Activate
End Sub
```

	A	B	C	D	E	F
1	支店名	4月	5月	6月	合計	
2	東京	8,500	8,830	6,900	24,230	
3	横浜	6,900	7,500	7,850	22,250	
4	名古屋	7,900	8,200	8,300	24,400	
5	大阪	8,200	8,110	7,850	24,160	
6	合計	31,500	32,640	30,900	95,040	

セル範囲A1～E6が選択される

選択は解除されずにセルD4が
アクティブになる

ヒント

ワークシートの選択

Selectメソッドと Activateメソッドは、現在選択されているワークシートのセルが対象となります。セルを選択する前に、対象となるセルが存在するシートをアクティブにしておきましょう。

ヒント

全セルを選択するには

Cellsプロパティに引数を指定しないと全セルが参照されます。「Cells.Select」とすると全セルを選択することができます。

3 行を選択するには

行を参照するには、Rowsプロパティを使用します。

●Rowsプロパティ　[ロウズ]

指定された行番号の行を参照する。オブジェクトを省略すると、WorkSheetオブジェクトが指定されたことになり、ワークシートの行全体が参照される。Rangeオブジェクトを指定した場合は、選択範囲内の行が参照される。

書式　**オブジェクト.Rows(行番号)**

引数　**行番号**：参照する行を指定する。

使用例**Rows(4).Select**
4行目を選択する。

■ 行番号の指定例

Rows(1)	1行目
Rows("1:5")	1行目～5行目
Rows	ワークシートのすべての行

行を選択する

2行目から5行目を選択します。

```
Sub 行を選択する()
    Rows("2:5").Select
End Sub
```

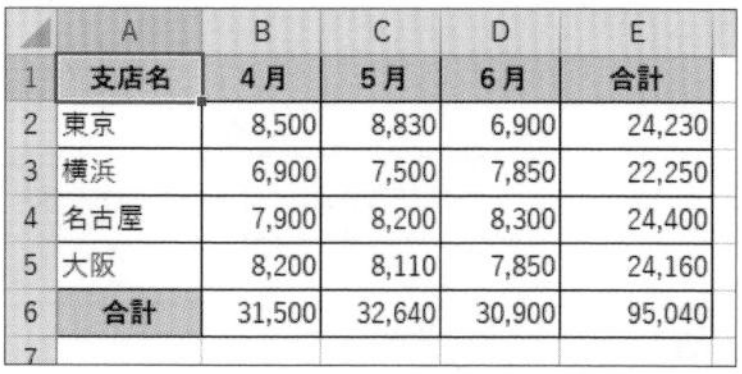

	A	B	C	D	E
1	支店名	4月	5月	6月	合計
2	東京	8,500	8,830	6,900	24,230
3	横浜	6,900	7,500	7,850	22,250
4	名古屋	7,900	8,200	8,300	24,400
5	大阪	8,200	8,110	7,850	24,160
6	合計	31,500	32,640	30,900	95,040
7					

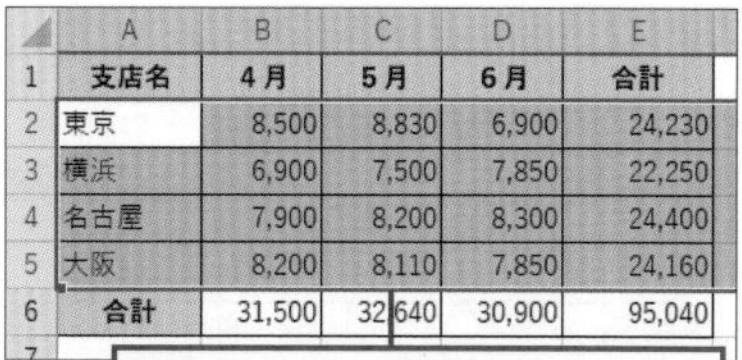

	A	B	C	D	E
1	支店名	4月	5月	6月	合計
2	東京	8,500	8,830	6,900	24,230
3	横浜	6,900	7,500	7,850	22,250
4	名古屋	7,900	8,200	8,300	24,400
5	大阪	8,200	8,110	7,850	24,160
6	合計	31,500	32,640	30,900	95,040
7					

2行目から5行目が選択される

ヒント

指定したセルを含む行全体を選択するには

RangeオブジェクトのEntireRowプロパティを使用すると、指定したセルが存在する行全体を参照することができます。「Range("B2").EntireRow.Select」と記述するとセルB2を含む行が選択されます。

4 列を選択するには

列を参照するには、Columnsプロパティを使用します。

●Columnsプロパティ ［カラムズ］

指定された列番号の列を参照する。オブジェクトを省略すると、WorkSheetオブジェクトが指定されたことになり、ワークシートの列全体が参照される。Rangeオブジェクトを指定した場合は、選択範囲内の列が参照される。

書式　**オブジェクト.Columns(列番号)**

引数　**列番号**：参照する列を指定する。

使用例**Columns(4).Select**
4列目を選択する。

■ 列番号の指定例

Columns (1)	A列
Columns ("A")	A列
Columns ("B:C")	B列～C列
Columns	ワークシートのすべての列

列を選択する

C列を選択します。

```
Sub 列を選択する()
    Columns("C").Select
End Sub
```

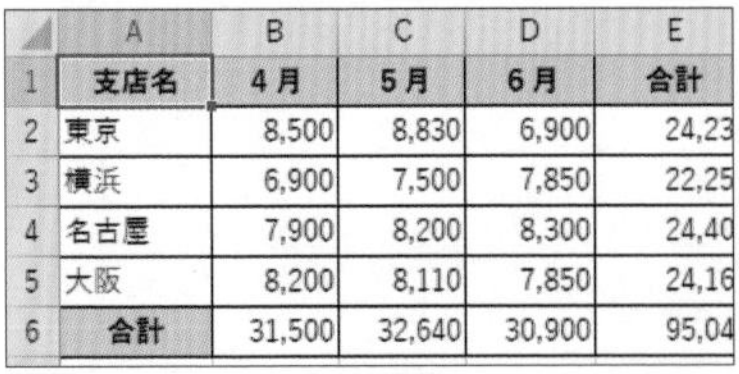

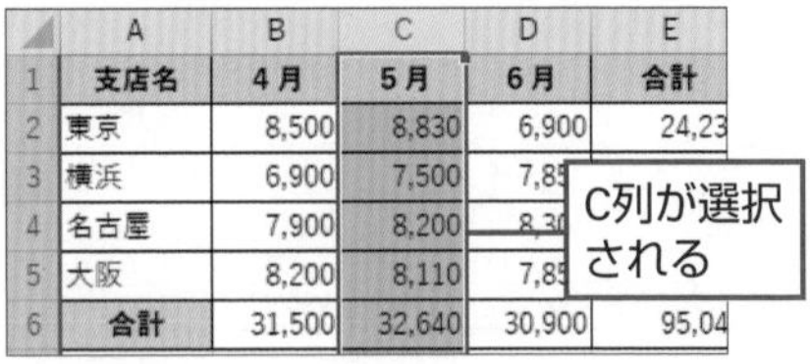

ヒント

指定したセルを含む列全体を選択するには

Rangeオブジェクトの EntireColumnプロパティを使用すると、指定したセルが存在する列全体を参照することができます。「Range("B2").EntireColumn.Select」と記述するとセルB2を含む列が選択されます。

5 表全体を選択するには

表全体を選択するには、RangeオブジェクトのCurrentRegionプロパティを使用します。CurrentRegionプロパティはアクティブセル領域を参照します。アクティブセル領域とは、空白行と空白列で囲まれたセル領域のことです。Ctrl＋*、またはCtrl＋Shift＋:を押したときと同じ動作になります。

●CurrentRegionプロパティ　[カレントリージョン]

空白行と空白列で囲まれたアクティブセル領域を参照する。

書式　**Rangeオブジェクト.CurrentRegion**

使用例**Range("B1").CurrentRegion.Select**
セルB1を含む表全体を選択する。

ヒント

CurrentRegionプロパティの制限

保護されているシートではCurrentRegionプロパティは使用できません。

表全体を選択する

セルA3を含む表全体を選択します。

```
Sub 表全体を選択する()
    Range("A3").CurrentRegion.Select
End Sub
```

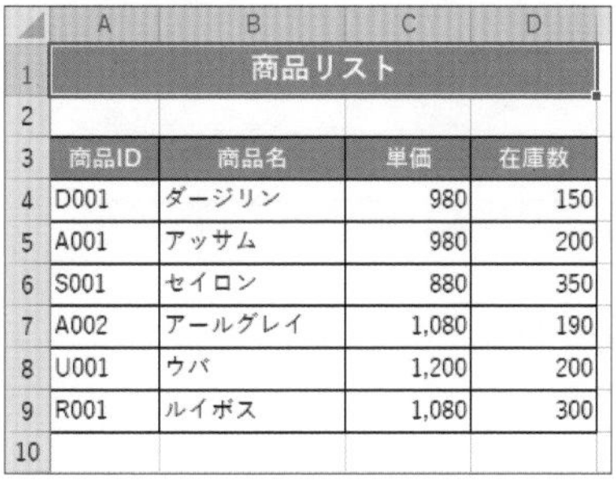

	A	B	C	D
1	商品リスト			
2				
3	商品ID	商品名	単価	在庫数
4	D001	ダージリン	980	150
5	A001	アッサム	980	200
6	S001	セイロン	880	350
7	A002	アールグレイ	1,080	190
8	U001	ウバ	1,200	200
9	R001	ルイボス	1,080	300
10				

	A	B	C	D
1	商品リスト			
2				
3	商品ID	商品名	単価	在庫数
4	D001	ダージリン	980	150
5	A001	アッサム	980	200
6	S001	セイロン	880	350
7	A002	アールグレイ	1,080	190
8	U001	ウバ	1,200	200
9	R001	ルイボス	1,080	300
10				

表全体が選択される

6 表の終端のセルを選択するには

値が入力されている最終行や最終列を参照するには、RangeオブジェクトのEndプロパティを使用します。Endプロパティは、Ctrlを押しながら方向キー、またはEndを押してから方向キーを押したときと同じ動作になります。

●Endプロパティ ［エンド］

表の終端のセルを選択する。

書式　**Rangeオブジェクト.End(Direction)**

引数　**Direction：移動する方向を定数で指定する。**

使用例**Range("A3").End(xlToRight).Select**
セルA3から右方向に連続入力されている最後のセルまで選択する。

■ 引数Directionで指定できる定数

xlDown	下方向に移動	xlToLeft	左方向に移動
xlUP	上方向に移動	xlToRight	右方向に移動

表の終端のセルを選択する

表内のB列の最下行のセルを選択します。

```
Sub 表の終端のセルを選択する()
    Range("B3").End(xlDown).Select
End Sub
```

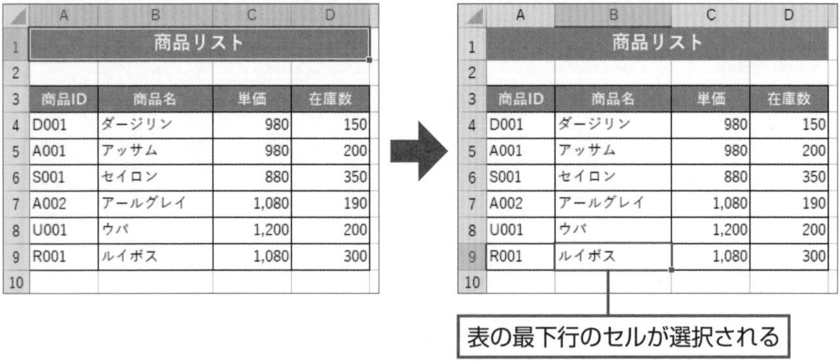

	A	B	C	D
1	商品リスト			
2				
3	商品ID	商品名	単価	在庫数
4	D001	ダージリン	980	150
5	A001	アッサム	980	200
6	S001	セイロン	880	350
7	A002	アールグレイ	1,080	190
8	U001	ウバ	1,200	200
9	R001	ルイボス	1,080	300
10				

表内の1行分のデータを選択する

表の中のセルA3を含む1行を選択します。

```
Sub 表の1行分のデータを選択する()
    Range("A3", Range("A3").End(xlToRight)).Select
End Sub
```

	A	B	C	D
1	商品リスト			
2				
3	商品ID	商品名	単価	在庫数
4	D001	ダージリン	980	150
5	A001	アッサム	980	200
6	S001	セイロン	880	350
7	A002	アールグレイ	1,080	190
8	U001	ウバ	1,200	200

表内の１行が選択される

表内の複数行を選択する

表の中の4行目から9行目までのセルを選択します。

```
Sub 表内の複数行を選択する()
    Range("A4", Range("A9").End(xlToRight)).Select
End Sub
```

	A	B	C	D
1	商品リスト			
2				
3	商品ID	商品名	単価	在庫数
4	D001	ダージリン	980	150
5	A001	アッサム	980	200
6	S001	セイロン	880	350
7	A002	アールグレイ	1,080	190
8	U001	ウバ	1,200	200
9	R001	ルイボス	1,080	300
10				

表内の複数行が選択される

ヒント

指定した方向に入力データがない場合

指定したセルの指定した方向に値が入力されているセルが存在しない場合、ワークシートの終端のセルが参照されます。

7 アクティブセルを参照するには

ActiveCellプロパティは、現在選択されているアクティブセルを参照します。セル範囲が選択されている場合は、範囲内で白抜きになっているセルがアクティブセルになります。

●ActiveCellプロパティ　[アクティブセル]

アクティブセルを参照する。

書式　**ActiveCell**

使用例 **ActiveCell.ClearFormats**
アクティブセルの書式を削除する。

▲ClearFormatsメソッドはセルの書式を削除する。

アクティブセルの書式を削除する

アクティブセルの書式を削除します。

```
Sub アクティブセルの書式を削除する()
    ActiveCell.ClearFormats
End Sub
```

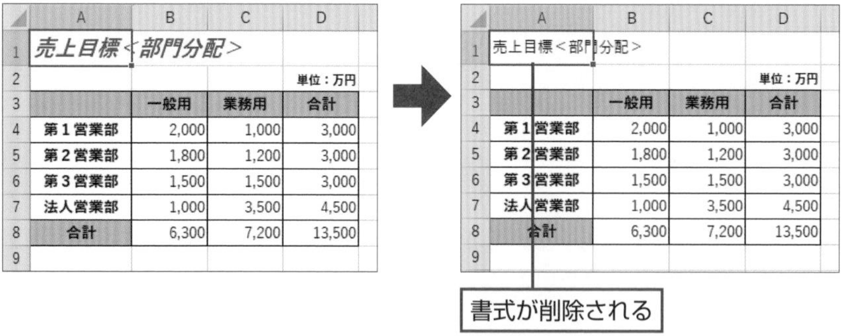

	A	B	C	D
1	*売上目標＜部門分配＞*			
2				単位：万円
3		一般用	業務用	合計
4	第１営業部	2,000	1,000	3,000
5	第２営業部	1,800	1,200	3,000
6	第３営業部	1,500	1,500	3,000
7	法人営業部	1,000	3,500	4,500
8	合計	6,300	7,200	13,500
9				

	A	B	C	D
1	売上目標＜部門分配＞			
2				単位：万円
3		一般用	業務用	合計
4	第１営業部	2,000	1,000	3,000
5	第２営業部	1,800	1,200	3,000
6	第３営業部	1,500	1,500	3,000
7	法人営業部	1,000	3,500	4,500
8	合計	6,300	7,200	13,500
9				

▲あらかじめ書式を削除するセルを選択してからマクロを実行する。

8 選択範囲を参照するには

Selectionプロパティは、現在選択されているセル範囲を参照します。

●Selectionプロパティ　[セレクション]

現在選択されているセル範囲を参照する。

書式　**Selection**

使用例 **Selection.ClearFormats**

現在選択されているセル範囲の書式を削除する。

▲ClearFormatsメソッドはセルの書式を削除する。

ヒント

単一セルが選択されている場合

セルが1つだけ選択されている場合は、ActiveCellプロパティ、Selectionプロパティは同じセルを参照します。

セル範囲の書式を削除する

現在選択されているセル範囲の書式を削除します。

```
Sub セル範囲の書式を削除する()
    Selection.ClearFormats
End Sub
```

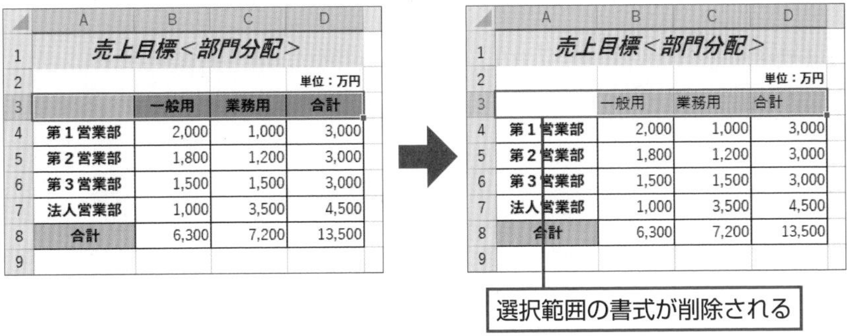

	A	B	C	D
1	売上目標＜部門分配＞			
2				単位：万円
3		一般用	業務用	合計
4	第１営業部	2,000	1,000	3,000
5	第２営業部	1,800	1,200	3,000
6	第３営業部	1,500	1,500	3,000
7	法人営業部	1,000	3,500	4,500
8	合計	6,300	7,200	13,500
9				

	A	B	C	D
1	売上目標＜部門分配＞			
2				単位：万円
3		一般用	業務用	合計
4	第１営業部	2,000	1,000	3,000
5	第２営業部	1,800	1,200	3,000
6	第３営業部	1,500	1,500	3,000
7	法人営業部	1,000	3,500	4,500
8	合計	6,300	7,200	13,500
9				

▲あらかじめ書式を削除するセル範囲を選択してからマクロを実行する。

9 相対的な位置のセルを選択するには

特定のセルから1列右のセル、2行下のセルなどのように、特定のセルから指定した行数、指定した列数だけ移動したセルを参照するには、Offsetプロパティを使用します。

●Offsetプロパティ　[オフセット]

特定のセルを基準に相対的なセルの位置を参照する。

書式　**Rangeオブジェクト.Offset([RowOffset][,ColumnOffset])**

引数　**RowOffset**：行方向の移動数を指定する。指定した数値が正の値の場合は下方向に、負の値の場合は上方向に移動する。

ColumnOffset：列方向の移動数を指定する。指定した数値が正の値の場合は右方向に、負の値の場合は左方向に移動する。

使用例**Range("A4").Offset(1,2).Select**

セルA4を基準に１行下、2列右に移動したセルC5を選択する。

ヒント

省略可能な引数

Offsetプロパティの引数は省略可能で、省略した場合は「0」とみなされ、セルは移動しません。本書では省略可能な引数は、[]で囲んでいます。

相対的な位置のセルを選択する

セルA3の4行下、１列右のセルを選択します。

```
Sub 相対的な位置のセルを選択する()
    Range("A3").Offset(4, 1).Select
End Sub
```

	A	B	C	D	E
1	商品リスト				
2					
3	商品ID	商品名	単価	在庫数	
4	D001	ダージリン	980	150	
5	A001	アッサム	980	200	
6	S001	セイロン	880	350	
7	A002	アールグレイ	980	190	
8	U001	ウバ	1,200	200	

→

	A	B	C	D	E
1	商品リスト				
2					
3	商品ID	商品名	単価	在庫数	
4	D001	ダージリン	980	150	
5	A001	アッサム	980	200	
6	S001	セイロン	880	350	
7	A002	アールグレイ	980	190	
8	U001	ウバ	1,200	200	

セルB7が選択される

10 セルに数値を入力するには

セルに値を入力したり、セルの値を取得するには、RangeオブジェクトのValueプロパティを使用します。

●Valueプロパティ（数値入力の場合）　[バリュー]

セルに数値を入力する。

書式　**Rangeオブジェクト.Value = 数値**

使用例 **Range("A1").Value = 100**

セルA1に100を入力する。

数値を入力する

セルC7に「1080」と入力します。

```
Sub 数値を入力する()
    Range("C7").Value = 1080
End Sub
```

	A	B	C	D	E
1	商品リスト				
2					
3	商品ID	商品名	単価	在庫数	
4	D001	ダージリン	980	150	
5	A001	アッサム	980	200	
6	S001	セイロン	880	350	
7	A002	アールグレイ	980	190	
8	U001	ウバ	1,200	200	

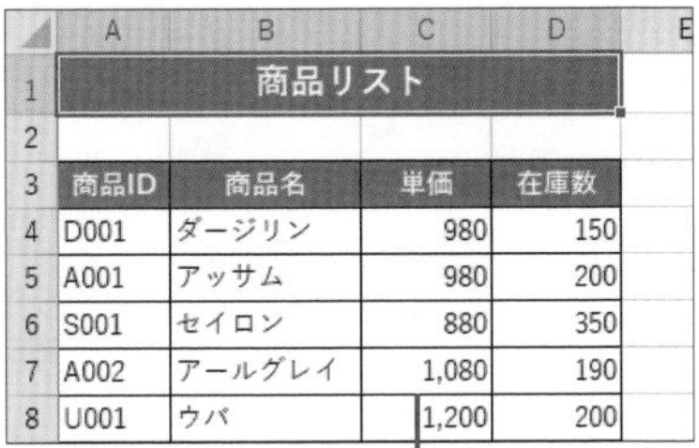

	A	B	C	D	E
1	商品リスト				
2					
3	商品ID	商品名	単価	在庫数	
4	D001	ダージリン	980	150	
5	A001	アッサム	980	200	
6	S001	セイロン	880	350	
7	A002	アールグレイ	1,080	190	
8	U001	ウバ	1,200	200	

セルC7に「1080」と入力される

▲セルが空白でなく、既存のデータがある場合は上書きされる。

ヒント

セルの移動

Excelの操作では、セルをアクティブにしてから値を入力しますが、VBAでValueプロパティを使用して値を入力する場合は、セルをアクティブにする必要はありません。また、Valueプロパティを使用してもアクティブセルは移動しません。

Valueプロパティの省略

オブジェクトには既定のプロパティが設定されていて、既定のプロパティは省略が可能です。Valueプロパティは、Rangeオブジェクトの既定のプロパティなので省略することができます。「Range("A1") = 100」というコードは、「Range("A1").Value = 100」と同じ意味になります。

11 セルに文字列を入力するには

セルに文字列を入力するには、数値の入力と同様にRangeオブジェクトのValueプロパティを使用します。Valueプロパティは入力する値によって指定方法が異なります。文字列の場合はダブルクォーテーション（"）で囲みます。

●Valueプロパティ（文字列入力の場合）　[バリュー]

セルに文字列を入力する。

書式　**Rangeオブジェクト.Value = "文字列"**

使用例**Range("A1") .Value = "ABC"**
セルA1に「ABC」と入力する。

文字列を入力する

セルD3に「在庫数」と入力します。

```
Sub 文字列を入力する()
    Range("D3").Value = "在庫数"
End Sub
```

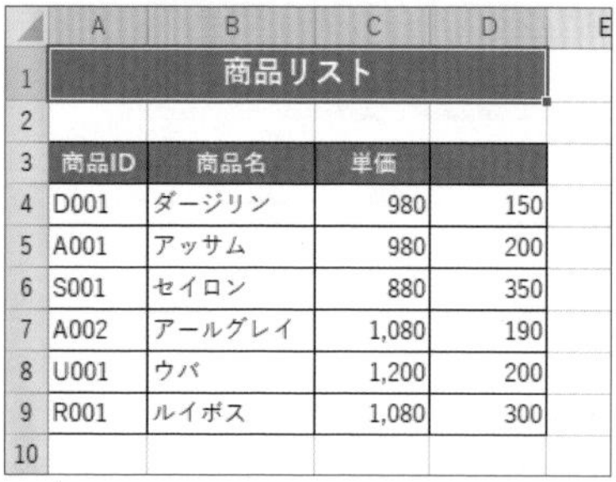

	A	B	C	D
1	商品リスト			
2				
3	商品ID	商品名	単価	
4	D001	ダージリン	980	150
5	A001	アッサム	980	200
6	S001	セイロン	880	350
7	A002	アールグレイ	1,080	190
8	U001	ウバ	1,200	200
9	R001	ルイボス	1,080	300
10				

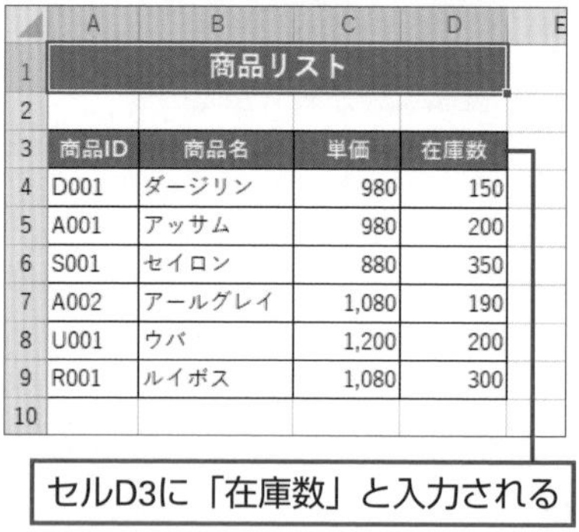

	A	B	C	D
1	商品リスト			
2				
3	商品ID	商品名	単価	在庫数
4	D001	ダージリン	980	150
5	A001	アッサム	980	200
6	S001	セイロン	880	350
7	A002	アールグレイ	1,080	190
8	U001	ウバ	1,200	200
9	R001	ルイボス	1,080	300
10				

12 セルに日付を入力するには

セルに日付を入力する場合もValueプロパティを使用します。入力する日付はシャープ（#）で囲みます。ダブルクォーテーション（"）で囲んだ場合は、表示形式付きの日付として入力できます。

●Valueプロパティ（日付入力の場合）　[バリュー]

セルに日付を入力する。

書式　**Rangeオブジェクト.Value = #月/日/年#**

使用例 **Range("A1").Value = #4/1/2021#**

セルA1に「2021/4/1」と入力する。

ヒント

表示形式付きの日付の入力

表示形式付きで日付を入力する場合は、「Range("A1").Value = "10月1日"」のようにダブルクォーテーション（"）で囲みます。シャープ（#）で囲まれた日付はセルに設定されている表示形式によって表示方法が決められ、あらかじめ表示形式が設定されていない場合は、自動的にセルに日付の表示形式が設定されます。

日付を入力する

セルC2に「2021/11/1」と入力し、セルB8に表示形式付きの日付「11月5日」と入力します。

```
Sub 日付を入力する()
    Range("C2").Value = #11/1/2021#
    Range("B8").Value = "11月5日"
End Sub
```

	A	B	C	D
1	会議室予約表			
2				の週
3	会議室	日付	部署名	担当者
4	大会議室	11月2日	営業部	山本
5	中会議室	11月1日	経理部	榎田
6	小会議室	11月4日	広報部	笹川
7	PC会議室	11月1日	人事部	森元
8	特別会議室		開発部	鮫島
9				

13 別のセルの値を入力するには

Valueプロパティはセルに値を設定するだけではなく、セルに入力されている値を取得することもできます。セルの値を別のセルに代入すると、値がコピーされます。

●Valueプロパティ（値を取得する場合） ［バリュー］

セルに入力されている値を取得する。

書式 **Rangeオブジェクト.Value**

使用例 **Range("C1").Value = Range ("B1").Value**

セルC1にセルB1の値を入力する。

ヒント

セルの参照との違い

Excelでセルに「=B1」という数式を入力すると、セルB1を参照することになり、セルB1の値が変更されるとセルC1に反映されます。それに対して、VBAの「Range("C1").Value = Range ("B1").Value」というコードは、セルの値のコピーになります。VBAでセルB1を参照したい場合は、「"=B1"」という数式をセルに入力します。

セルの値を別のセルに入力する

セルB2にセルD10の値を代入します。

```
Sub セルの値を別のセルに入力する()
    Range("B2").Value = Range("D10").Value
End Sub
```

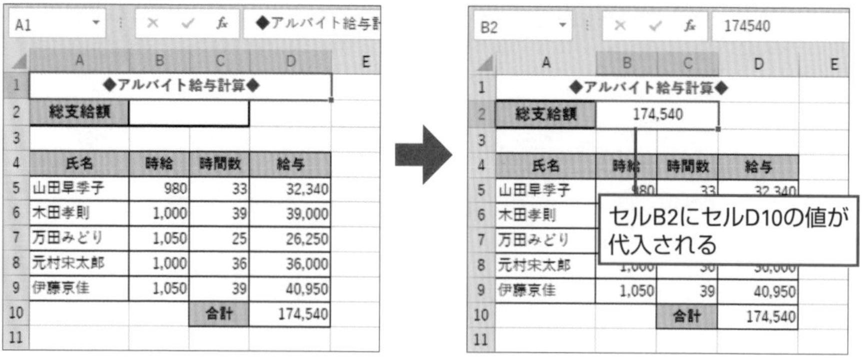

▲数式バーで値がコピーされたことを確認する。

14 セルに数式を入力するには

セルに数式を入力する場合は、Formulaプロパティを使用します。Formulaプロパティはセル参照をA1形式（A1、A2、A3…の形式）で指定します。Formulaプロパティには、「=」で始まる数式をダブルクォーテーション（"）で囲んで設定します。

●Formulaプロパティ　［フォーミュラ］

セルに数式を入力する。

書式　**Rangeオブジェクト.Formula = "=数式"**

使用例**Range("C1").Formula = "=A1+B1"**
セルC1にセルA1とB1を足す数式を入力する。

セルに数式を入力する

セル範囲D4～D9に売上数を目標で割って達成率を求める数式を入力し、セルB9に目標の合計、セルC9に売上数の合計を求める数式を入力します。

```
Sub セルに数式を入力する()
    Range("D4:D9").Formula = "=C4/B4"
    Range("B9:C9").Formula = "=SUM(B4:B8)"
End Sub
```

	A	B	C	D
1	お弁当売上状況			
2				
3	商品名	目標	売上数	達成率
4	ハンバーグ弁当	250	198	
5	唐揚げ弁当	300	340	
6	幕の内弁当	200	199	
7	のり弁当	250	310	
8	デラックス弁当	170	150	
9	集計			
10				

▲セル範囲を選択して数式を入力すると、「=C4/B4」という数式は自動的にセルの参照が変化して、正しい数式が入力される。

	A	B	C	D
1	状況			
2				
3			売上数	達成率
4	ハンバーグ弁当	250	198	79%
5	唐揚げ弁当	300	340	113%
6	幕の内弁当	200	199	100%
7	のり弁当	250	310	124%
8	デラックス弁当	170	150	88%
9	集計	1,170	1,197	102%
10				

セル範囲D4～D9に売上数を目標で割る数式が入力される

セル範囲B9～C9に合計を求める数式が入力される

ヒント

数式に利用される「"」の取り扱い

数式で「"」の入力が必要な場合は、「""」と入力します。たとえば、「=TEXT(A1,"aaa")」という数式をセルB1に入力する場合は、「Range("B1").Formula = "=TEXT(A1,""aaa"")"」と記述します。

15 セルに相対参照の数式を入力するには

Formulaプロパティと同様に、FormulaR1C1プロパティも数式を入力しますが、FormulaR1C1プロパティは、「RC[-2]」のように相対参照で数式を記述します。

●FormulaR1C1プロパティ ［フォーミュラアールワンシーワン］

セルに相対参照の数式を入力する。

書式　**Rangeオブジェクト.FormulaR1C1 = "=数式"**

使用例**Range("C1").FormulaR1C1 = "=RC[-2]+RC[-1]"**

セルC1に2列左のセルと1列左のセルを足す数式を入力する。

■ 相対参照の指定方法

R1C1形式は、数式を入力するセルを基準に行番号と列番号の位置を数値で指定します。行は「R」に正の数値を指定すると下、負の数値は上のセルを示します。列は「C」に正の数値を入力すると右、負の数値は左のセルを示します。数値を指定しない場合は、同じ行、または同じ列という意味になります。特定のセル番地を記述する必要がないので、汎用的に数式を入力することができます。

	A	B	C	D	E	F	G	H
1	R[-2]C[-2]	R[-2]C[-1]	R[-2]C	R[-2]C[1]	R[-2]C[2]			
2	R[-1]C[-2]	R[-1]C[-1]	R[-1]C	R[-1]C[1]	R[-1]C[2]			
3	RC[-2]	RC[-1]	**標準のセル**	RC[1]	RC[2]			
4	R[1]C[-2]	R[1]C[-1]	R[1]C	R[1]C[1]	R[1]C[2]			

相対参照の数式を入力する

選択したセル範囲に売上数を目標で割って達成率を求める数式を入力します。

```
Sub 相対参照の数式を入力する()
    Selection.FormulaR1C1 = "=RC[-1]/RC[-2]"
End Sub
```

	A	B	C	D
1	**お弁当売上状況**			
2				
3	**商品名**	**目標**	**売上数**	**達成率**
4	ハンバーグ弁当	250	198	
5	唐揚げ弁当	300	340	
6	幕の内弁当	200	199	
7	のり弁当	250	310	

▲あらかじめ数式を入力するセル範囲を選択してからマクロを実行する。

	A	B	C	D
1	**お弁当売上状況**			
2				
3	**商品名**	**目標**	**売上数**	**達成率**
4	ハンバーグ弁当	250	198	79%
5	唐揚げ弁当	300	340	113%
6	幕の内弁当	200	199	100%
7	のり弁当	250	310	124%
			150	88%
			1,197	102%

選択した範囲に売上数を目標で割る数式が入力される

16 データを消去するには

セルに入力されているデータを消去するにはRangeオブジェクトのClearContentsメソッドを使用します。

●ClearContentsメソッド　[クリアコンテンツ]

セルに入力されている値を消去する。

書式　**Rangeオブジェクト.ClearContents**

使用例**Range("A1:C1").ClearContents**
セル範囲A1～C1に入力されている値を消去する。

■［クリア］に対応するメソッド

Excelの［ホーム］タブの［編集］の［クリア］をクリックしたときに表示されるメニューに対応するメソッドが用意されています。

Clear	すべてクリア
ClearFormats	書式のクリア
ClearContents	数式と値のクリア
ClearComments	コメントのクリア
ClearHyperlinks	ハイパーリンクのクリア

セルの値を消去する

セル範囲A4～D8に入力されている値を消去します。

```
Sub セルの値を消去する()
    Range("A4:D8").ClearContents
End Sub
```

	A	B	C	D	E
1	支店別売上				
2					
3	支店名	4月	5月	6月	合計
4	東京	8,500	8,830	6,900	24,230
5	横浜	6,900	7,500	7,850	22,250
6	名古屋	7,900	8,200	8,300	24,400
7	大阪	8,200	8,110	7,850	24,160
8	福岡	8,200	7,900	7,500	23,600
9	合計	39,700	40,540	38,400	118,640
10					

➡

	A	B	C	D	E
1	支店別売上				
2					
3	支店名	4月	5月	6月	合計
4					0
5					0
6					0
7					0
8					0
9	合計	0	0	0	0
10					

セル範囲A4～D8の値が消去される

17 セルをコピーするには

Excelでセルをコピーするには、指定したセルの範囲をコピーして、コピー先に貼り付けます。VBAでも手作業で操作するのと同様に、RangeオブジェクトのCopyメソッドでクリップボードにコピーして、WorksheetオブジェクトのPasteメソッドでコピー先に貼り付けます。

●Copyメソッド [コピー]

セルをコピーする。

書式 **Rangeオブジェクト.Copy([Destination])**

引数 **Destination**：貼り付け先のセルを指定する。

使用例 **Range("A1:C1").Copy**
セル範囲A1～C1をクリップボードにコピーする。

■引数Destinationについて

Copyメソッドの引数Destinationを省略すると、コピーしたセルはクリップボードに格納され、何度でも同じ内容を別のセルに貼り付けることができます。

引数Destinationを指定した場合は、クリップボードを使用しないで、指定したセルに直接コピーされます。クリップボードに格納されていないため、1回のみのコピーになります。同じセルを何度も貼り付ける必要がない場合は、貼り付け先を指定したほうが簡潔なコードになります。なお、引数を囲んでいる () は戻り値を取得する場合に記述します（第4章の3を参照）。

●Pasteメソッド [ペースト]

クリップボードに格納されているセルを指定したセルに貼り付ける。

書式 **Worksheetオブジェクト.Paste([Destination][,Link])**

引数 **Destination**：貼り付け先のセルを指定する。省略した場合は指定したシートの現在選択されているセル範囲に貼り付けられる。
Link：コピー元とリンクするか指定する。Trueならリンク、Falseまたは省略するとリンクはしない。

使用例 **ActiveSheet.Paste Range("B2")**
クリップボードに格納されているセルをアクティブシートのセルB2に貼り付ける。

クリップボードを経由してコピーする

クリップボードを経由して、セル範囲A1～C4をセルA6にコピーします。

```
Sub クリップボードを経由してコピーする()
    Range("A1:C4").Copy
    ActiveSheet.Paste Range("A6")
End Sub
```

	A	B	C	D
1	商品ID	商品名	在庫数	
2	D001	ダージリン	150	
3	A001	アッサム	200	
4	S001	セイロン	350	
5				

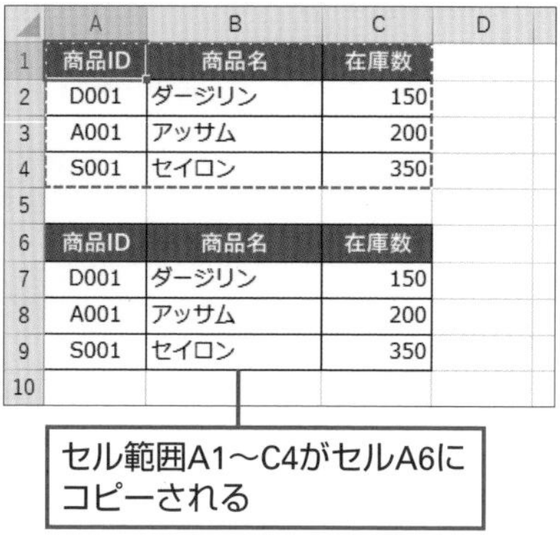

	A	B	C	D
1	商品ID	商品名	在庫数	
2	D001	ダージリン	150	
3	A001	アッサム	200	
4	S001	セイロン	350	
5				
6	商品ID	商品名	在庫数	
7	D001	ダージリン	150	
8	A001	アッサム	200	
9	S001	セイロン	350	
10				

ヒント

コピーモードを解除するには

Copyメソッドでセルをコピーすると、コピー元のセル範囲の周りが点滅した状態になります。Excelでは[Esc]を押して解除しますが、VBAでは「Application.CutCopyMode = False」と記述するとコピーモードが解除できます。

直接コピーする

クリップボードを経由しないで、セル範囲A1～C4をセルA11にコピーします。

```
Sub 直接コピーする()
    Range("A1:C4").Copy Range("A11")
End Sub
```

	A	B	C	D
1	商品ID	商品名	在庫数	
2	D001	ダージリン	150	
3	A001	アッサム	200	
4	S001	セイロン	350	
5				
6	商品ID	商品名	在庫数	
7	D001	ダージリン	150	
8	A001	アッサム	200	
9	S001	セイロン	350	
10				
11				

	A	B	C	D
1	商品ID	商品名	在庫数	
2	D001	ダージリン	150	
3	A001	アッサム	200	
4	S001	セイロン	350	
5				
6	商品ID	商品名	在庫数	
7	D001	ダージリン	150	
10				
11	商品ID	商品名	在庫数	
12	D001	ダージリン	150	
13	A001	アッサム	200	
14	S001	セイロン	350	

▲クリップボードに格納されないので、コピー元はコピーモードにならない。

18 セルを移動するには

セルを移動するには、RangeオブジェクトのCutメソッドを使用します。引数の指定方法はCopyメソッドと同様です。

●Cutメソッド [カット]

セルを切り取る。

書式 **Rangeオブジェクト.Cut([Destination])**

引数 **Destination**：貼り付け先のセルを指定する。省略した場合はクリップボードに格納される。

使用例 **Range("A1:C1").Cut**
セル範囲A1～C1を切り取って、クリップボードに格納する。

セルを移動する

クリップボードを経由しないで、セル範囲A1～C4をセルA4に直接移動します。

```
Sub セルを移動する()
    Range("A1:C4").Cut Range("A4")
End Sub
```

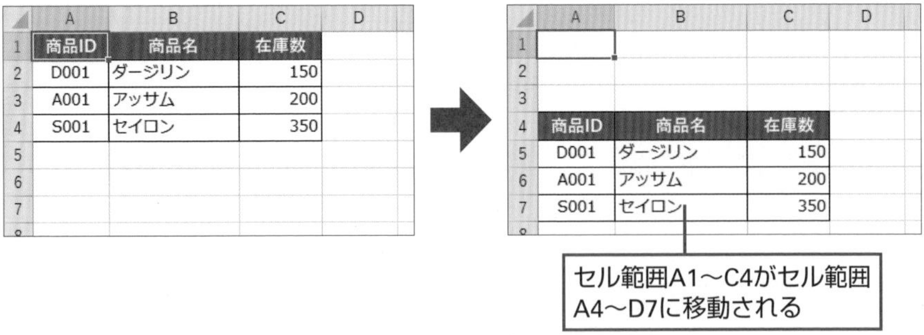

19 形式を選択して貼り付けるには

Rangeオブジェクトの PasteSpecialメソッドを使用すると、クリップボードに格納されているセルを形式を選択して貼り付けることができます。

●PasteSpecialメソッド　[ペーストスペシャル]

形式を選択して貼り付ける。

書式　**Rangeオブジェクト.PasteSpecial([Paste])**

引数　**Paste**：貼り付ける内容を定数で指定する。

使用例 **Range("A10").PasteSpecial xlPasteFormats**
クリップボードに格納されているセルの書式だけをセルA10に貼り付ける。

■ 引数Pasteで指定できる定数

xlPasteAll	すべて
xlPasteFormulas	数式
xlPasteValues	値
xlPasteFormats	書式
xlPasteComments	コメント
xlPasteValidation	入力規則
xlPasteAllUsingSourceTheme	コピー元のテーマを使用してすべて貼り付け
xlPasteAllExceptBorders	罫線を除くすべて
xlPasteColumnWidths	列幅
xlPasteFormulasAndNumberFormats	数式と数値の書式
xlPasteValuesAndNumberFormats	値と数値の書式

形式を選択して貼り付ける

セル範囲A1～C4の書式のみをセル範囲A6～C9に貼り付けます。

```
Sub 形式を選択して貼り付ける()
    Range("A1:C4").Copy
    Range("A6").PasteSpecial xlPasteFormats
End Sub
```

セル範囲A1～C4の書式がセル範囲A6～C9にコピーされる

ヒント

[形式を選択して貼り付け] ダイアログ

PasteSpecialメソッドは、Excelの［ホーム］タブの［クリップボード］の［貼り付け］の▼をクリックして、一覧から［形式を選択して貼り付け］を選択したときに表示される［形式を選択して貼り付け］ダイアログに対応しています。

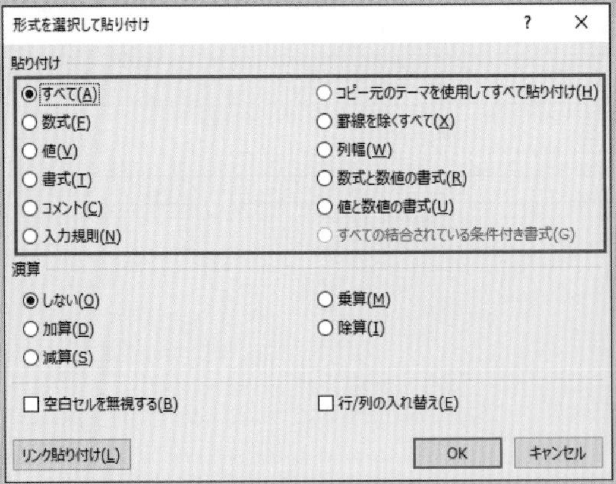

20 塗りつぶしの色を設定するには

Interiorオブジェクトには、セルの塗りつぶしの色やパターンなどを変更するためのプロパティが用意されています。Interiorオブジェクトは、RangeオブジェクトのInteriorプロパティを使用して参照できます。色を指定するためのプロパティには、ThemeColorプロパティ、Colorプロパティ、ColorIndexプロパティがあります。

●Interiorプロパティ　[インテリア]

Interiorオブジェクトを参照する。

書式　**Rangeオブジェクト.Interior**

使用例 **Range("A1").Interior**
セルA1のInteriorオブジェクトを参照する。

●ThemeColorプロパティ　[テーマカラー]

テーマカラーで色を設定する。

書式　**オブジェクト.ThemeColor = テーマの色**

使用例 **Range("A1").Interior. ThemeColor = xlThemeColorAccent1**
セルA1をテーマカラー「アクセント1」で塗りつぶす。

■ テーマの色

ThemeColorプロパティは、［ホーム］タブの［フォント］の ［塗りつぶしの色］の▼をクリックして表示されるカラーパレットに対応しています。ThemeColorプロパティは、カラーパレットの一番上に並んでいる色を設定することができます。

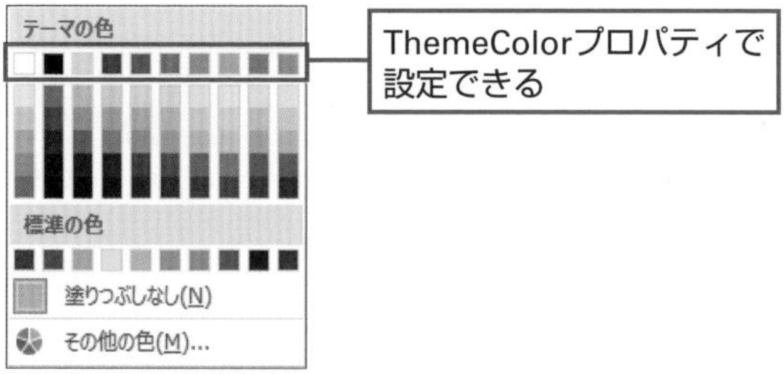

■ テーマの色に設定できる定数

xlThemeColorDark1	背景1
xlThemeColorDark2	背景2
xlThemeColorLight1	テキスト1
xlThemeColorLight2	テキスト2
xlThemeColorAccent1	アクセント1
xlThemeColorAccent2	アクセント2
xlThemeColorAccent3	アクセント3
xlThemeColorAccent4	アクセント4
xlThemeColorAccent5	アクセント5
xlThemeColorAccent6	アクセント6

●TintAndShadeプロパティ [ティントアンドシェイド]

色の明るさを調整する。0を中間として、-1（暗い）～1（明るい）の範囲内の数値で指定する。

書式 **オブジェクト.TintAndShade = 明るさの指定**

使用例 **Range("A1").Interior. TintAndShade = 0.8**
セルA1の塗りつぶしの色の明るさを「白+基本色80%」に設定する。

■ テーマの色の明るさを調整

TintAndShadeプロパティを使用すると、ThemeColorプロパティで設定したテーマの基本色の明るさを調整し、カラーパレットの2段目以降の色を設定できます。カラーパレットの色にマウスポインタを合わせたときに表示されるポップヒントに基本色と明るさが表示されます。「白+基本色40%」は、TintAndShadeプロパティに「0.4」、「黒+基本色50%」は「-0.5」と設定します。

ヒント

ThemeColorプロパティで表現される色

テーマの色のカラーパレットに表示される色は、現在選択されているテーマやテーマの配色によって異なります。同様にVBAでもThemeColorプロパティで設定した色は、Excelでテーマやテーマの配色を変更すると自動的に変化します。

テーマカラーで色を設定する

セル範囲A3～D3にテーマカラー「青，アクセント1、白+基本色60%」を設定します。

```
Sub テーマカラーで色を設定する()
    Range("A3:D3").Interior.ThemeColor = xlThemeColorAccent1
    Range("A3:D3").Interior.TintAndShade = 0.6
End Sub
```

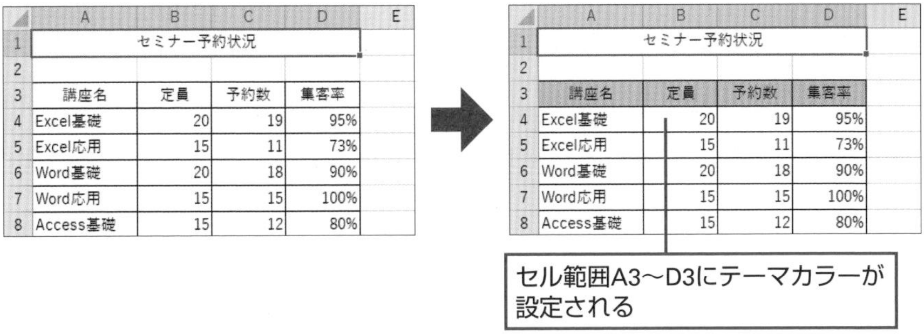

●ColorIndexプロパティ　[カラーインデックス]

色番号を指定して色を設定する。

書式　**オブジェクト.ColorIndex = 色番号**

使用例**Range("A1").Interior.ColorIndex = 3**

セルA1を赤で塗りつぶす。

■ ColorIndexに設定できる色番号

ColorIndexプロパティに色番号0～56のインデックス番号を指定して、色を設定できます。主な色番号は、次のとおりです。

黒	1
白	2
赤	3
明るい緑	4
青	5

黄色	6
ピンク	7
水色	8
明るい赤	9
緑	10

●Colorプロパティ　[カラー]

RGB値で色を指定する。RGB値では赤、緑、青の割合で色を指定する。RGB値はRGB関数に赤、緑、青の割合を指定して求める。

書式　**オブジェクト.Color = RGB値**

使用例**Range("A1").Interior.Color = RGB(120,180,230)**

セルA1を赤「120」、緑「180」青「230」のRGB値で塗りつぶす。

ヒント

RGB値を使用する利点

ThemeColorプロパティはブックのテーマに依存しますが、ColorプロパティでRGB値を設定すると、常に同じ色を表現することができます。

●RGB関数 ［アールジービー］

赤、緑、青の割合を指定してRGB値を返す。

書式　**RGB(Red,Green,Blue)**

引数　**Red**：赤の割合を0～255の数値で指定する。

Green：緑の割合を0～255の数値で指定する。

Blue：青の割合を0～255の数値で指定する。

使用例**RGB(255,0,0)**

赤のRGB値を求める。

RGB値で色を設定する

セル範囲A1に赤「125」、緑「235」青「240」のRGB値を設定します。

```
Sub RGB値で色を設定する()
    Range("A1").Interior.Color = RGB(125,235,240)
End Sub
```

	A	B	C	D	E
1	セミナー予約状況				
2					
3	講座名	定員	予約数	集客率	
4	Excel基礎	20	19	95%	
5	Excel応用	15	11	73%	
6	Word基礎	20	18	90%	
7	Word応用	15	15	100%	
8	Access基礎	15	12	80%	
9	Access応用	12	10	83%	

	A	B	C	D	E
1	セミナー予約状況				
2					
3	講座名	定員	予約数	集客率	
4	Excel基礎	20	19	95%	
5	Excel応用	15	11	73%	
6	Word基礎	20	18	90%	
7	Word応用	15	15	100%	
8	Access基礎	15	12	80%	
9	Access応用	12	10	83%	

セル範囲A1に色が設定される

ヒント

色の割合の数値を確認する

設定したい色の赤、緑、青の割合は、［ホーム］タブの［フォント］の［塗りつぶしの色］の▼をクリックし、一覧から［その他の色］をクリックして、表示される［色の設定］ダイアログの［ユーザー設定］タブで確認することができます。

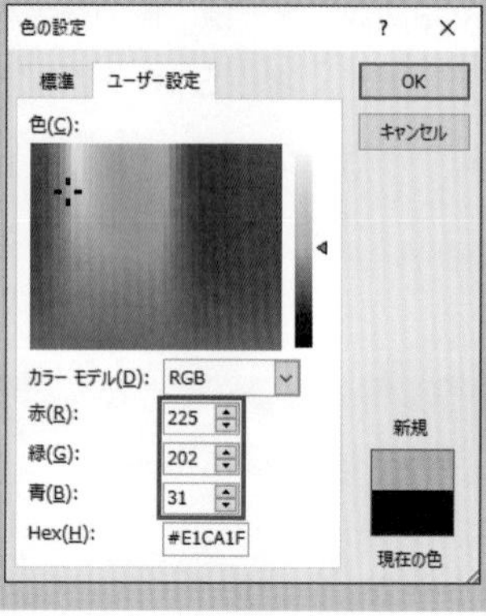

21 フォントやフォントサイズを設定するには

セルに設定されるフォントの情報は、Fontオブジェクトが管理しています。Fontオブジェクトの各プロパティを操作すると、フォントやフォントサイズなどを変更することができます。フォントを変更するにはFontオブジェクトのNameプロパティ、フォントサイズを変更するにはFontオブジェクトのSizeプロパティを使用します。Fontオブジェクトを参照するには、Fontプロパティを使用します。

●Fontプロパティ　[フォント]

Fontオブジェクトを参照する。

書式　**Rangeオブジェクト.Font**

使用例**Range("A1").Font**

セルA1のFontオブジェクトを参照する。

●Nameプロパティ　[ネーム]

フォント名を設定する。

書式　**Rangeオブジェクト.Font.Name = "フォント名"**

使用例**Range("A1").Font.Name = "MS P明朝"**

セルA1のフォントを「MS P明朝」に設定する。

●Sizeプロパティ　[サイズ]

フォントサイズをポイント単位で設定する。

書式　**Rangeオブジェクト.Font.Size = フォントサイズ**

使用例**Range("A1").Font.Size = 14**

セルA1のフォントサイズを14ポイントに設定する。

ヒント

フォントに色を設定する

フォントに色を設定するには、セルの塗りつぶしの色を設定するときと同様に、ThemeColorプロパティ、Colorプロパティなどを使用します。「Range("A1").Font.Color = RGB(255,0,0)」と記述すると、セルA1のフォントの色は赤に変更されます。

フォントとフォントサイズを変更する

セル範囲A1のフォントを「メイリオ」、フォントサイズを「14」に変更します。

```
Sub フォントとフォントサイズを変更する()
    Range("A1").Font.Name = "メイリオ"
    Range("A1").Font.Size = 14
End Sub
```

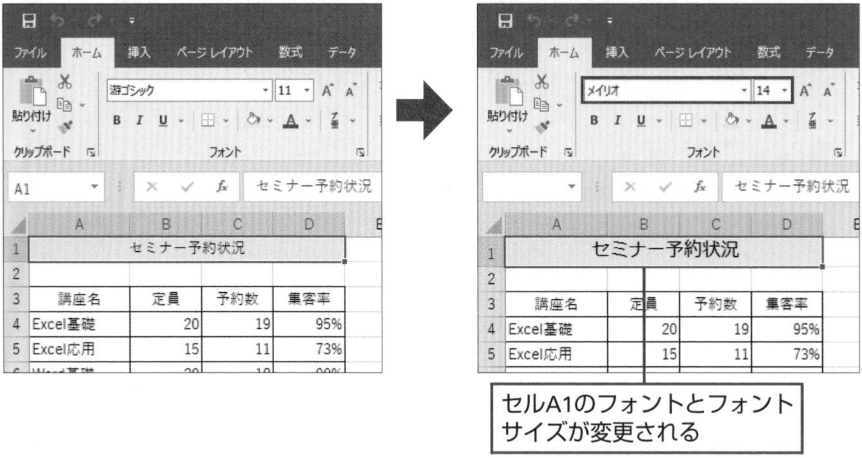

▲[フォント]、[フォントサイズ] の内容が変わったことを確認する。

ヒント

フォント名について

Nameプロパティのフォント名は正確に入力する必要があります。フォント名ボックスに表示されるフォント名でスペース、半角、全角などの指定を確認しましょう。

標準フォントとフォントサイズ

ApplicationオブジェクトのStandardFontプロパティとStandardFontSizeプロパティを変更すると、Excelの標準フォント、標準フォントサイズを変更することができます。また、設定したフォントを標準のフォントに戻すときにも使用します。「Range("A1").Font.Name = Application.StandardFont」と記述すると、セルA1に設定したフォントを標準フォントに戻すことができます。

22 太字に設定するには

フォントを太字にするには、FontオブジェクトのBoldプロパティを使用します。

● Boldプロパティ　［ボールド］

Boldプロパティにを設定すると太字になり、Falseを設定すると太字が解除される。

書式　**Rangeオブジェクト.Font.Bold = True／False**

使用例 **Range("A1:C3").Font.Bold = True**
セル範囲A1～C3のフォントを太字にする。

セルに太字を設定する

セルA1を太字にします。

```
Sub セルに太字を設定する()
    Range("A1").Font.Bold = True
End Sub
```

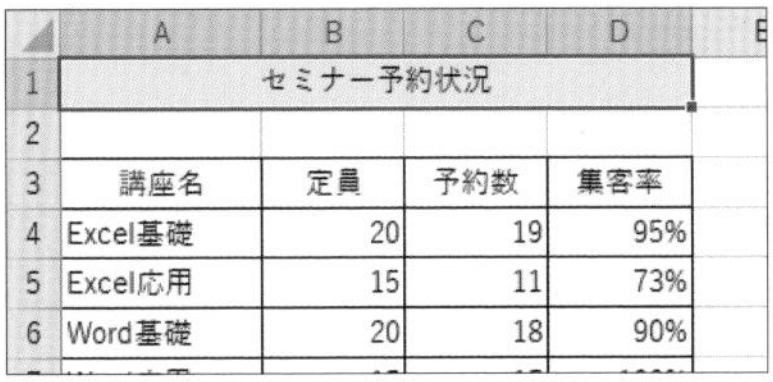

	A	B	C	D
1	セミナー予約状況			
2				
3	講座名	定員	予約数	集客率
4	Excel基礎	20	19	95%
5	Excel応用	15	11	73%
6	Word基礎	20	18	90%

	A	B	C	D
1	**セミナー予約状況**			
2				
3	講座名	定員	予約数	集客率
4	Excel基礎	20	19	95%
5	Excel応用	15	11	73%
6	Word基礎	20	18	90%

ヒント

その他のスタイル

［セルの書式設定］ダイアログの［フォント］タブの［スタイル］と［文字飾り］に対応するプロパティも用意されています。各プロパティには「True」または「False」を設定します。

Italic	斜体
Strikethrough	取り消し線
Superscript	上付き
Subscript	下付き

23 罫線を引くには

セルに罫線を引くには、Bordersコレクションを使用します。Bordersコレクションは、セルの上下左右の4つの辺の罫線を表すBorderオブジェクトの集まりです。Borderオブジェクトの各プロパティを操作すると、線の種類や太さなどを設定することができます。罫線の種類を指定するにはLineStyleプロパティ、太さを指定するにはWeightプロパティを使用します。

外枠の罫線を引くには、RangeオブジェクトのBorderAroundメソッドを使用します。

●Bordersプロパティ ［ボーダーズ］

Bordersコレクションを取得する。Bordersプロパティで取得したBordersコレクションの各オブジェクトを参照するには、Borders(Index)と記述する。

書式 **Rangeオブジェクト.Borders(Index)**

引数 **Index**：罫線の位置を定数で指定する。

使用例**Range("A1:A3").Borders(xlEdgeBottom)**
セル範囲A1～A3の下側の罫線を参照する。

■引数Indexで指定できる定数

xlDiagonalDown	右下がりの斜線
xlDiagonalUp	右上がりの斜線
xlEdgeBottom	セル範囲の下側の罫線
xlEdgeLeft	セル範囲の左側の罫線
xlEdgeRight	セル範囲の右側の罫線
xlEdgeTop	セル範囲の上側の罫線
xlInsideHorizontal	セル範囲内のすべてのセルの内側の横罫線
xlInsideVertical	セル範囲内のすべてのセルの内側の縦罫線

●LineStyleプロパティ [ラインスタイル]

罫線の種類を指定する。罫線の他のプロパティを設定してLineStyleプロパティを設定しなかった場合は、既定値としてxlContinuousが設定される。

書式 **Rangeオブジェクト.Borders(Index).LineStyle = 罫線の種類**

使用例 **Range("A1:A3").Borders(xlEdgeBottom).LineStyle = xlContinuous**
セル範囲A1～A3の下側に実線を引く。

■ 罫線の種類で指定できる定数

xlContinuous	実線
xlDash	破線
xlDashDot	一点鎖線
xlDashDotDot	二点鎖線
xlDot	点線
xlDouble	2本線
xlLineStyleNone	線なし
xlSlantDashDot	斜破線

■ 格子罫線を引くには

罫線の位置を省略すると、一度に格子線を引くことができます。セル範囲A1～C5に実線で格子線を引くには、次のように記述します。

```
Range("A1:C5").Borders.LineStyle = xlContinuous
```

●Weightプロパティ [ウエイト]

罫線の太さを指定する。罫線の他のプロパティを設定してWeightプロパティを設定しなかった場合は、既定値としてxlThin が設定される。

書式 **Rangeオブジェクト.Borders(Index).Weight = 罫線の太さ**

使用例 **Range("A1:D1").Borders(xlEdgeBottom).Weight = xlMedium**
セル範囲A1～D1の下側に太線を引く。

■ 罫線の太さで指定できる定数

xlHairline	極細
xlMedium	太
xlThick	極太
xlThin	細

ヒント

LineStyleプロパティとWeightプロパティの競合

LineStyleプロパティとWeightプロパティを組み合わせると、さまざまな罫線を引くことができますが、組み合わせによっては、どちらかが無効になることもあります。

罫線の色の指定

罫線の色を指定するには、BorderオブジェクトのColorIndexプロパティ、ThemeColorプロパティ、Colorプロパティのいずれかを使用します。

●BorderAroundメソッド [ボーダーアラウンド]

セルまたはセル範囲の外枠に罫線を引く。

書式 **Rangeオブジェクト.BorderArrond([LineStyle][,Weight][,ColorIndex][,Color])**

引数 **LineStyle**：罫線の種類を定数で指定する。
Weight：罫線の太さを定数で指定する。
ColorIndex：罫線の色をインデックス番号で指定する。
Color：罫線の色をRGB値で指定する。

使用例 **Range("A1:C3").BorderAround Weight:=xlMedium**
セル範囲A1～C3の外枠に太線で罫線を引く。

■ BorderAroundメソッドの各引数について

表の外枠だけを引きたい場合は、Bordersコレクションを使用するより、BorderAroundメソッドを使用したほうが簡単です。各引数に設定できる値は、LineStyleプロパティ、Weightプロパティ、ColorIndexプロパティ、Colorプロパティに設定できる定数と同様です。引数LineStyleとWeight両方の引数を省略すると、既定の太さの罫線が引かれます。組み合わせによって競合した場合は、どちらかの引数が無効になります。ColorIndexとColorは同時には指定できません。

罫線を引く

セル範囲A3～D8に実線で格子線、外枠に太線を引き、セル範囲A3～C3の下に太線を引きます。

```
Sub 罫線を引く()
    Range("A3:D8").Borders.LineStyle = xlContinuous
    Range("A3:D8").BorderAround Weight:=xlMedium
    Range("A3:D3").Borders(xlEdgeBottom).Weight = xlMedium
End Sub
```

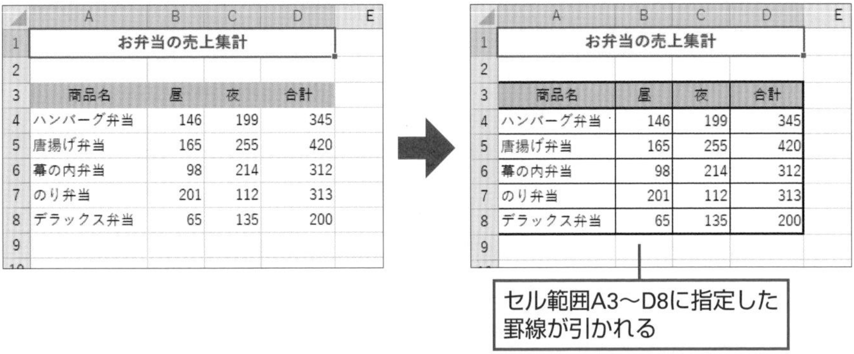

ヒント

罫線を削除するには

罫線を削除するには、LineStyleプロパティに「xlNone」を設定します。セル範囲A1～C5の罫線を一括して削除するには、「Range("A1:C5").Borders.LineStyle = xlNone」と記述します。

罫線を引く順番

Excelで同じセル範囲に罫線を引くと、先に引いた罫線は、後から引いた罫線に上書きされます。通常は、先に表全体に格子線を引き、外枠や強調したい線を引きます。VBAでも、罫線が引かれる順番に合わせて、罫線を引くメソッドを記述する必要があります。

ヒント

名前付き引数

プロパティやメソッドなどに引数を指定するときに、「名前付き引数」を使用すると、書式どおりの順序で各引数を指定しなくても、任意の順序で必要な引数だけを指定することができます。名前付き引数は「引数名:=値」という書式で記述します。
プロパティの引数の指定については、第4章の「2 プロパティとは」を参照して下さい。

24 書式をまとめて変更するには

同じオブジェクトに対して、複数の設定を行うときに、Withステートメントを使用すると、コードを簡略化することができます。

●Withステートメント　［ウィズ］

Withステートメントに続けてオブジェクトを指定すると、End Withが記述されるまでは、オブジェクトの記述を省略することができる。対象のオブジェクトの操作を行う場合は、ピリオド（.）を付けて、プロパティやメソッドを指定する。

書式
```
With オブジェクト
        .プロパティ = 値
        .メソッド
End With
```

使用例
```
With Range("A1")
        .Value = "Excel"
        .Select
End With
```
セルA1に「Excel」という文字列を入力し、セルA1を選択する。

■ Withステートメントを使用して複数のプロパティを設定する

複数のプロパティを設定する場合、各行に対象となるセル範囲を記述するよりも、Withステートメントを使用したほうがわかりやすく、入力ミスを避けることもできます。

たとえば、同じ範囲に罫線を引く場合、Withステートメントを使用すれば、同じセル範囲を何度も記述する必要がなくなります。

```
Range("A1:C8").BorderAround Weight:=xlMedium
Range("A1:C8").Borders(xlInsideVertical).LineStyle = xlContinuous
Range("A1:C8").Borders(xlInsideHorizontal).LineStyle = xlContinuous
```

↓ 共通のオブジェクトをまとめる

```
With Range("A1:C8")
    .BorderAround Weight:=xlMedium
    .Borders(xlInsideVertical).LineStyle = xlContinuous
    .Borders(xlInsideHorizontal).LineStyle = xlContinuous
End With
```

Withステートメントで指定できるのはセル範囲だけではなく、フォントやブック、ワークシートなどの共通するオブジェクトを指定できます。

```
Range("A1").Font.Name = "HG丸ｺﾞｼｯｸM-PRO"
Range("A1").Font.Size = 14
Range("A1").Font.Bold = True
        ↓
With Range("A1").Font
    .Name = "HG丸ｺﾞｼｯｸM-PRO"
    .Size = 14
    .Bold = True
End With
```

共通のオブジェクトにまとめて書式を設定する

セル範囲A3～D3を太字にし、テーマカラー「青、アクセント1、白+基本色60%」を設定します。

```
Sub 共通のオブジェクトにまとめて書式を設定する()
    With Range("A3:D3")
        .Font.Bold = True
        .Interior.ThemeColor = xlThemeColorAccent1
        .Interior.TintAndShade = 0.6
    End With
End Sub
```

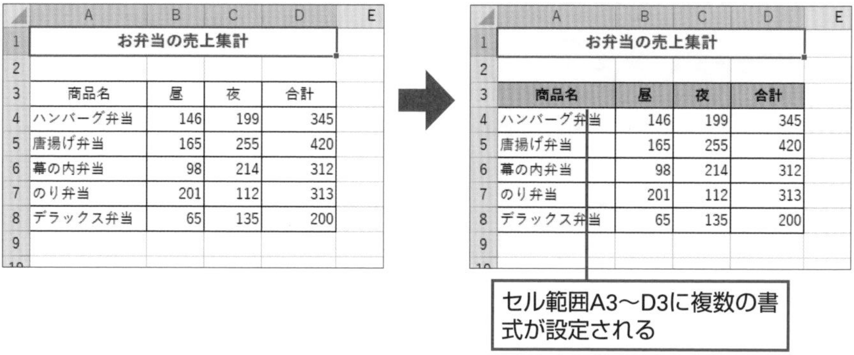

	A	B	C	D
1	お弁当の売上集計			
2				
3	商品名	昼	夜	合計
4	ハンバーグ弁当	146	199	345
5	唐揚げ弁当	165	255	420
6	幕の内弁当	98	214	312
7	のり弁当	201	112	313
8	デラックス弁当	65	135	200
9				

25 セル範囲、行、列を挿入するには

指定した位置にセル範囲、行、列を挿入するにはInsertメソッドを使用します。

● Insertメソッド [インサート]

セル範囲、行、列を挿入する。

書式 **Rangeオブジェクト.Insert([Shift][,CopyOrigin])**

引数 **Shift**：セルを挿入した後のセルの移動方向を定数で指定する。
CopyOrigin：挿入したセルの書式のコピー元を定数で指定する。

使用例 **Range("A3:C3").Insert xlShiftDown, xlFormatFromLeftOrAbove**
セル範囲A3～C3にセルを挿入し、挿入後にセルを下に移動し、上のセルの書式をコピーする。

■ 引数Shiftで指定できる定数

xlShiftToRight	右方向に移動
xlShiftDown	下方向に移動

■ 引数CopyOriginで指定できる定数

xlFormatFromLeftOrAbove	左または上のセルから書式をコピー
xlFormatFromRightOrBelow	右または下のセルから書式をコピー

セルを挿入する

セル範囲B6～B8にセルを挿入します。

```
Sub セルを挿入する()
    Range("B6:B8").Insert
End Sub
```

	A	B	C	D	E
1	お弁当の売上集計				
2					
3	商品名	昼	夜		
4	ハンバーグ弁当	146	199		
5	唐揚げ弁当	165	255		
6	幕の内弁当	98			
7	のり弁当	201			
8	デラックス弁当	65			
9					

→

	A	B	C	D	E
1	お弁当の売上集計				
2					
3	商品名	昼	夜		
4	ハンバーグ弁当	146	199		
5	唐揚げ弁当	165	255		
6	幕の内弁当		98		
7	のり弁当		201		
8	デラックス弁当		65		
9					

セルが挿入される

行を挿入する

4行目に行を挿入し、挿入後に行を下に移動し、下の行の書式をコピーします。

```
Sub 行を挿入する()
    Rows(4).Insert xlShiftdown, xlFormatFromRightOrBelow
End Sub
```

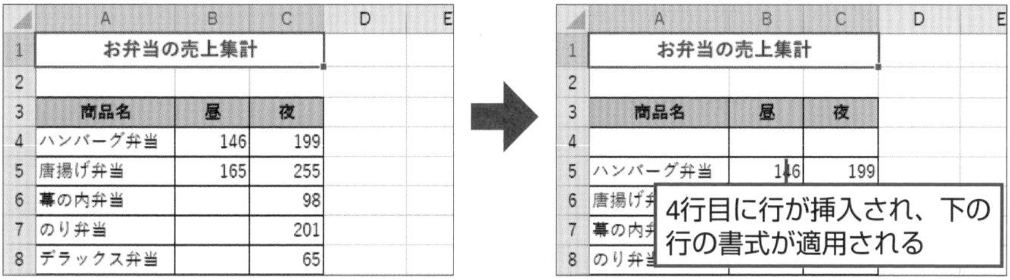

▲行が挿入され行全体が下に移動する。

列を挿入する

B列に列を挿入します。

```
Sub 列を挿入する()
    Columns("B").Insert
End Sub
```

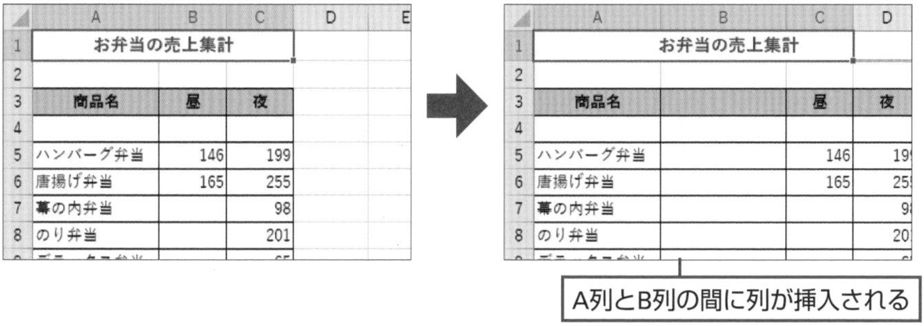

▲列が挿入され列全体が右に移動する。

ヒント

選択されているセルを含む行や列を挿入

アクティブセルや選択されているセルを含む行を挿入するにはEntireRowプロパティ、列を挿入するにはEntireColumnプロパティを使用します。「ActiveCell.EntireRow.Insert」と記述するとアクティブセルを含む行全体を挿入し、「ActiveCell.EntireColumn.Insert」と記述するとアクティブセルを含む列全体を挿入します。

26 セル範囲、行、列を削除するには

指定した位置のセル範囲、行、列を削除するにはDeleteメソッドを使用します。

● Deleteメソッド　[デリート]

セル範囲、行、列を削除する。

書式　**Rangeオブジェクト.Delete([Shift])**

引数　**Shift**：セルを削除した後のセルの移動方向を定数で指定する。省略するとExcelが自動判断する。

使用例**Range("A3:C3").Delete xlShiftUP**
セル範囲A3:C3を削除し、削除後にセルを上に移動する。

■ 引数Shiftで指定できる定数

xlShiftToLeft	左方向に移動	xlShiftUp	上方向に移動

セルを削除する

セル範囲B6～B8のセルを削除し、削除後にセルを左に移動します。

```
Sub セルを削除する()
    Range("B6:B8").Delete xlShiftToLeft
End Sub
```

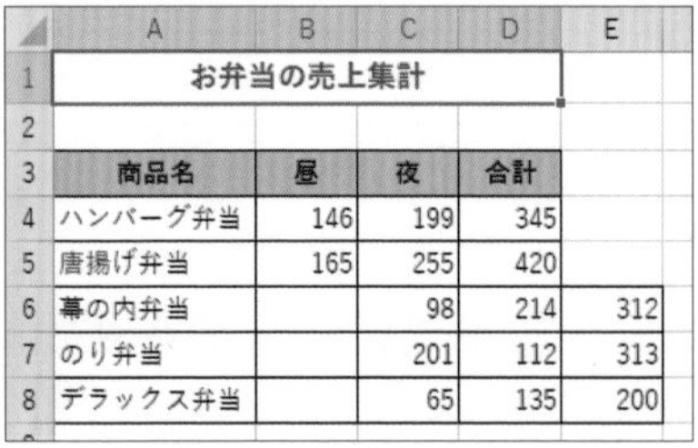

	A	B	C	D	E
1	お弁当の売上集計				
2					
3	商品名	昼	夜	合計	
4	ハンバーグ弁当	146	199	345	
5	唐揚げ弁当	165	255	420	
6	幕の内弁当		98	214	312
7	のり弁当		201	112	313
8	デラックス弁当		65	135	200

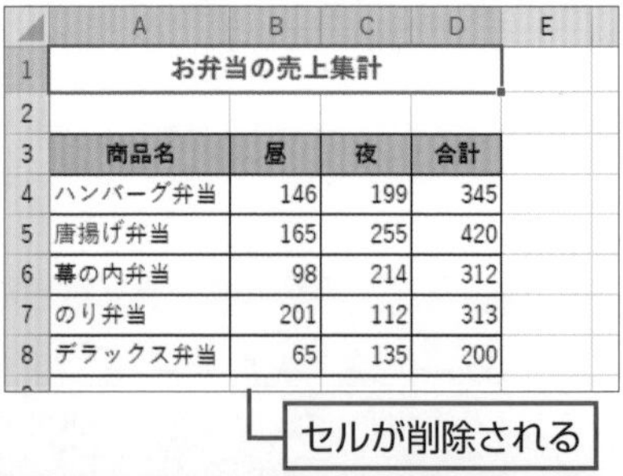

	A	B	C	D	E
1	お弁当の売上集計				
2					
3	商品名	昼	夜	合計	
4	ハンバーグ弁当	146	199	345	
5	唐揚げ弁当	165	255	420	
6	幕の内弁当	98	214	312	
7	のり弁当	201	112	313	
8	デラックス弁当	65	135	200	

ヒント

行、列の削除

行全体、列全体削除するには、Insertメソッドと同様にRowsプロパティ、Columnsプロパティを使用します。「Rows(1).Delete」と記述すると1行目が削除され、「Columns("A:C").Delete」と記述するとA列からC列が削除されます。

27 列幅や行の高さを変更するには

列幅を変更するには、ColumnWidthプロパティを使用します。列幅は文字数で設定し、標準フォントのおよそ半角1文字分に相当します。複数の列を指定した場合は、すべての列が同じ列幅になります。セルに入力されたデータの長さに合わせて列幅を自動調整するには、AutoFitメソッドを使用します。

● ColumnWidthプロパティ　[カラムウィドゥス]

列幅を変更する。

書式　**オブジェクト.ColumnWidth = 文字数**

使用例 **Columns("D:G").ColumnWidth = 10**

D列からG列の列幅を10に設定します。

● AutoFitメソッド　[オートフィット]

列幅をセルの入力データに合わせて自動調整する。

書式　**オブジェクト.AutoFit**

使用例 **Columns("A:C").AutoFit**

A列からC列を自動調整する。

列幅を変更する

A列の列幅を「16」に設定し、B列～D列の列幅を自動調整します。

```
Sub 列幅を変更する()
    Columns("A").ColumnWidth = 16
    Columns("B:D").AutoFit
End Sub
```

	A	B	C	D
1	講座名	最大定員	予約数	集客率
2	Excel2019基礎	20	19	95%
3	Excel2019応用	15	11	73%
4	Word2019基礎	20	18	90%
5	Word2019応用	15	15	100%
6	Access2019基礎	15	12	80%
7	Access2019応用	10	9	90%

A列の列幅が変更される

B列～D列の列幅が自動調整される

ヒント

行の高さを変更するには

行の高さを変更するには、RowHeightプロパティを使用します。RowHeightプロパティにはポイント数を指定します。5行目の高さを20にするには、「Rows(5).RowHeight = 20」と記述します。

28 セルのデータを置換するには

セル範囲の中から指定したデータを検索し、別のデータに置き換えるには、Replaceメソッドを使用します。

●Replaceメソッド　[リプレイス]

指定したセル範囲の中に入力されているデータを置換する。

書式　**Rangeオブジェクト.Replace(What,Replacement)**

引数　**What**：検索するデータを指定する。
Replacement：置き換えるデータを指定する。

使用例**Range("A3:C10").Replace "桜","さくら"**
セル範囲A3～C10の中の「桜」という文字列を「さくら」に置き換える。

セルのデータを置き換える

セル範囲A4～A9の中の「2016」を「2019」に置き換えます。

```
Sub セルのデータを置き換える()
    Range("A4:A9").Replace "2016", "2019"
End Sub
```

	A	B	C	D
1	Officeセミナー予約状況			
2				
3	講座名	最大定員	予約数	集客率
4	Excel2016基礎	20	19	95%
5	Excel2016応用	15	11	73%
6	Word2016基礎	20	18	90%
7	Word2016応用	15	15	100%
8	Access2016基礎	15	12	80%
9	Access2016応用	10	9	90%

	A	B	C	D
1	Officeセミナー予約状況			
2				
3	講座名	最大定員	予約数	集客率
4	Excel2019基礎	20	19	95%
5	Excel2019応用	15	11	73%
6	Word2019基礎	20	18	90%
7	Word2019応用	15	15	100%
8	Access2019基礎	15	12	80%
9	Access2019応用	10	9	90%

セル範囲A4～A9の「2016」が「2019」に置換される

29 データを並べ替えるには

データを並べ替えるには、Sortオブジェクトを使用します。Sortオブジェクトは並べ替えに関するプロパティやメソッドを持っています。WorksheetオブジェクトのSortプロパティでSortオブジェクトを参照します。

●Sortプロパティ　[ソート]

Sortオブジェクトを参照する。

書式　**Worksheetオブジェクト.Sort**

使用例**ActiveWorksheet.Sort**
アクティブシートのSortオブジェクトを参照する。

■Sortオブジェクトの主なプロパティとメソッド

SortFieldプロパティ	SortFieldsコレクションを取得する
Headerプロパティ	先頭行を見出しとするかを指定する xlGuess：Excelが自動判断 xlNo：見出しとしない（既定値） xlYes：見出しとする
SetRangeメソッド	並べ替えの範囲を設定する
Applyメソッド	並べ替えを実行する

■SortFieldsコレクション

SortFieldsコレクションには、並べ替えフィールドをすべてクリアするClearメソッド、並べ替えフィールドを追加するAddメソッドがあります。

Addメソッドの主な引数は次のとおりです。

Key	並べ替えのキー値を指定する
SortOn	並べ替えるフィールドの種類を指定する xlSortOnValues：値 xlSortOnCellColor：セルの色 xlSortOnFontColor：文字の色 xlSortOnIcon：アイコン
Order	並べ替え順序を指定する xlAscending：昇順 xlDescending：降順

■ 並べ替えるための手順

並べ替えを行うためにSortオブジェクトに対してプロパティやメソッドを操作する手順は以下のとおりです。複数のキーで並べ替えたい場合は、SortFieldsコレクションのAddメソッドを複数行記述します。並べ替えのキーは65個まで指定できます。

```
With Worksheetオブジェクト.Sort
    .SortFields.Clear  設定済みの並べ替えフィールドを削除
    .SortFields.Add Key,SortOn,Order      並べ替えフィールドを指定
    .SetRange(セル範囲)       並べ替えるセル範囲を指定
    .Header = 設定値   先頭行を見出しにするかを指定
    .Apply       並べ替えを実行
End With
```

データを並べ替える

セル範囲A3～D9を給与の降順に並べ替えます。

```
Sub データを並べ替える()
    With ActiveSheet.Sort
        .SortFields.Clear
        .SortFields.Add Key:=Range("D3"), SortOn:=xlSortOnValues, _
                Order:=xlDescending
        .SetRange Range("A3:D9")
        .Header = xlYes
        .Apply
    End With
End Sub
```

	A	B	C	D	E
1	◆アルバイト給与計算◆				
2					
3	氏名	時給	時間数	給与	
4	山田早季子	980	33	32,340	
5	木田孝則	1,000	39	39,000	
6	万田みどり	1,050	25	26,250	
7	元村宋太郎	1,000	36	36,000	
8	伊藤京佳	1,050	39	40,950	
9	森川昇司	980	27	26,460	
10					

→

	A	B	C	D	E
1	◆アルバイト給与計算◆				
2					
3	氏名	時給	時間数	給与	
4	伊藤京佳	1,050	39	40,950	
5	木田孝則	1,000	39	39,000	
6	元村宋太郎	1,000	36	36,000	
7	山田早季子	980	33	32,340	
8	森川昇司	980	27	26,460	
9	万田みどり	1,050	25	26,250	
10					

セル範囲A3～D9が給与の降順に並べ替わる

30 ボタンをクリックして処理を実行するには

ワークシートにボタンを作成し、マクロを登録すると、ボタンをクリックするだけでマクロが実行できるようになります。

ボタンを作成する

ワークシートにボタンを作成し、マクロ「データを並べ替える」を登録します。

❶［開発］タブの［コントロール］の［コントロールの挿入］をクリックする。

❷一覧から［ボタン（フォームコントロール）］をクリックする。

❸ボタンを配置したい位置の左上から右下方向にドラッグする。

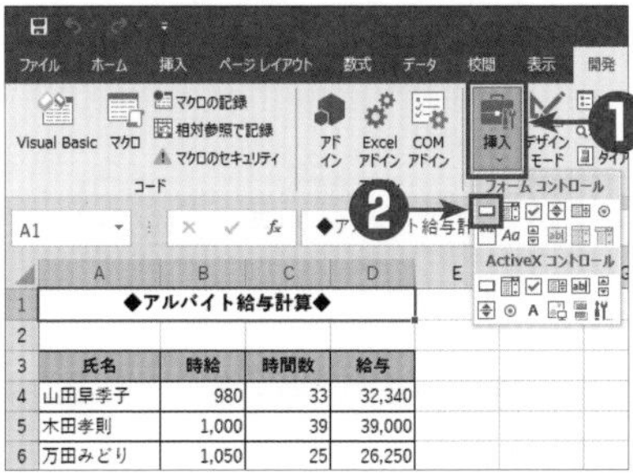

❹ボタンが作成され、［マクロの登録］ダイアログが表示される。

❺［マクロの登録］ダイアログの［マクロ名］の一覧から登録するマクロ「データを並べ替える」をクリックする。

❻［OK］をクリックする

❼作成したボタンが選択されていることを確認して、「並べ替え」と入力する。

❽任意のセルをクリックして、ボタンの選択を解除する。

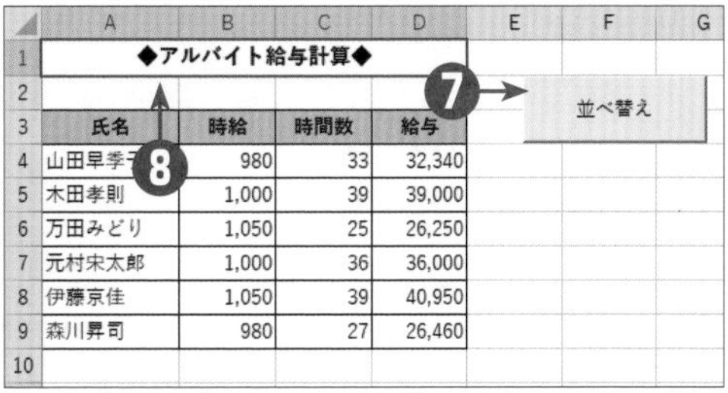

▲ボタン名が確定される。

ボタンをクリックして実行する

作成したボタンをクリックして実行します。

❶［並べ替え］ボタンをクリックする。

❷ セル範囲A3～D9が給与の降順に並べ替わる。

	A	B	C	D
1	◆アルバイト給与計算◆			
2				
3	氏名	時給	時間数	給与
4	山田早季子	980	33	32,340
5	木田孝則	1,000	39	39,000
6	万田みどり	1,050	25	26,250
7	元村宋太郎	1,000	36	36,000
8	伊藤京佳	1,050	39	40,950
9	森川昇司	980	27	26,460

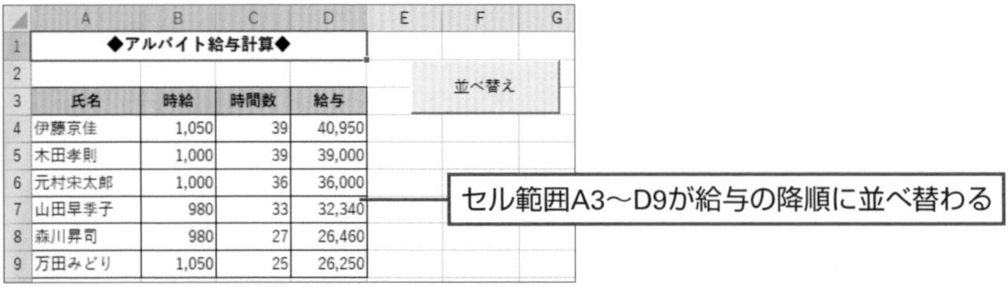

	A	B	C	D
1	◆アルバイト給与計算◆			
2				
3	氏名	時給	時間数	給与
4	伊藤京佳	1,050	39	40,950
5	木田孝則	1,000	39	39,000
6	元村宋太郎	1,000	36	36,000
7	山田早季子	980	33	32,340
8	森川昇司	980	27	26,460
9	万田みどり	1,050	25	26,250

ヒント

ボタンを確定するには

ボタンの名前を変更中に、Enterを押すと改行されてしまうので、ボタンの名前を確定するには、任意のセルをクリックして、ボタンの選択を解除します。

マクロの登録を変更するには

ボタンを作成するときにマクロを登録しなくても、後からマクロを登録することもできます。また、別のマクロに変更することができます。

❶ マクロを登録したいボタンを右クリックする。
❷ 一覧から［マクロの登録］をクリックする。
❸［マクロの登録］ダイアログが表示される。
❹［マクロの登録］ダイアログの［マクロ名］の一覧から登録したいマクロをクリックする。
❺［OK］をクリックする。

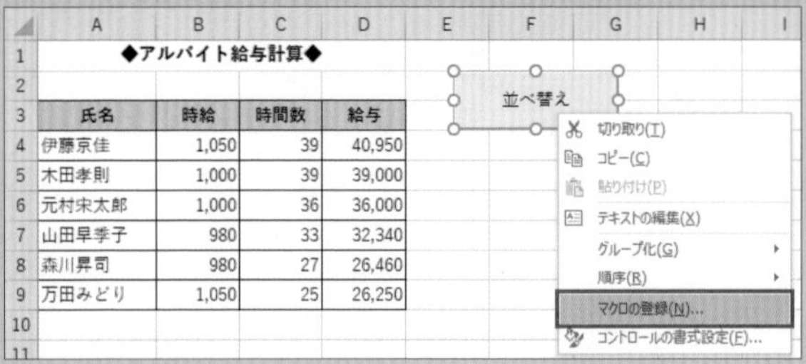

	A	B	C	D
1	◆アルバイト給与計算◆			
2				
3	氏名	時給	時間数	給与
4	伊藤京佳	1,050	39	40,950
5	木田孝則	1,000	39	39,000
6	元村宋太郎	1,000	36	36,000
7	山田早季子	980	33	32,340
8	森川昇司	980	27	26,460
9	万田みどり	1,050	25	26,250
10				

第6章

ワークシートとブックの操作

この章では、マクロでワークシートやブックを操作する方法を紹介します。ワークシートの追加、削除、コピー、印刷などの操作、ブックの選択、開く、保存などの操作をVBAで記述する方法を説明します。

1 ワークシートを参照するには

VBAでは、ワークシートはWorksheetオブジェクトとして扱われます。ワークシートを指定しない場合は、アクティブになっているワークシートが操作の対象となります。特定のワークシートを処理の対象とする場合は、Worksheetsプロパティを使用して、Worksheetオブジェクトを参照します。

●Worksheetsプロパティ [ワークシーツ]

Worksheetsコレクションを取得する。Worksheetsプロパティで取得したWorksheetsコレクションの各オブジェクトを参照するには、Worksheets(Index)と記述する。Indexにはインデックス番号またはシート名を指定する。インデックス番号はワークシートが左から何番目にあるかを示す。

書式 **Worksheets(インデックス番号)**
Worksheets(ワークシート名)

使用例 **WorkSheets(1)**
1枚目のワークシートを参照する。

WorkSheets("Sheet1")
「Sheet1」という名前のワークシートを参照する。

ワークシート内のセルの値を変更する

ワークシート「基本データ」のセルB3の値を「1000」に変更します。

```
Sub ワークシート内のセルの値を変更する()
    Worksheets("基本データ").Range("B3").Value = 1000
End Sub
```

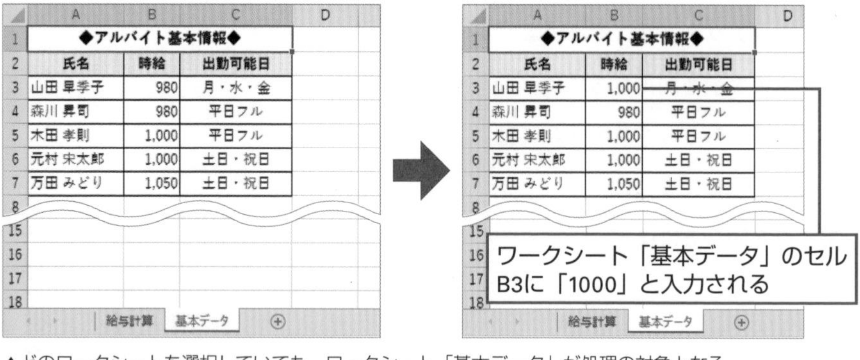

▲どのワークシートを選択していても、ワークシート「基本データ」が処理の対象となる。

2 ワークシートをアクティブにするには

ワークシートをアクティブにしたい場合は、WorksheetオブジェクトのActivateメソッドを使用します。

●Activateメソッド　[アクティベイト]

指定したワークシートをアクティブにする。

書式　**Worksheetオブジェクト.Activate**

使用例 **Worksheets("Sheet2").Activate**
ワークシート「Sheet2」をアクティブにする。

ワークシートをアクティブにする

ワークシート「商品一覧」をアクティブにします。

```
Sub ワークシートをアクティブにする()
    Worksheets("商品一覧").Activate
End Sub
```

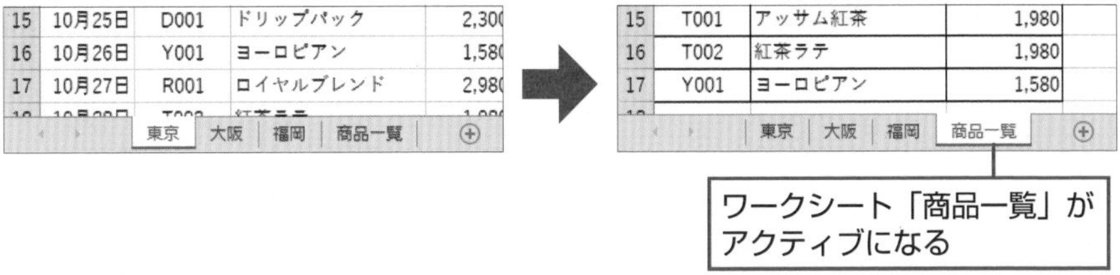

ヒント

最後のワークシートを選択するには

WorksheetsコレクションのCountプロパティを使うと、ブック内のすべてのワークシートの数を求めることができます。「Worksheets.Count」と記述すると、ワークシートの数を返すので、末尾のワークシートのインデックス番号と一致します。「Worksheets(Worksheets.Count).Activate」と記述すると、一番右側の最後のワークシートを選択できます。

3 複数のワークシートを選択するには

ワークシートを選択するには、WorksheetオブジェクトのSelectメソッドを使用します。1つのワークシートを選択する場合は、SelectメソッドとActivateメソッドのどちらを使用しても結果は同じですが、Selectメソッドを使用すると、複数のワークシートを選択することができます。

●Selectメソッド ［セレクト］

指定したワークシートを選択する。

書式 **Worksheetオブジェクト.Select([Replace])**

引数 **Replace**：Trueを指定すると、指定したワークシートのみが選択される。Falseを指定すると、既に選択しているワークシートの選択を解除せずに、作業グループとしてワークシートが追加選択される。省略するとTrueが設定される。

使用例 **Worksheets("商品リスト").Select False**
選択済みワークシートとワークシート「商品リスト」をグループ化する。

複数のワークシートを選択する

ワークシート「東京」、「大阪」、「福岡」をグループ化します。

```
Sub 複数のワークシートを選択する()
    Worksheets("東京").Select
    Worksheets("大阪").Select False
    Worksheets("福岡").Select False
End Sub
```

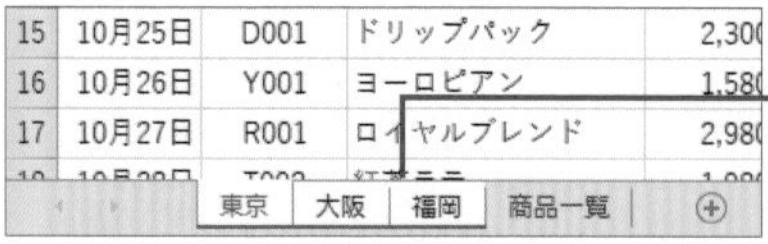

ワークシート「東京」、「大阪」、「福岡」がグループ化される

ヒント

グループ化を解除するには

グループ化を解除するには、Excelで作業する場合と同様に、別のワークシートを選択します。引数ReplaceにFalseを設定しないでSelectメソッドでワークシートを選択するか、グループ化されていないワークシートをActivateメソッドでアクティブにします。

4 ワークシートを追加するには

ブックにワークシートを追加するには、WorksheetsコレクションのAddメソッドを使用します。

●Addメソッド　[アッド]

Worksheetsコレクションに新しいワークシートを追加する。

書式　**Worksheetsコレクション.Add([Before][,After][,Count])**

引数　**Before**：指定したワークシートの直前に新しいワークシートを追加する。
After：指定したワークシートの直後に新しいワークシートを追加する。
Count：追加するワークシートの数を指定する。省略すると「1」が設定される。

使用例 **Worksheets.add After:=Worksheets("請求書")**
ワークシート「請求書」の後ろに新しいワークシートを挿入する。

ヒント

引数BeforeとAfter

BeforeとAfterは同時に指定できません。両方省略すると、アクティブシートの直前に新しいワークシートが追加されます。

追加したワークシートについて

ワークシートを追加すると、追加したワークシートがアクティブになります。ワークシート名を省略してセルを操作する場合は、追加したワークシートが対象となるので注意しましょう。

ワークシートを追加する

ワークシート「商品一覧」の前に新しいワークシートを挿入します。

```
Sub ワークシートを追加する()
    Worksheets.Add Before:=Worksheets("商品一覧")
End Sub
```

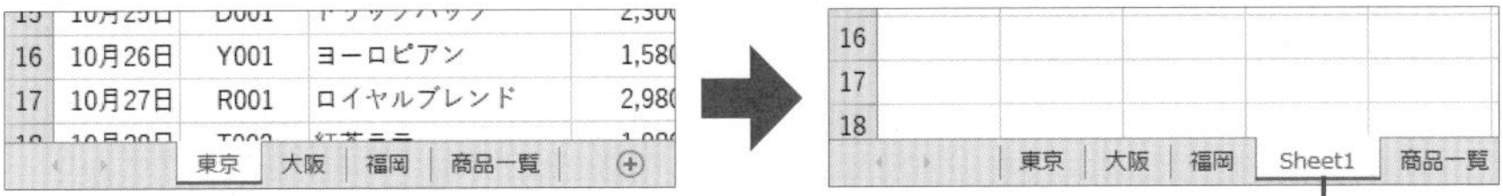

ワークシート「Sheet1」が追加される

5 ワークシートを削除するには

ワークシートを削除するには、WorksheetオブジェクトのDeleteメソッドを使用します。

●Deleteメソッド [デリート]

Worksheetsコレクションから指定したワークシートを削除する。

書式 **Worksheetオブジェクト.Delete**

使用例 **Worksheets("昨年度売上").Delete**

アクティブブックのワークシート「昨年度売上」を削除する。

ワークシートを削除する

ワークシート「予定」を削除します。

```
Sub ワークシートを削除する()
    Worksheets("予定").Delete
End Sub
```

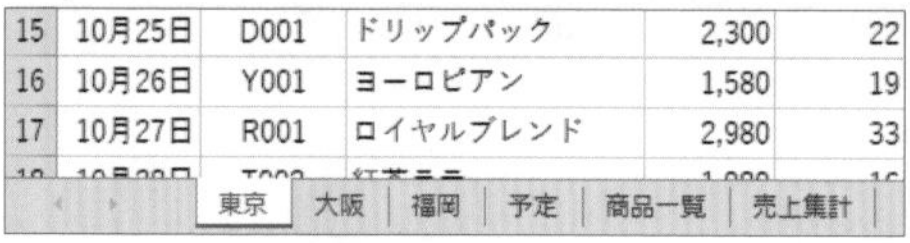

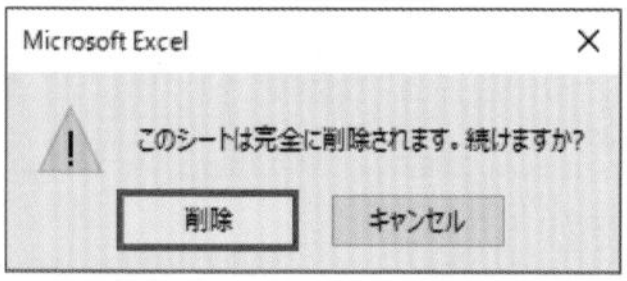

▲削除確認のメッセージが表示されたら［削除］をクリックする。

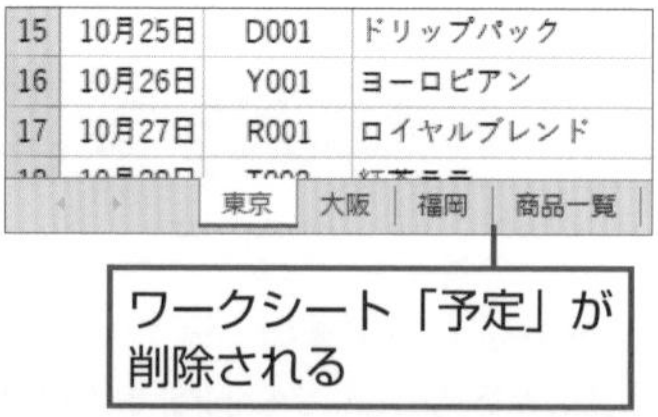

ヒント

確認メッセージの非表示

ワークシートを削除するときに、削除の確認のメッセージが表示されます。ApplicationオブジェクトのDisplayAlertsプロパティを使用すると、確認や警告のメッセージを表示させないようにすることができます。「Application.DisplayAlerts = False」と記述すると、メッセージが表示されなくなり、Trueを設定するとメッセージが表示される状態に戻ります。

6 ワークシートの表示／非表示を切り替えるには

ワークシートの表示／非表示を切り替えるには、WorksheetオブジェクトのVisibleプロパティを使用します。

●Visibleプロパティ　[ビジブル]

ワークシートの表示と非表示を切り替える。

書式　**Worksheetオブジェクト.Visible = 設定値**

使用例 **Worksheets("昨年度売上").Visible = xlSheetHidden**
ワークシート「昨年度売上」を非表示にする。

■ Visibleプロパティに設定できる定数と値

定数	値	説明
xlSheetVisible	True	ワークシートを表示する
xlSheetHidden	False	ワークシートを非表示にする
xlSheetVeryHidden		ワークシートを非表示にする。xlSheetVisibleが設定されるまで、ワークシートは表示されない

ワークシートを非表示にする

ワークシート「商品一覧」を非表示にします。

```
Sub ワークシートを非表示にする()
    Worksheets("商品一覧").Visible = xlSheetHidden
End Sub
```

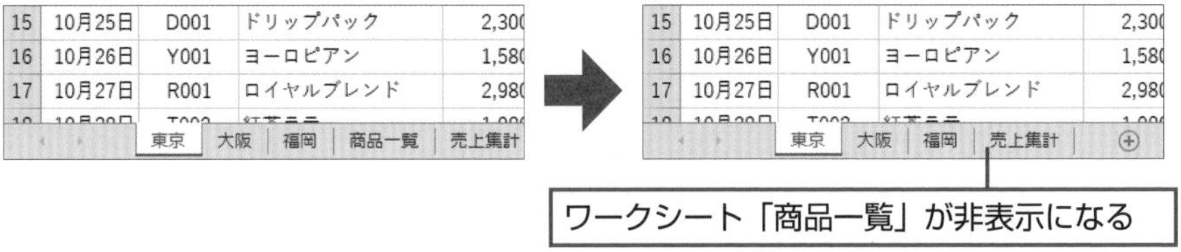

▲「Worksheets("商品一覧").Visible = False」と記述しても同様の動作になる。

ワークシートを表示する

非表示になっているワークシート「商品一覧」を表示します。

```
Sub ワークシートを表示する()
    Worksheets("商品一覧").Visible = xlSheetVisible
End Sub
```

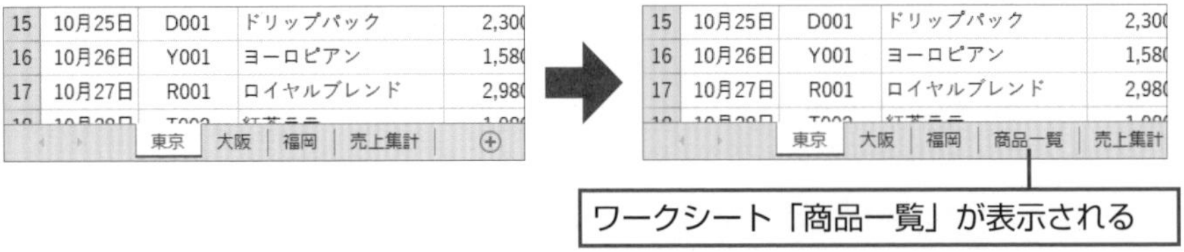

▲「Worksheets("商品一覧").Visible = True」と記述しても同様の動作になる。

ヒント

[再表示] ダイアログに表示されないワークシート

定数xlSheetVeryHiddenを設定してワークシートを非表示にした場合、[ホーム] タブの [セル] の [書式] の▼をクリックして、一覧から [非表示/再表示] の [シートの再表示] をクリックして表示される [再表示] ダイアログにシート名が表示されません。マクロだけで表示と再表示を切り替えたいときには、定数xlSheetVeryHiddenを使用します。

▲ワークシート「東京」「大阪」をxlSheetHiddenで非表示にした場合

▲ワークシート「東京」はxlSheetHiddenで非表示、ワークシート「大阪」はxlSheetVeryHiddenで非表示にした場合

メニューの表示について

定数xlSheetVeryHiddenで非表示にしたワークシート以外に、非表示のワークシートが存在しない場合は、[ホーム] タブの [セル] の [書式] の [非表示/再表示] の [シートの再表示] メニューは選択できなくなります。

7 ワークシートの名前を変更するには

Worksheetオブジェクトのnameプロパティの値を取得すると、ワークシートに設定されている名前が返されます。また、Nameプロパティに値を設定すると、シート名が変更されます。

●Nameプロパティ　[ネーム]

ワークシート名を取得、設定する。

書式　**Worksheetオブジェクト.Name = シート名**

使用例**Worksheets("Sheet1").Name = "売上"**
ワークワークシート「Sheet1」のシート名を「売上」に変更する。

シート名を変更する

ワークシート「昨年度」のシート名を「改訂前価格」に変更します。

```
Sub シート名を変更する()
    Worksheets("昨年度").Name = "改訂前価格"
End Sub
```

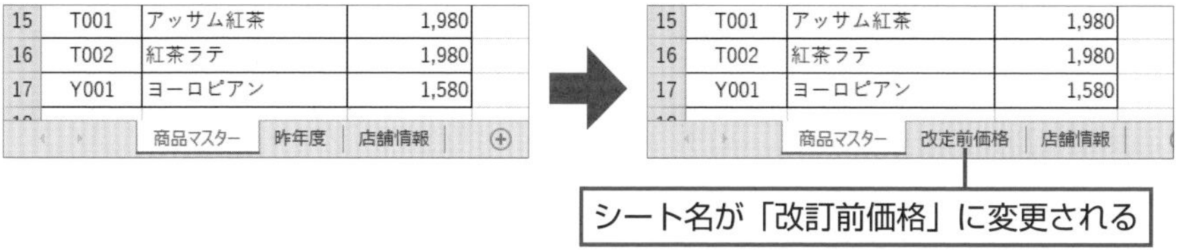

ヒント

ワークシート名について

ワークシート名を変更する場合、すでにブック内に同じワークシート名が存在するとエラーになります。ワークシート名は31文字以内で設定します。また、コロン（:）、スラッシュ（/）、円記号（¥）、疑問符（?）、アスタリスク（*）、角かっこ（[ ]）は使用できません。

8 ワークシートの見出しの色を変更するには

シート見出しの色を変更するには、TabオブジェクトのColorプロパティなど色を扱うプロパティに色を設定します。Tabオブジェクトを参照するには、WorksheetオブジェクトのTabプロパティを使用します。

●Tabプロパティ　［タブ］

シート見出しを参照する。

書式　**Worksheetオブジェクト.Tab**

使用例**Worksheets("Sheet1").Tab.Color = RGB(100,255,200)**
ワークシート「Sheet1」のシート見出しの色を指定したRGB値に変更する。

ヒント

色の指定

Colorプロパティ以外に、ColorIndexプロパティ、ThemeColorプロパティを使用して、シート見出しの色を変更できます。

シート見出しの色を変更する

ワークシート「改訂前価格」のシート見出しの色を、赤「250」、緑「100」青「50」のRGB値に設定します。

```
Sub シート見出しの色を変更する()
    Worksheets("改訂前価格").Tab.Color = RGB(250, 100, 50)
End Sub
```

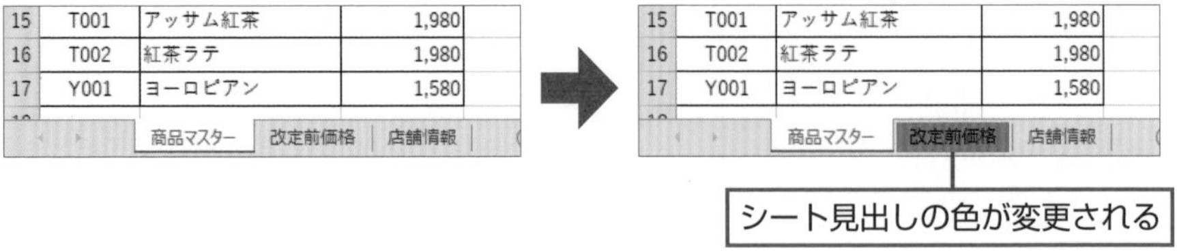

9 ワークシートをコピーするには

ワークシートをコピーするには、WorksheetオブジェクトのCopyメソッドを使用します。Excelで操作するときと同様に、コピー先に同じブック、別のブック、新しいブックを指定できます。

●Copyメソッド　［コピー］

ワークシートを指定した位置にコピーする。

書式　**Worksheetオブジェクト.Copy([Before][,After])**

引数　**Before**：指定したワークシートの直前にコピーする。
After：指定したワークシートの直後にコピーする。

使用例 **Worksheets("請求書").Copy Before:=Worksheets("商品リスト")**
ワークシート「請求書」をワークシート「商品リスト」の前にコピーする。

■別のブックにコピーする

別のブックにコピーするには、引数にブック名を明記します。ただし、コピー先のブックは開いている必要があります。

新しいブックにコピーしたい場合は、引数 Before と引数 After の両方を省略すると、新しいブックが自動的に作成され、作成されたブック内にコピーされます。

ワークシートをコピーする

ワークシート「東京」をワークシート「福岡」の後ろにコピーします。

```
Sub ワークシートをコピーする()
    Worksheets("東京").Copy After:=Worksheets("福岡")
End Sub
```

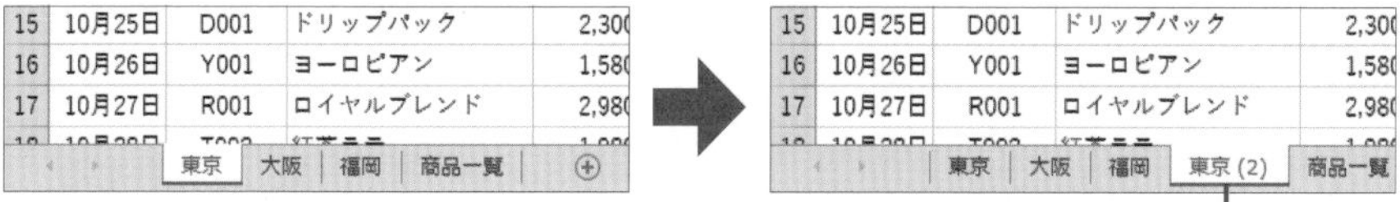

ワークシート「東京」がコピーされ、ワークシート「東京(2)」が追加される

10 ワークシートを移動するには

ワークシートを移動するには、WorksheetオブジェクトのMoveメソッドを使用します。Excelで操作するときと同様に、移動先に同じブック、別のブック、新しいブックを指定できます。

●Moveメソッド ［ムーブ］

ワークシートを指定した位置に移動する。

書式 **Worksheetオブジェクト.Move([Before][,After])**

引数 **Before**：指定したワークシートの直前に移動する。
After：指定したワークシートの直後に移動する。

使用例 **Worksheets("請求書").Move After:=Worksheets("商品リスト")**
ワークシート「請求書」をワークシート「商品リスト」の後ろに移動する。

ヒント

別のブックに移動する

別のブックや新しいブックに移動する方法はCopyメソッドの指定と同様です。

ワークシートを移動する

ワークシート「商品一覧」をワークシート「東京」の前に移動します。

```
Sub ワークシートを移動する()
    Worksheets("商品一覧").Move Before:=Worksheets("東京")
End Sub
```

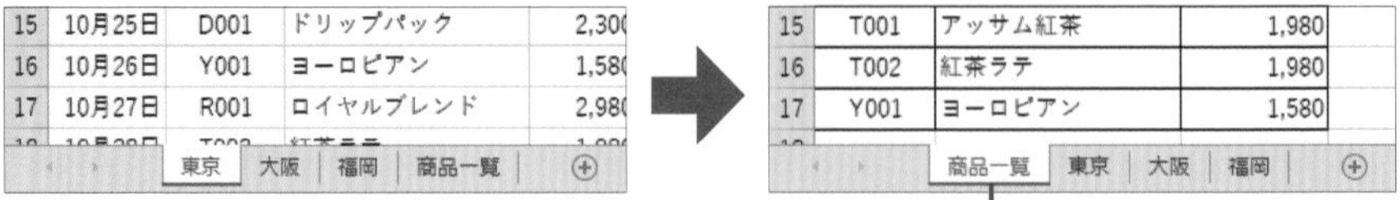

ワークシート「商品一覧」が移動する

11 ワークシートを保護するには

ワークシートを保護するには、WorksheetオブジェクトのProtectメソッドを使用します。既定ではすべてのセルがロックされていて、保護されたワークシートのセルは変更できません。一部のセルだけ変更できるようにロックを解除するには、RangeオブジェクトのLockedプロパティを使用します。

●Protectメソッド　[プロテクト]

ワークシートを保護する。

書式　**Worksheetオブジェクト.Protect([Password])**

引数　**Password**：保護を解除するためのパスワードを指定する。

使用例 **Worksheets("請求書").Protect "p001"**
パスワードを「p001」と指定して、ワークシート「請求書」を保護する。

■パスワードの指定

パスワードは大文字と小文字が区別されます。省略するとパスワードを使用しないで保護を解除できます。

●Lockedメソッド　[ロックド]

セルをロック／ロック解除する。Falseを設定するとセルのロックが解除され、Trueを設定するとセルがロックされる。

書式　**Rangeオブジェクト.Locked＝True／False**

使用例 **Range("A5:A10").Locked = False**
セル範囲A5～A10のロックを解除する。

ワークシートを保護する

ワークシート「10月給与」のセル範囲C4～C9のロックを解除し、パスワードを「pass10」と指定してワークシートを保護します。

```
Sub ワークシートを保護する()
    Worksheets("10月給与").Range("C4:C9").Locked = False
    Worksheets("10月給与").Protect "pass10"
End Sub
```

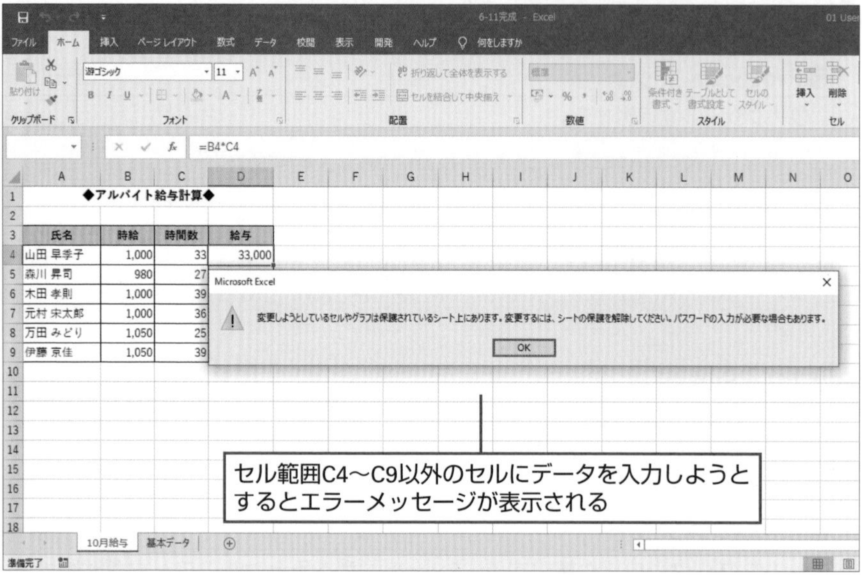

12 ワークシートの保護を解除するには

ワークシートの保護を解除するには、WorksheetオブジェクトのUnProtectメソッドを使用します。

●UnProtectメソッド　[アンプロテクト]

ワークシートの保護を解除する。

書式　**Worksheetオブジェクト.UnProtect([Password])**

引数　**Password**：ワークシートを保護したときに設定したパスワードを指定する。

使用例 **Worksheets("請求書").UnProtect "p001"**
パスワードを「p001」と指定して、ワークシート「請求書」の保護を解除する。

■ パスワードの指定

パスワードが設定されていない場合は、引数Passwordは無視されます。パスワードが設定されているにもかかわらず、パスワードを省略した場合は、[シート保護の解除] ダイアログが表示されます。VBAの記述の中でパスワードを指定すると、自動的にワークシートの保護が解除されますが、パスワードを知っているユーザーだけが保護を解除できるようにする場合は、引数Passwordを省略します。

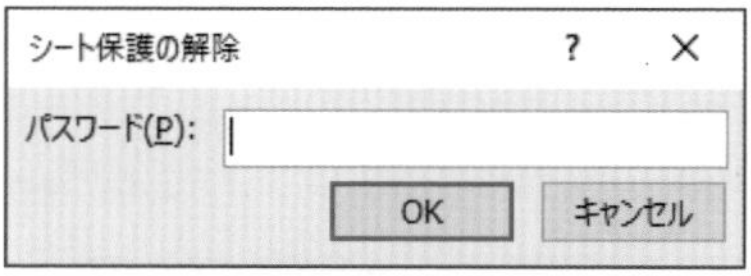

ヒント

正しくないパスワードの入力

[シート保護の解除] ダイアログで間違ったパスワードを入力すると、次のようなエラーが発生し、マクロが中断されます。通常はマクロが中断されないようにエラーの処理をします。エラー処理については第7章の17で紹介します。

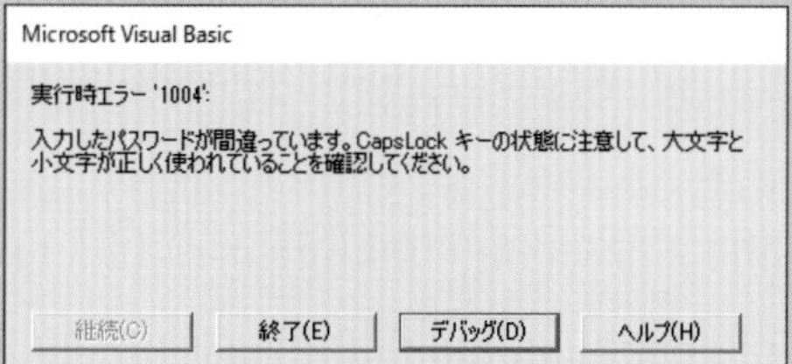

ワークシートの保護を解除する

パスワードを「pass10」と指定して、ワークシート「10月給与」の保護を解除します。

```
Sub ワークシートの保護を解除する()
    Worksheets("10月給与").UnProtect "pass10"
End Sub
```

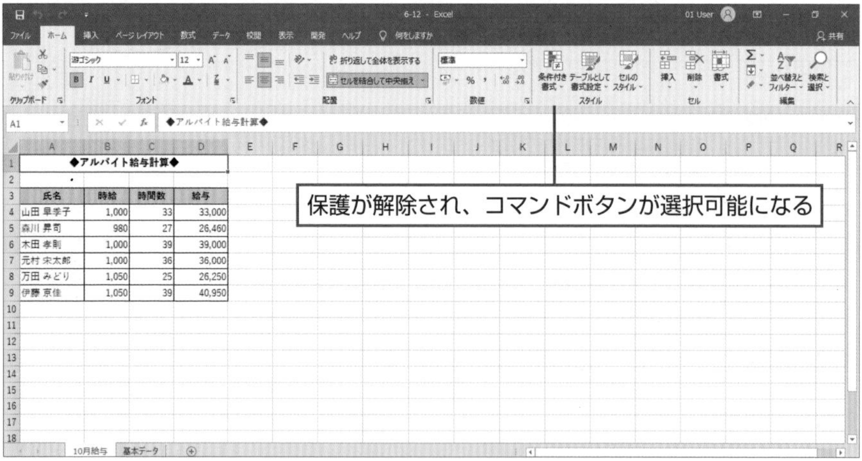

13 複数のワークシートを操作するには

VBAでは、シート名を省略すると、アクティブシートが処理の対象となります。特定のワークシートを処理の対象とする場合は、必ずWorksheetオブジェクトを指定します。複数のワークシートを操作する場合は、現在、どのワークシートがアクティブになっているか認識する必要があります。現在アクティブになっているワークシートを参照するにはActiveSheetプロパティを使用します。

●ActiveSheetプロパティ　[アクティブシート]

アクティブになっているワークシートを参照する。Workbookオブジェクトを省略すると現在アクティブになっているブックが対象となる。

書式　**Workbookオブジェクト.ActiveSheet**

使用例**Range("A1").Value = ActiveSheet.Name**
アクティブシートのシート名を取得して、シート名をセルA1に代入する。

■ ワークシートの指定

次のように記述すると、ワークシート「1月」のセルB2の値が、ワークシート「合計」のセルD2に代入されます。

```
Worksheets("合計").Range("D2").Value = Worksheets("1月").Range("B2").Value
```

または、あらかじめワークシート「合計」をアクティブにすると、シート名を省略することができます。

```
Worksheets("合計").Activate
Range("D2").Value = Worksheets("1月").Range("B2").Value
```

ヒント

アクティブシートが移動される場合

ワークシートをコピーしたり、追加するなどの処理によって、アクティブシートが自動的に移動されることがあります。処理の中でアクティブシートが移動したことによって、思わぬエラーを引き起こすことがあります。複数のワークシートを操作する場合は、アクティブになっているワークシートを処理する場合も、シート名を明記したほうが単純ミスを防ぐことができます。

別のワークシートのセルの値をコピーする

ワークシート「東京」のセルF20の値を、ワークシート「売上集計」のセルB4に代入します。

```
Sub 別のワークシートのセルの値をコピーする()
    Worksheets("売上集計").Range("B4").Value = _
    Worksheets("東京").Range("F20").Value
End Sub
```

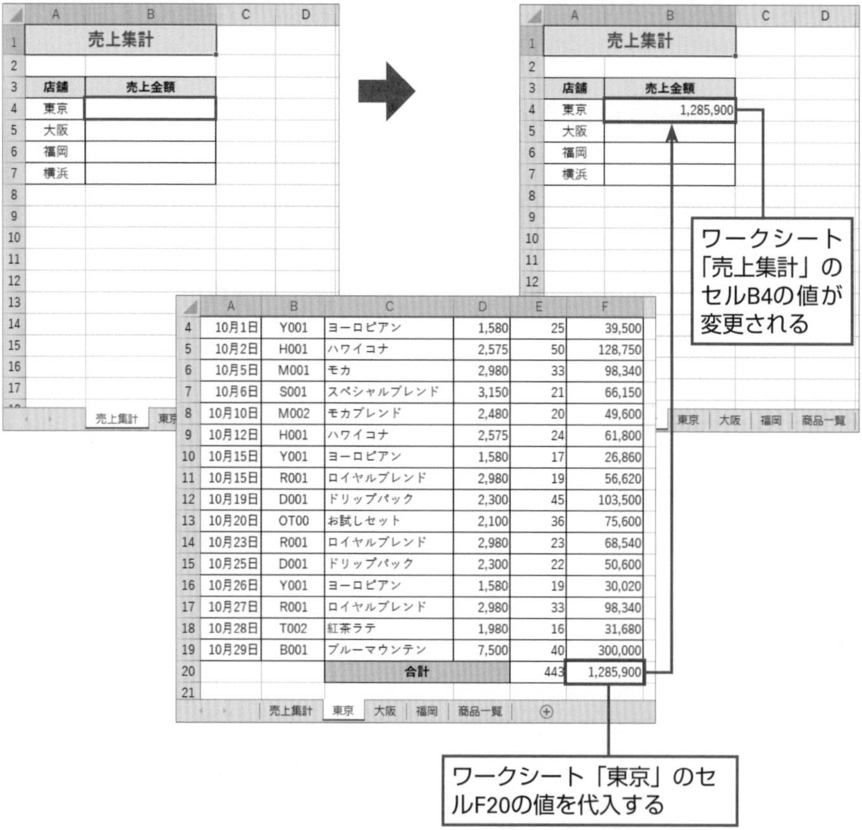

14 ワークシートを印刷プレビューで確認するには

印刷プレビューを表示するには、PrintPreviewメソッドを使用します。PrintPreviewメソッドには、Worksheetオブジェクト、Rangeオブジェクトなどを対象として指定することができます。

●PrintPreviewメソッド　［プリントプレビュー］

印刷プレビューを表示する。

書式　**オブジェクト.PrintPreview([EnableChanges])**

引数　**EnableChanges**：印刷プレビューでページ設定を変更できるかどうかを指定する。True、または省略すると設定の変更が可能になる。

使用例 **Worksheets("請求書").PrintPreview**
ワークシート「請求書」を印刷プレビューする。
Range("A1:C10").PrintPreview
セル範囲A1～C10を印刷プレビューする。

印刷プレビューする

アクティブシートを印刷プレビューします。

```
Sub 印刷プレビューする()
    ActiveSheet.PrintPreview
End Sub
```

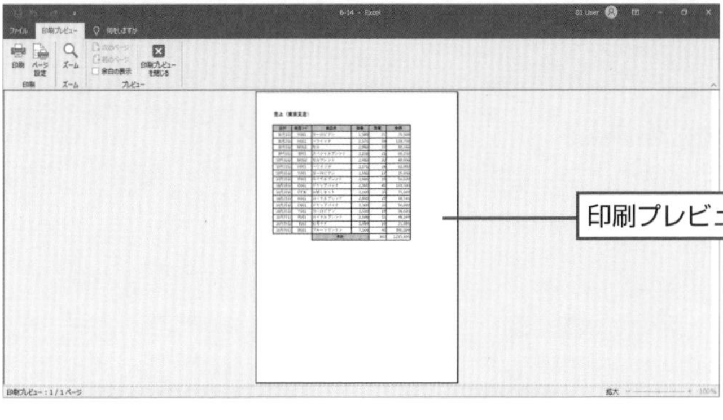

印刷プレビュー画面が表示される

◀あらかじめ印刷プレビューしたいワークシートを選択してからマクロを実行する。

15 ワークシートを印刷するには

印刷するには、PrintOutメソッドを使用します。PrintOutメソッドには、Worksheetオブジェクト、Rangeオブジェクトなどを印刷の対象として指定することができます。

●PrintOutメソッド [プリントアウト]

指定したワークシート、セル範囲を印刷する。

書式 **オブジェクト.PrintOut([From][,To][,Copies][,Preview][,ActivePrinter][,PrintToFile][,Collate][,PrToFileName][,IgnorePrintAreas])**

引数 **From**：開始ページを指定する。省略すると最初のページから印刷する。
To：終了ページを指定する。省略すると最後のページまで印刷する。
Copies：印刷部数を指定する。省略すると印刷部数は1部になる。
Preview：Trueを指定すると印刷前に印刷プレビューを表示する。
ActivePrinter：プリンターの名前を指定する。
PrintToFile：Trueを指定するとファイルに出力される。
Collate：Trueを指定すると部単位で印刷される。
PrToFileName：引数PrintToFileがTrueの場合、ファイル名を指定する。
IgnorePrintAreas：Trueを指定すると印刷範囲を無視して印刷する。

使用例 **Worksheets("請求書").PrintOut Copies:=2**
ワークシート「請求書」を2部印刷する。

ワークシートを印刷する

ワークシート「大阪」を印刷します。

```
Sub ワークシートを印刷する()
    Worksheets("大阪").PrintOut
End Sub
```

▲マクロを実行するとワークシート「大阪」が印刷される。

16 ページ設定を行うには

PageSetupオブジェクトはページ設定に関する情報を扱います。PageSetupオブジェクトの各プロパティを操作すると、印刷時のページの設定を行うことができます。

●PageSetupプロパティ　[ページセットアップ]

PageSetupオブジェクトを参照する。

書式　**Worksheetオブジェクト.PageSetup.各プロパティ = 設定値**

使用例 **Worksheets("商品リスト").PageSetup.CenterHorizontally = True**
ワークシート「商品リスト」を水平方向でページの中央に印刷するようにする。

■ PageSetupオブジェクトのプロパティ

PageSetupオブジェクトのプロパティは、［ページ設定］ダイアログの設定項目に対応しています。

タブ	説明	プロパティ
ページ	印刷の向き	Orientation
	拡大／縮小	Zoom
	ページ数に合わせて印刷	FitToPagesWide（横） FitToPagesTall（縦）
	用紙サイズ	PaperSize
	先頭ページ番号	FirstPageNumber
余白	余白	TopMargin（上） BottomMargin（下） LeftMargin（左） RightMargin（右）
	ページ中央	CenterHorizontally（水平） CenterVertically（垂直）
ヘッダー／フッター	ヘッダー	LeftHeader（左側） CenterHeader（中央） RightHeader（右側）
	フッター	LeftFooter（左側） CenterFooter（中央） RightFooter（右側）

シート	印刷範囲	PrintArea
	タイトル	PrintTitleRows（行） PrintTitleColumns（列）
	枠線印刷	PrintGridlines
	白黒印刷	BlackAndWhite
	簡易印刷	Draft
	行列番号	PrintHeadings
	コメント	PrintNotes
	ページの方向	Order

印刷範囲を設定する

ワークシート「大阪」のセル範囲A1～F10を印刷範囲に設定し、印刷プレビューします。

```
Sub 印刷範囲を設定する()
    Worksheets("大阪").PageSetup.PrintArea = "A1:F10"
    Worksheets("大阪").PrintPreview
End Sub
```

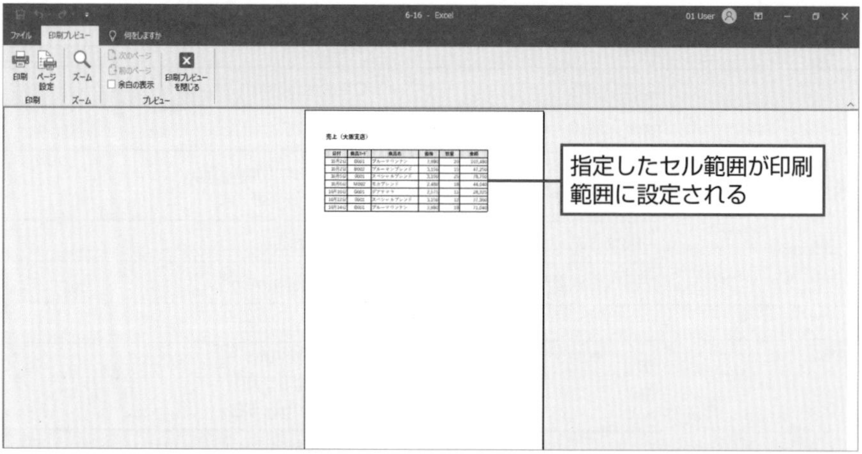

ヒント

印刷範囲を解除するには

印刷範囲を解除するには、PrintAreaプロパティに空の文字列「""」を設定します。アクティブシートの印刷範囲を解除するには、「ActiveSheet.PageSetup.PrintArea = ""」と記述します。

用紙に収めて印刷する

ワークシート「売上集計」をA4用紙１枚に収めて印刷する設定をし、印刷プレビューします。

```
Sub 用紙に収めて印刷する()
    With Worksheets("売上集計").PageSetup
        .PaperSize = xlPaperA4 ←―――― A4用紙に設定
        .Zoom = False ←―――― 拡大／縮小のパーセントの設定を無効
        .FitToPagesWide = 1 ←―――― 横方向を1ページに設定
        .FitToPagesTall = 1 ←―――― 縦方向を1ページに設定
    End With
    Worksheets("売上集計").PrintPreview ←―― 印刷プレビュー
End Sub
```

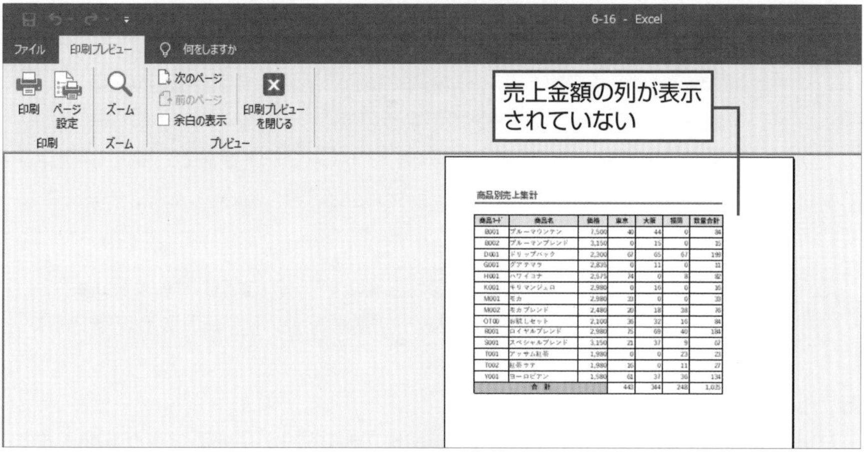

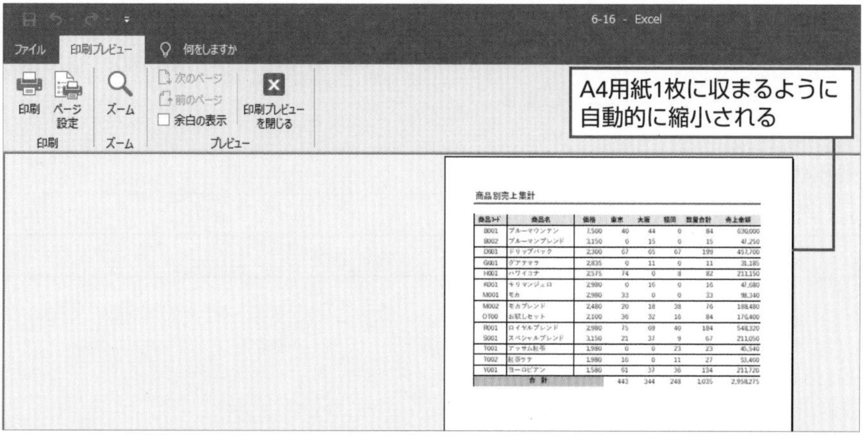

17 ブックを開くには

ブックを開くには、WorkbooksコレクションのOpenメソッドを使用します。

●Openメソッド ［オープン］

ブックを開く。

書式 **Workbooks.Open(FileName[,UpdateLinks][,ReadOnly][,Format][,Password][,WriteResPassword])**

引数 **FileName**：ブック名を指定する。
UpdateLinks：リンクの更新方法を値で指定する。
ReadOnly：True を指定するとブックが読み取り専用で開かれる。
Format：テキストファイルを開く場合の区切り文字を指定する。
Password：パスワードを指定する。
WriteResPassword：書き込み保護のパスワードが設定されているブックを書き込み可能で開く場合のパスワードを指定する。

使用例 **Workbooks.Open "請求書.xlsx" , ReadOnly:=True**
カレントフォルダーにあるブック「請求書.xlsx」を読み取り専用で開く。

■カレントフォルダー

ファイル名のみを指定した場合は、「カレントフォルダー」にあるブックを開きます。カレントフォルダーとは、ブックを開いたり、保存をするときに最初に参照されるフォルダーです（既定では［ドキュメント］フォルダー）。カレントフォルダー以外に保存されているブックを開くときは、パスから指定します。たとえば、CドライブのDataフォルダーに保存されているブック「請求書.xlsx」を開く場合は、「Workbooks.Open "C:¥Data¥請求書.xlsx"」と記述します。

■引数UpdateLinksで設定できる値

0	リンクを更新しない
3	リンクを常に更新する

■ 引数Formatに設定できる値

1	タブ
2	コンマ（,）
3	スペース
4	セミコロン（;）
5	なし
6	カスタム文字（引数Delimiterで指定）

■ 引数Passwordについて

パスワードが設定されているブックを開く場合にパスワードを指定します。省略するとパスワードの入力を促すダイアログが表示されます。

ブックを開く

カレントフォルダーにあるブック「第1週.xlsx」を読み取り専用で開きます。

```
Sub ブックを開く()
    Workbooks.Open "第1週.xlsx", ReadOnly:=True
End Sub
```

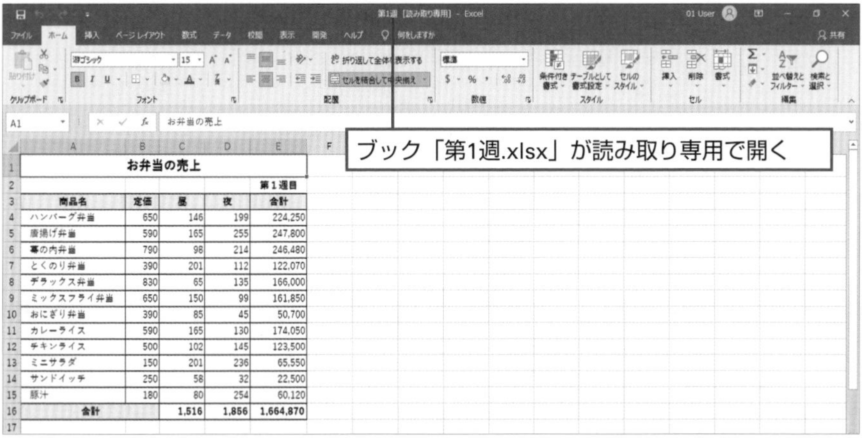

▲あらかじめブック「第1週.xlsx」をカレントフォルダーに格納しておかないとエラーになる。

ヒント

その他の引数

Openメソッドは、ほかにも引数が用意されています。その他の引数については、オンラインヘルプを参照してください。

カレントフォルダーを変更する

カレントフォルダーの場所を変更することができます。

❶［ファイル］タブをクリックする。
❷［オプション］をクリックする。
❸［Excelのオプション］ダイアログが表示される。
❹［Excelのオプション］ダイアログの左側の一覧から［保存］を選択する。
❺［既定のローカルファイルの保存場所］を変更する。
❻［OK］をクリックする。

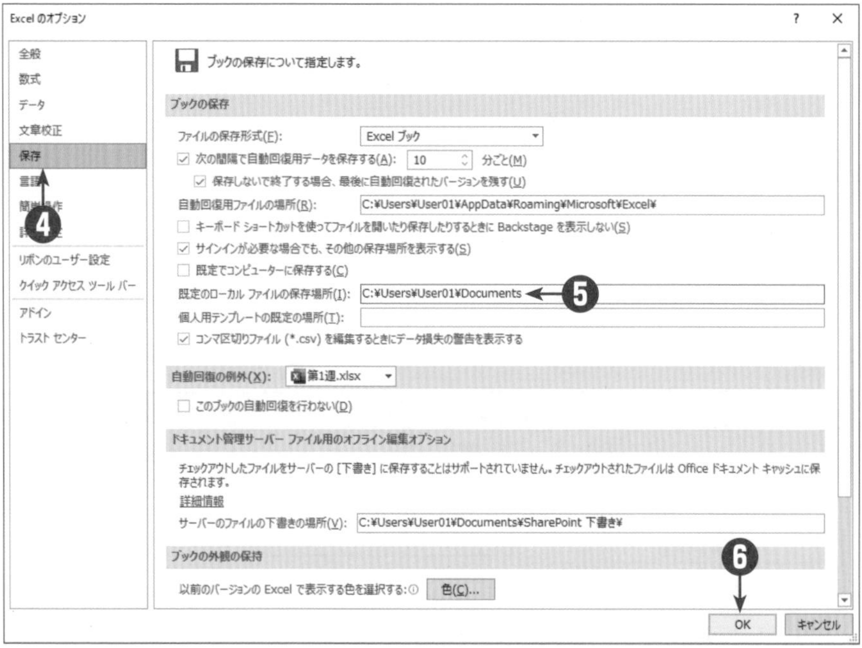

ヒント

VBAでカレントフォルダーを変更するには

ChDirステートメントを使用すると、カレントフォルダーを変更することができます。Cドライブの Dataフォルダーをカレントフォルダーにしたい場合は、「ChDir "C:¥Data"」と記述します。

18 ブックをアクティブにするには

複数のブックを開いて作業している場合に、特定のブックをアクティブにしたい場合は、WorkbookオブジェクトのActivateメソッドを使用します。現在アクティブなブックを参照するには、ActiveWorkbookプロパティを使用します。

●Activateメソッド　[アクティベイト]

指定したブックをアクティブにする。

書式　**Workbookオブジェクト.Activate**

使用例 **Workbooks("請求書.xlsx").Activate**
ブック「請求書.xlsx」をアクティブにする。

●ActiveWorkbookプロパティ　[アクティブワークブック]

現在アクティブになっているブックを参照する。

書式　**ActiveWorkbook**

使用例 **ActiveWorkbook.ActiveWorksheet.Range("A1)**
現在アクティブになっているブックのアクティブシートのセルA1を参照する。

ブックをアクティブにする

ブック「第1週.xlsx」をアクティブにします。

```
Sub ブックをアクティブにする()
    Workbooks("第1週.xlsx").Activate
End Sub
```

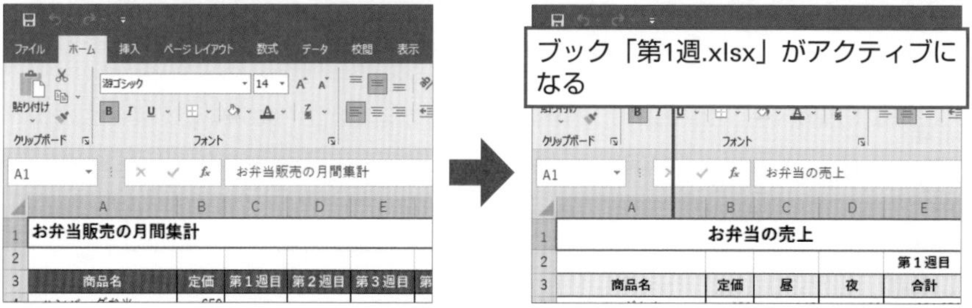

▲あらかじめブック「第1週.xlsx」は開いておく。

19 ブックの名前を取得するには

ブックの名前を取得するには、WorkbookオブジェクトのNameプロパティを使用します。ブックの保存場所を含めた名前を取得するには、WorkbookオブジェクトのFullNameプロパティを使用します。

●Nameプロパティ ［ネーム］

ブックの名前を取得する。

書式 **Workbookオブジェクト.Name**

使用例 **Range("A1").Value = ActiveWorkbook.Name**
アクティブブックのブック名をセルA1に入力する。

●FullNameプロパティ ［フルネーム］

ブックのパスと名前を取得する。

書式 **Workbookオブジェクト.FullName**

使用例 **Range("A1").Value = ActiveWorkbook.FullName**
アクティブブックのパスとブック名をセルA1に入力する。

ブックの名前を取得する

アクティブブックのブック名をセルE5に入力します。

```
Sub ブックの名前を取得する()
    Range("E5").Value = ActiveWorkbook.Name
End Sub
```

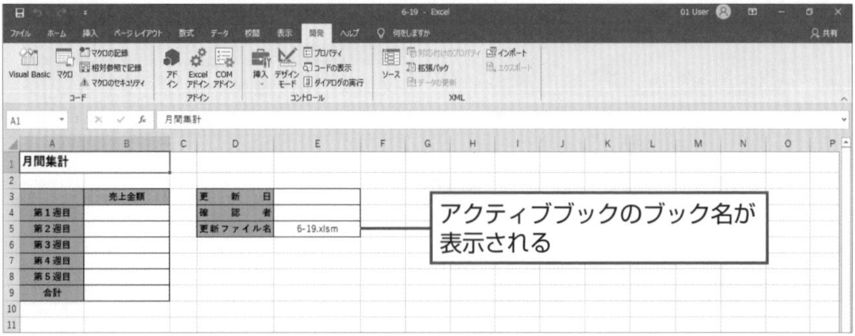

20 別のブックのセルを参照するには

VBAでは、ブックを指定しない場合は、アクティブになっているブックが操作の対象となります。特定のブックを処理の対象とする場合は、Workbookオブジェクトを参照する必要があります。また、コードが記述されているブックを処理の対象とする場合は、ThisWorkbookプロパティを使用します。

●Workbooksプロパティ　［ワークブックス］

Workbooksコレクションを取得する。Workbooksプロパティで取得したWorkbooksコレクションの各オブジェクトを参照するには、Workbooks (Index)と記述する。

書式　**Workbooks(インデックス番号)**
　　　Workbooks(ブック名)

使用例**Workbooks(1)**
　　　1番最初に開いたブックを参照する。
　　　Workbooks("請求書.xlsm")
　　　「請求書」という名前のブックを参照する。

ヒント

インデックス番号について

インデックス番号はブックを開いた順番に割り当てられます。

■ブックの指定

次のように記述すると、ブック「東京.xlsx」のワークシート「売上」のセルB2の値が、ブック「集計.xlsx」のワークシート「合計」のセルD2に代入されます。

```
Workbooks("集計.xlsx").Worksheets("合計").Range("D2").Value = _
    Workbooks("東京.xlsx").Worksheets("売上").Range("B2").Value
```

または、あらかじめブック「集計.xlsx」をアクティブにして、さらにワークシート「合計」をアクティブにすると、ブック名とワークシート名を省略することができます。

```
Workbooks("集計.xlsx").Activate
Worksheets("合計").Activate
Range("D2").Value = Workbooks("東京.xlsx").Worksheets("売上").Range("B2").Value
```

●ThisWorkbookプロパティ　［ディスワークブック］

VBAのコードが記述されているブックを参照する。

書式　**ThisWorkbook**

使用例 **ThisWorkbook.ActiveSheet.Range("A1").Value = "タイトル"**
コードが記述されているブックのアクティブシートのセルA1に「タイトル」という文字列を入力する。

別のブックのセルの値をコピーする

マクロが作成されているブックのワークシート「月間集計」のセルB4に、ブック「第1週.xlsx」の1番目のワークシートのセルE16の値を代入します。

```
Sub 別のブックのセルの値をコピーする()
    ThisWorkbook.Worksheets("月間集計").Range("B4").Value = _
        Workbooks("第1週.xlsx").Worksheets(1).Range("E16").Value
End Sub
```

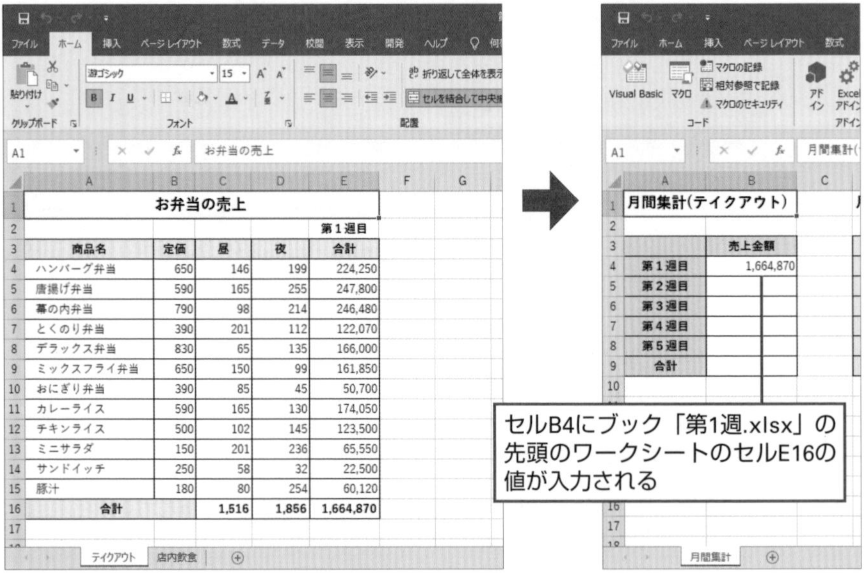

商品名	定価	昼	夜	合計
ハンバーグ弁当	650	146	199	224,250
唐揚げ弁当	590	165	255	247,800
幕の内弁当	790	98	214	246,480
とくのり弁当	390	201	112	122,070
デラックス弁当	830	65	135	166,000
ミックスフライ弁当	650	150	99	161,850
おにぎり弁当	390	85	45	50,700
カレーライス	590	165	130	174,050
チキンライス	500	102	145	123,500
ミニサラダ	150	201	236	65,550
サンドイッチ	250	58	32	22,500
豚汁	180	80	254	60,120
合計		1,516	1,856	1,664,870

	売上金額
第１週目	1,664,870
第２週目	
第３週目	
第４週目	
第５週目	
合計	

▲あらかじめブック「第1週.xlsx」は開いておく。

21 ブックを保存するには

　ブックに名前を付けて保存するにはWorkbookオブジェクトのSaveAsメソッドを使用します。ブックを上書き保存するにはSaveメソッドを使用します。

●SaveAsメソッド　[セーブアズ]

名前を付けてブックを保存する。

書式　**Workbookオブジェクト.SaveAs([Filename][,FileFormat][,Password][,WriteResPassword])**

引数　**Filename**：保存するファイルの名前を指定する。パスを含めない場合は、カレントフォルダーに保存される。

FileFormat：ファイルを保存するときのファイル形式を定数で指定する。

Password：ファイルを保護するためのパスワードを指定する。

WriteResPassword：ファイルの書き込みパスワードを指定する。

使用例 **ActiveWorkbook.SaveAs "請求書.xlsx"**

アクティブブックを「請求書.xlsx」という名前でカレントフォルダーに保存する。

ActiveWorkbook.SaveAs "C:¥Data¥請求書.xlsx"

アクティブブックを「請求書.xlsx」という名前でCドライブのDataフォルダーに保存する。

ヒント

その他の引数

SaveAsメソッドには他にも引数が用意されています。その他の引数については、オンラインヘルプを参照してください。

●Saveメソッド　[セーブ]

ブックを上書き保存する。

書式　**Workbookオブジェクト.Save**

使用例 **ThisWorkbook.Save**

マクロが記述されているブックを上書き保存する。

名前を付けてブックを保存する

アクティブブックを「10月売上.xlsm」という名前でカレントフォルダーに保存します。

```
Sub 名前を付けてブックを保存する()
    ActiveWorkbook.SaveAs "10月売上.xlsm"
End Sub
```

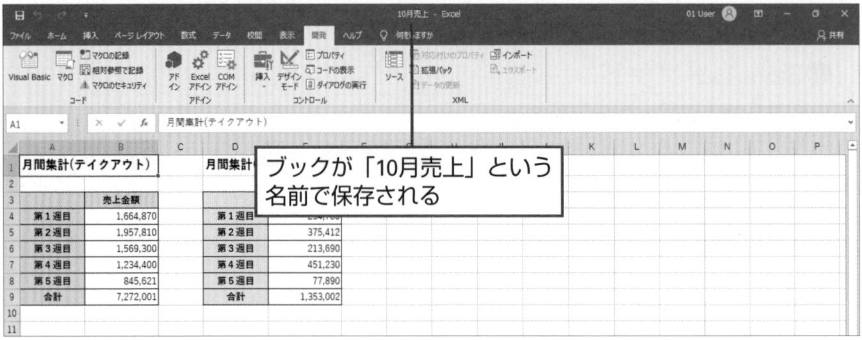

▲アクティブブックはマクロを含んでいるので、拡張子は「.xlsm」となる。

ブックを上書き保存する

アクティブブックを上書きします。

```
Sub ブックを上書き保存する()
    ActiveWorkbook.Save
End Sub
```

▲マクロを実行するとアクティブブックが上書きされる。

22 ブックを閉じるには

ブックを閉じるには、WorkbookオブジェクトのCloseメソッドを使用します。マクロの処理の中で開かれたブックは、マクロが終了しても開かれたままになってしまいます。開いたブックは、処理が終了したら閉じるようにしましょう。

●Closeメソッド　[クローズ]

ブックを閉じる。

書式　**Workbookオブジェクト.Close([SaveChanges][,Filename])**

引数　**SaveChanges**：ブックに変更があった場合の処理を値で指定する。
Filename：引数SaveChangesでTrueが指定された場合、変更後のブックのファイル名を指定する

使用例**Workbooks("請求書.xlsx").Close True**
ブック「請求書.xlsx」の変更を保存して、ブックを閉じる。

■引数SaveChanges

引数SaveChangesを省略すると、変更がなければそのままブックを閉じますが、変更があった場合は、次のような保存を確認するメッセージが表示されます。

引数SaveChangesに設定できる値は次のとおりです。

True	引数Filenameが指定されている場合、指定されたファイル名で保存される。指定されていない場合、既存ブックは上書き保存され、新規ブックは［名前を付けて保存］ダイアログが表示される
False	変更は保存されない
省略	保存を確認するメッセージが表示される

ブックを閉じる

変更を保存しないで、ブック「第1週.xlsx」を閉じます。

```
Sub ブックを閉じる()
    Workbooks("第1週.xlsx").Close False
End Sub
```

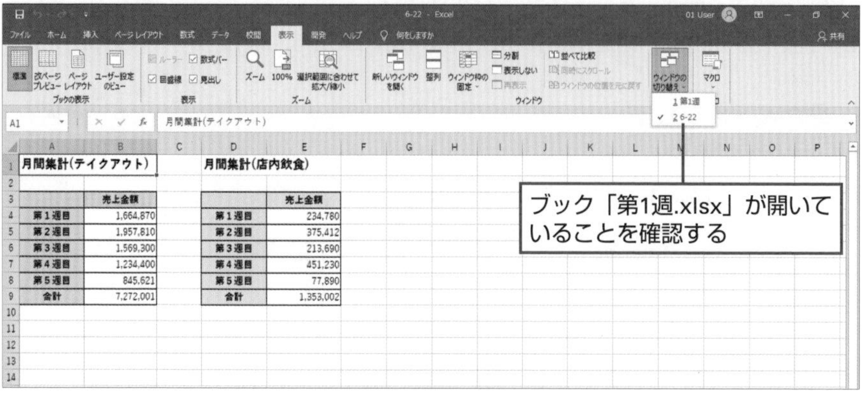

▲あらかじめブック「第1週.xlsx」は開いておく。

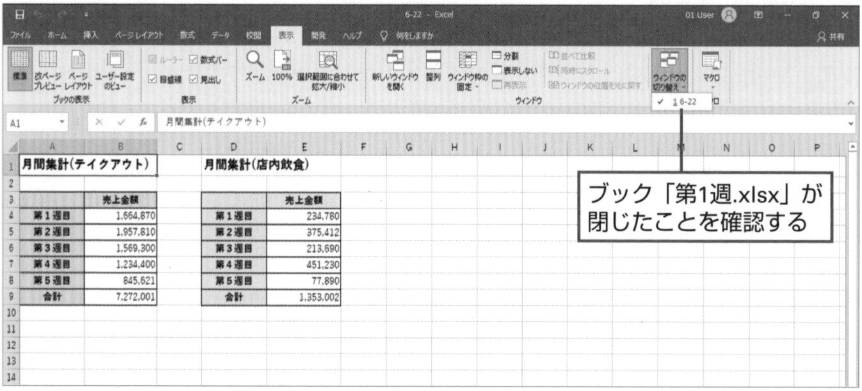

ヒント

変更されていないブック

ブックに変更がない場合、引数SaveChangesの指定があっても無視されます。

すべてのブックを閉じる

すべてのブックをまとめて閉じるに場合は、「Workbooks.Close」と記述します。ただし、引数の指定はできないため、ブックに変更があった場合、閉じる前に保存を確認するメッセージが表示されます。

第 **7** 章

VBAの基本構文

マクロでデータを一時的に格納するには変数を使用します。条件分岐や繰り返し処理を使用すると高度なプログラムが可能となります。この章では、変数の使い方を説明し、条件によって処理を分岐したり、さまざまな繰り返し処理を行うマクロを紹介します。

1 変数を宣言するには

プログラムの中で値を一時的に保管する場所を「変数」といいます。変数は、任意の名前を付けて使用します。

●Dimステートメント [ディム]

変数を宣言する。

書式 **Dim 変数名 As データ型**

使用例 **Dim Suuji As Integer**
整数型の変数Suujiを宣言する。
Dim Moji As String
文字列型の変数Mojiを宣言する。

■ 変数名について

変数名には次のような規則があります。

・先頭には必ず文字を使用する。
・2文字目以降には、文字、数字、またはアンダースコア（_）を使用できる。
・記号は、アンダースコア（_）のみ使用できる。
・半角で255文字以内。
・プロパティなど、VBAですでに定義されている単語は使えない。

■ 変数名の付け方

変数名は自由に設定できますが、プロシージャ内では必ず固有の名前にします。変数に「a」や「b」などの名前を付けると、どのような目的で作成した変数かわかりにくくなります。どのような値を格納する変数であるかが明確になる名前を付けたほうが、後から見てもわかりやすいプログラムになり、メンテナンスがしやすくなります。

■ データ型

　変数には、数値、文字列、日付など、Excelで扱えるすべての値を格納することができます。ただし、数値には数値用の変数、文字列には文字列用の変数を用意する必要があります。変数にどのような種類の値を格納するのかを示すのが「データ型」です。

　主なデータ型の種類は、次のとおりです。

データ型	値の範囲
バイト型（Byte）	0～255
ブール型（Boolean）	真（True）または偽（False）
整数型（Integer）	-32,768～32,767
長整数型（Long）	-2,147,483,648～2,147,483,647
単精度浮動小数点数型（Single）	-3.402823E38～-1.401298E-45 1.401298E-45～3.402823E38
倍精度浮動小数点数型（Double）	-1.79769313486231E308～-4.94065645841247E-324 4.94065645841247E-324～1.79769313486232E308
日付型（Date）	西暦100年1月1日～西暦9999年12月31日の範囲の日付と時刻
オブジェクト型（Object）	オブジェクトへの参照
文字列型（String）	文字列
バリアント型（Variant）	あらゆるデータ型の値

ヒント

データ型の宣言を省略した場合

データ型の宣言を省略した場合は、変数はVariant型として扱われます。

1行で複数の変数を宣言する

「Dim Su1 As Long, Su2 As Long」のように複数の変数を1行で宣言することができます。ただし、各変数ごとにデータ型を指定する必要があります。「Dim Su1, Su2 As Long」と記述すると、変数Su1はVariant型になります。

2 変数の宣言を強制するには

変数は宣言をしなくても使用することはできますが、入力ミスをするとそれぞれ別の変数と認識されます。モジュールの先頭にOption Explicitステートメントを記述すると、モジュール内で変数の宣言を強制することができます。変数の宣言をしないで、変数を使用するとコンパイルエラーが発生します。

●Option Explicitステートメント　［オプションエクスプリシット］

変数の宣言を強制する。

書式　**Option Explicit**

自動的にOption Explicitステートメントを挿入する

今後作成するモジュールにOption Explicitステートメントを自動的に挿入することもできます。

❶VBEの［ツール］メニューの［オプション］をクリックする。
❷［オプション］ダイアログが表示されるので［編集］タブをクリックする。
❸［変数の宣言を強制する］にチェックを入れる。
❹［OK］をクリックする。

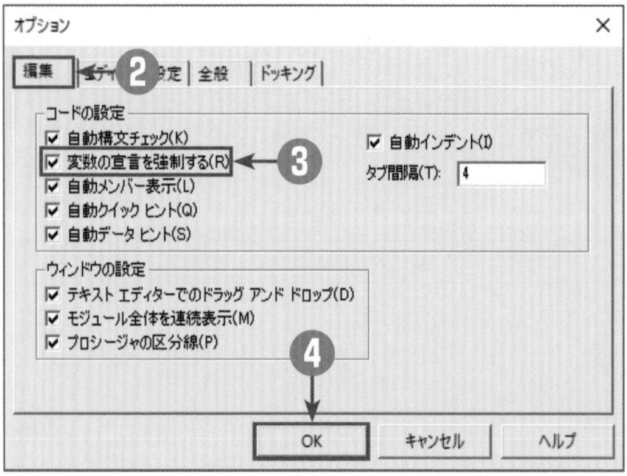

ヒント

作成済みのモジュールについて

［変数の宣言を強制する］にチェックを入れると、今後作成するモジュールにOption Explicitステートメントが挿入されますが、作成済みのモジュールには自動的に挿入されません。

3 変数を利用するには

変数に値を代入するには、代入演算子「=」を使用します。

●代入演算子

右辺のデータを左辺に代入する。

書式　**変数名 = 値**

使用例**Suuji = 300**

変数Suujiに数値「300」を代入する。

Moji = "ABC"

変数Mojiに文字列「ABC」を代入する。

変数を利用してセルの値を入れ替える

セルB2とセルB3の値を入れ替えます。

```
Sub 変数を利用してセルの値を入れ替える()
    Dim Temp As Integer ← 変数TempをInteger型で宣言
    Temp = Range("B2").Value ← セルB2の値を変数Tempに代入
    Range("B2").Value = Range("B3").Value ← セルB3の値をセルB2に代入
    Range("B3").Value = Temp ← 変数Tempの値をセルB3に代入
End Sub
```

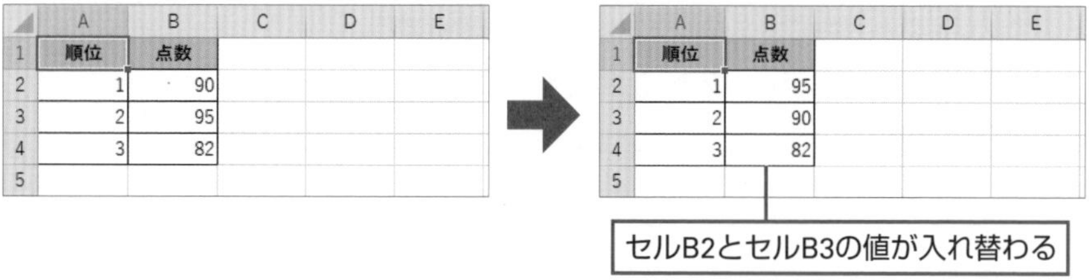

4 オブジェクト変数を利用するには

文字や数値だけではなく、セルやシートなどのオブジェクトも変数で扱うことができます。オブジェクトを参照する変数を「オブジェクト変数」といいます。オブジェクト変数を使用するには、Dimステートメントで変数名を宣言し、Setステートメントでオブジェクトへの参照を設定します。

●Dimステートメント [ディム]

オブジェクト変数を宣言する。

書式 **Dim オブジェクト変数名 As オブジェクト型**

使用例 **Dim myRange As Range**

Rangeオブジェクト変数のmyRangeを宣言する。

■主なオブジェクト型

オブジェクト型	種類
Range	セル
Worksheet	ワークシート
Workbook	ブック
Chart	グラフ

●Setステートメント [セット]

オブジェクト変数にオブジェクトへの参照を設定する。

書式 **Set オブジェクト変数名 = オブジェクト**

使用例 **Set myRange = Range("A1:C4")**

Rangeオブジェクトの変数myRangeにセル範囲A1~C4への参照を設定する。

ヒント

総称オブジェクト型について

「Dim myObject As Object」と宣言すると、オブジェクト変数myObjectには任意のオブジェクトへの参照を設定できます。Object型で宣言したオブジェクト変数を「総称オブジェクト型」といい、RangeやWorksheetなどのように特定のオブジェクトに限定するオブジェクト変数を「固有オブジェクト型」といいます。参照するオブジェクトが決まっている場合は、固有オブジェクト型を使用した方がデータ型のチェックが自動的に行われ、処理効率も向上します。

■ オブジェクト変数を使用する

何度も同じ範囲のセルや同じワークシートを使用する場合に、オブジェクト変数を使用するとコードを簡潔に記述することができます。たとえばワークシート「商品」のセルD1をワークシート「売上」のセルA1に、ワークシート「商品」のセルD2をワークシート「売上」のセルA2に代入するには、次のように記述できます。

```
Worksheets("売上").Range("A1").Value = Worksheets("商品").Range("D1").Value
Worksheets("売上").Range("A2").Value = Worksheets("商品").Range("D2").Value
```

⬇ オブジェクト変数を使用

```
Set mySheet1 = Worksheets("売上")
Set mySheet2 = Worksheets("商品")
mySheet1.Range("A1").Value = mySheet2.Range("D1").Value
mySheet1.Range("A2").Value = mySheet2.Range("D2").Value
```

オブジェクト変数を使用して書式を設定する

セル範囲A3：C3に対して、フォントを「HG丸ゴシックM-PRO」、太字、塗りつぶしの色をテーマカラー「緑、アクセント6、白+基本色60%」に設定します。

```
Sub オブジェクト変数を使用して書式を設定する()
    Dim myRange As Range
    Set myRange = Range("A3:C3")
    myRange.Font.Name = "HG丸ゴシックM-PRO"
    myRange.Font.Bold = True
    myRange.Interior.ThemeColor = xlThemeColorAccent6
    myRange.Interior.TintAndShade = 0.6
End Sub
```

← オブジェクト変数の宣言（Dim myRange As Range）

← オブジェクト変数にセル範囲を参照（Set myRange = Range("A3:C3")）

← セル範囲A3：C3に書式を設定（myRange.Font.Name ～ myRange.Interior.TintAndShade）

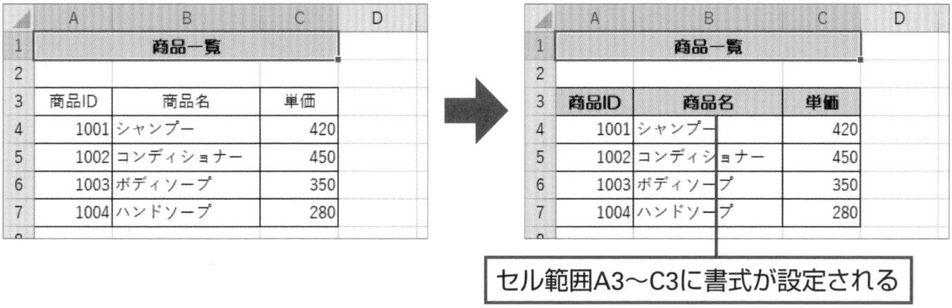

5 定数を利用するには

定数はプログラム中で使用する値に名前を付けたものです。定数は宣言するときに値を初期化し、初期化した値は変更することができません。消費税率などプログラム中で変更する必要がない値を直接入力するのではなく定数として使用すると、消費税率が変更された場合は定数を宣言するコードだけ修正すればいいので便利です。

●Constステートメント　［コンスト］

定数を宣言し、定数に初期値を代入する。

書式　**Const 定数名 As データ型 = 初期値**

使用例 **Const JUSHO As String = "東京"**

定数JUSHOをString型で宣言し、初期値を「東京」とする。

定数を使用して消費税を求める

定数ZEIをDouble型で宣言し、「0.1」を代入し、定数ZEIをもとに消費税を求めます。

```
Sub 定数を使用して消費税を求める()
    Const ZEI As Double = 0.1
    Range("D6").Value = Range("D5").Value * ZEI
End Sub
```

← 初期値を「0.1」として定数ZEIを宣言

← セルD5にZEIを掛けて求めた消費税をセルD6に代入

	A	B	C	D	E
1	商品名	単価	数量	金額	
2	シャンプー	420	20	8,400	
3	コンディショナー	450	20	9,000	
4	ボディソープ	350	30	10,500	
5	合計			27,900	
6	消費税				
7	売上金額			27,900	
8					
9					

→

	A	B	C	D	E
1	商品名	単価	数量	金額	
2	シャンプー	420	20	8,400	
3	コンディショナー	450	20	9,000	
4	ボディソープ	350	30	10,500	
5	合計			27,900	
6	消費税			2,790	
7	売上金額			30,690	
8					
9					

セルD6に消費税が求められる

ヒント

小数点以下を切り捨てるには

ここでは、消費税は表示形式を使用して小数点以下が表示されないようにしています。消費税のように端数を切り捨てる場合は、ワークシート関数のRoundDown関数と組み合わせます。「WorksheetFunction.RoundDown((Range("D5").Value * ZEI), 0)」と記述すると、セルD5に0.1を掛けた値の小数点以下を切り捨てます。ワークシート関数の使用方法については第8章の16で紹介します。

6 条件を満たすときのみ処理を行うには

ある条件を満たしたときだけ特定の処理をしたり、セルの値に応じて異なる処理をするなど、条件にしたがって処理を分岐させるには、Ifステートメントを使用します。Ifステートメントは、条件が真（True）か偽（False）かを判断し、処理を分岐します。

●If...Thenステートメント　［イフ］［ゼン］

条件が満たされたときだけ処理する。条件式には結果が真であるか、偽であるかを評価する式を記述する。

書式
```
If 条件式 Then
    条件成立時の処理
End If
```

使用例
```
If Range("A10").Value >= 18 Then
    Ryoukin = "大人料金"
End If
```
セルA10が18以上なら変数Ryoukinに「大人料金」を代入する。

■比較演算子

条件判断に使う大小関係を判断する演算子を比較演算子といいます。

演算子	説明
=	等しい
<>	等しくない
>	大きい
<	小さい
>=	以上
<=	以下

条件が成立した場合のみ処理する

セルB3の点数がセルE3の合格点以上の場合は、セルC3に「合格」と表示します。

```
Sub 条件が成立した場合のみ処理する()
    If Range("B3").Value >= Range("E3").Value Then
        Range("C3").Value = "合格"
    End If
End Sub
```

セルB3がセルE3以上か判定

条件が真ならセルC3に「合格」を代入

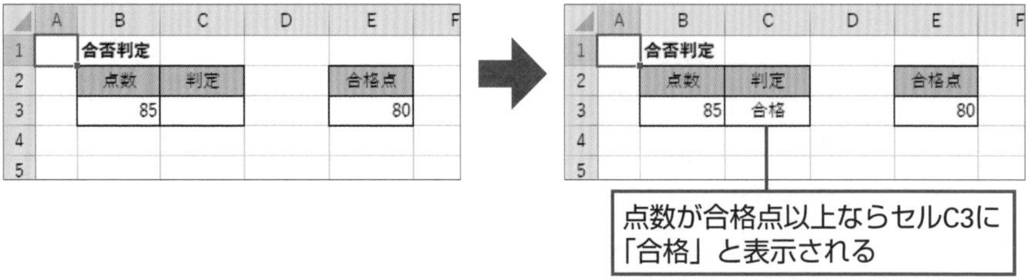

▲セルB3の値を変更して、セルC3の値を消去してからマクロを実行するとセルC3の結果も変更される。

ヒント

1行で記述する

Ifステートメントは「If 条件 Then 処理」のように1行で記述することもできます。1行で記述する場合は「End If」は省略します。上記の例であれば、
「If Range("B3").Value >= Range("E3").Value Then Range("C3").Value = "合格"」
と記述できます。

7 条件によって処理を分岐するには

条件が真の場合と偽の場合で処理を分岐したい場合には、Elseステートメントを使用します。

●If...Then...Elseステートメント　[イフ] [ゼン] [エルス]

条件が満たされたときの処理と、満たされなかったときの処理を分岐する。

書式
```
If 条件式 Then
    条件成立時の処理
Else
    条件不成立時の処理
End If
```

使用例
```
If Range("A10").Value >= 18 Then
    Ryoukin = "大人料金"
Else
    Ryoukin = "子供料金"
End If
```

セルA10が18以上なら「大人料金」、それ以外は「子供料金」と変数Ryoukinに代入する。

条件によって処理を分岐する

セルB3の点数が80点以上なら「合格」、それ以外は「不合格」とセルC3に表示します。

```
Sub 条件によって処理を分岐する()
    If Range("B3").Value >= 80 Then        ← セルB3が80点以上か判定
        Range("C3").Value = "合格"         ← 条件が真ならセルC3に「合格」と入力
    Else
        Range("C3").Value = "不合格"       ← 条件が偽ならセルC3に「不合格」と入力
    End If
End Sub
```

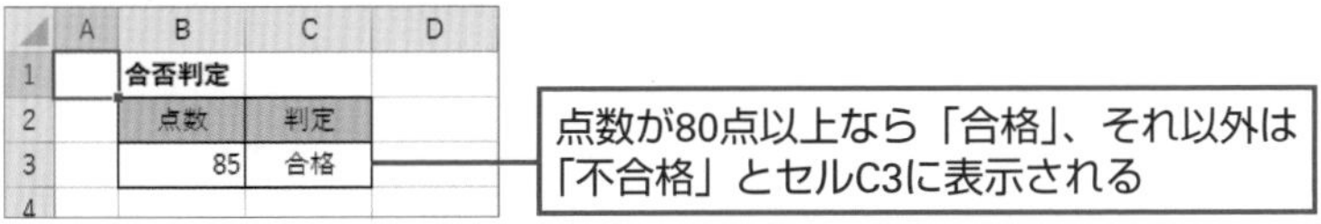

▲セルB3の値を変更して、マクロを実行するとセルC3の結果も変更される。

8 複数の条件によって処理を分岐するには

条件が複数ある場合、それぞれの条件に応じて異なる処理をするには、If...Then...ElseIfステートメントを使用します。Elseは省略することができます。

●If...Then...ElseIfステートメント ［イフ］［ゼン］［エルスイフ］

複数の条件式を指定して処理を分岐する。

書式
```
If 条件式1 Then
     条件1が成立時の処理
ElseIf 条件式2 Then
     条件2が成立時の処理
ElseIf 条件式3Then
     条件3が成立時の処理
     ・
     ・
Else
     すべての条件が不成立時の処理
End If
```

使用例
```
If Range("A10").Value >= 18 Then
     Ryoukin = "大人料金"
ElseIf Range("A10").Value >= 15 Then
     Ryoukin = "学生料金"
Else
     Ryoukin = "子供料金"
End If
```
セルA10が18以上なら「大人料金」、18未満で15以上の場合は「学生料金」、それ以外は「子供料金」と変数Ryoukinに代入する。

■論理演算子

論理演算子を使用すると複数の条件を組み合わせて真か偽かを判定できます。

演算子	説明
条件1　And　条件2	条件１と条件2の両方が真の場合
条件1　Or　条件2	条件１と条件2のいずれかが真の場合

複数の条件によって処理を分岐する

セルC3の合計点が160点以上なら「A」、160点未満で140点以上なら「B」、それ以外は「C」とセルD3に入力します。

```
Sub 複数の条件によって処理を分岐する()
    If Range("C3").Value >= 160 Then
        Range("D3").Value = "A"
    ElseIf Range("C3").Value >= 140 Then
        Range("D3").Value = "B"
    Else
        Range("D3").Value = "C"
    End If
End Sub
```

- If～"A"：セルC3が160点以上ならセルD3に「"A"」と入力
- ElseIf～"B"：セルC3が140点以上ならセルD3に「B」と入力
- Else～"C"：上記以外ならセルD3に「C」と入力

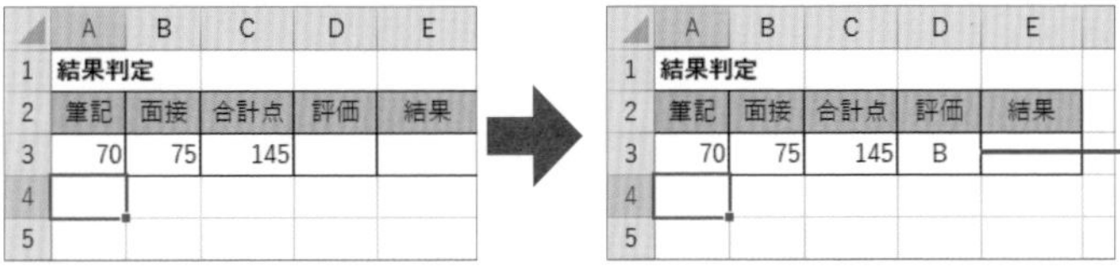

セルC3が160点以上なら「A」、140点以上なら「B」、それ以外は「C」とセルD3に表示される

▲セルB3の筆記、セルC3の面接の点数を変更して、マクロを実行するとセルD3の結果も変更される。

複数の条件を組み合わせる

セルA3の筆記が70点以上かつセルB3の面接が70点以上の場合は、セルE3に「合格」、それ以外は「不合格」と表示します。

```
Sub 複数の条件を組み合わせる()
    If Range("A3").Value >= 70 And Range("B3").Value >= 70 Then
        Range("E3").Value = "合格"
    Else
        Range("E3").Value = "不合格"
    End If
End Sub
```

- And：A3が70点以上で、セルB3が70点以上か判定
- Range("E3").Value = "合格"：条件が真ならセルE3に「合格」と入力
- Range("E3").Value = "不合格"：条件が偽ならセルE3に「不合格」と入力

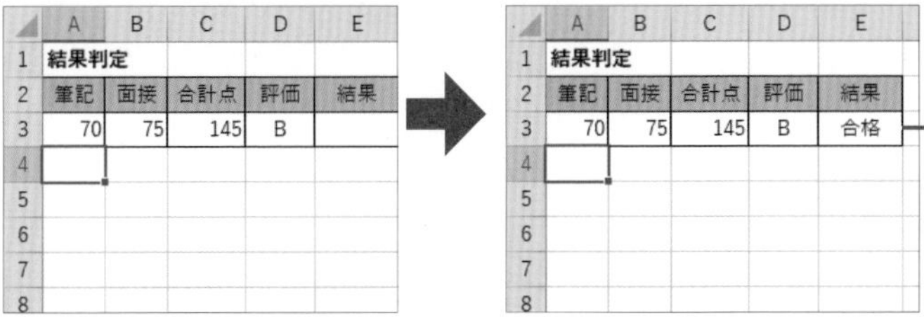

セルA3が70以上、かつセルB3が70以上の場合は、セルE3に「合格」、それ以外は「不合格」と表示される

▲セルA3の筆記、セルB3の面接の点数を変更して、マクロを実行するとセルE3の結果も変更される。

9 多くの条件によって処理を分岐するには

条件が複数ある場合、それぞれの条件に応じて異なる処理をするには、Select...Caseステートメントを使用します。Case Elseは省略することができます。

●Select...Caseステートメント ［セレクト］［ケース］

条件の対象となる変数やセルの値によって処理を分岐する。「条件の対象」には、条件の比較の対象となる変数やセルの値など記述し、「条件の対象」と「条件」が一致するCase節が実行される。Case Else節は省略することができる。

書式
```
Select 条件の対象
Case 条件1
    条件1が成立時の処理
Case 条件2
    条件2が成立時の処理
    ・
    ・
Case Else
    上記以外の場合の処理
End Select
```

使用例
```
Select Range("A10").Value
    Case Is >= 18
        Ryoukin = "大人料金"
    Case 15 To 17
        Ryoukin = "学生料金"
    Case Else
        Ryoukin = "子供料金"
End Select
```
セルA10が18以上なら「大人料金」、15以上17以下であれば「学生料金」、それ以外は「子供料金」と変数Ryoukinに代入する。

Case節には、特定の範囲を条件として指定することができます。比較演算子を使って値の範囲を指定するには、Isキーワードを使用します。下限値と上限値を指定した範囲を指定するには、Toキーワードを使用します。なお、「Is」は省略しても自動的に入力されます。

■ 条件の記述方法

条件	説明
Case 1	1の場合
Case 3,4	3または4の場合
Case 50 To 60	50以上から60以下の場合
Case Is >= 80	80以上の場合
Case "A"	文字列「A」の場合

セルの値によって処理を分岐する

セルC3の合計点が160点以上なら「A」、150点以上159点以下なら「B」、140点以上149点以下なら「C」、それ以外は「D」とセルD3に表示します。

```
Sub セルの値によって処理を分岐する()
    Select Case Range("C3").Value
        Case Is >= 160
            Range("D3").Value = "A"
        Case 150 To 159
            Range("D3").Value = "B"
        Case 140 To 149
            Range("D3").Value = "C"
        Case Else
            Range("D3").Value = "D"
    End Select
End Sub
```

- Case Is >= 160 〜 "A"：セルC3が160以上ならセルD3に「A」と入力
- Case 150 To 159 〜 "B"：セルC3が150以上159以下ならセルD3に「B」と入力
- Case 140 To 149 〜 "C"：セルC3が140以上149以下ならセルD3に「C」と入力
- Case Else 〜 "D"：上記以外ならセルD3に「D」と入力

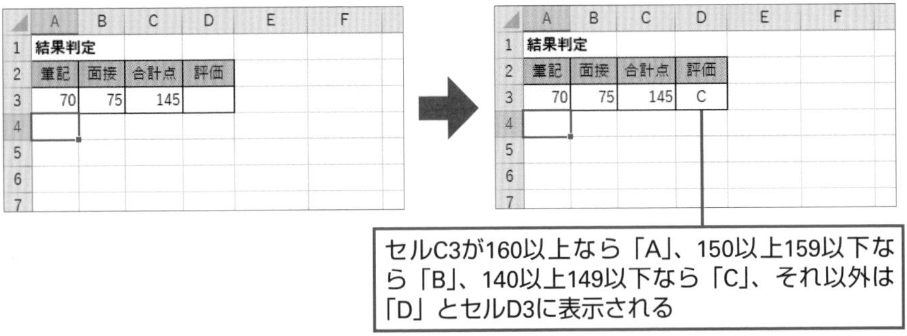

▲セルA3やB3を変更するとセルC3が変更され、マクロを実行するとセルD3の結果も変更される。

10 一定回数の繰り返し処理をするには

同じ処理を指定した回数だけ繰り返すには、For...Nextステートメントを使用します。

●For...Nextステートメント ［フォー］［ネクスト］

指定した回数だけ処理を繰り返す。

書式
```
For カウンター = 初期値 To 終了値 [Step 増分値]
    繰り返し処理
Next [カウンター]
```

使用例
```
For i = 1 To 10
    Cells(i,1).Value = i
Next i
```
A列の1行目～10行目に1～10までの数値を代入する。

■For...Nextステートメントの処理の流れ

For...Nextステートメントを使用するには、繰り返し処理をカウントするための数値型の変数を用意します。この変数を「カウンター」といいます。最初にカウンターに初期値を代入し、Nextまでの処理を実行します。Nextまで実行するとカウンターに増分値（省略した場合は1）が加算され、カウンターが終了値に達するまで処理を繰り返します。カウンターには変数名に、iやjなどが使用されることが多いです。

ヒント

カウンター省略

Nextの後ろのカウンターは省略することができます。Forステートメントを複数使用する場合などは、ForとNextの組み合わせを明確にするために省略しないほうがよいでしょう。

■ 変数を使用してセルを参照する

Cellsプロパティは行番号と列番号を指定して単一セルを参照します。行と列の指定に変数を指定すると、プログラムの中で変動的にセルを参照することができます。たとえば、B列の1行目から6行目まで1行ずつ移動してセルを操作したい場合、「Cells(i,2)」と記述し、行の部分の変数iを1から6まで変化させます。

また、RangeプロパティとCellsプロパティを組み合わるとセル範囲を指定することができます。「Range(Cells(i,1),Cells(i,2))」と記述すると、変数iの値が「2」のときは、セル範囲A2～B2を参照することになります。

一定回数処理を繰り返す

セル範囲A1～A6に「1月」から「6月」の連続データを入力します。

```
Sub 一定回数処理を繰り返す()
    Dim i As Integer ←―――― カウンターとして使用する変数iを宣言
    For i = 1 To 6 ←―――― iが1から6まで変化
        Cells(i, 1).Value = i & "月" ←―― セルi行目1列目に「i月」と入力
    Next i
End Sub
```

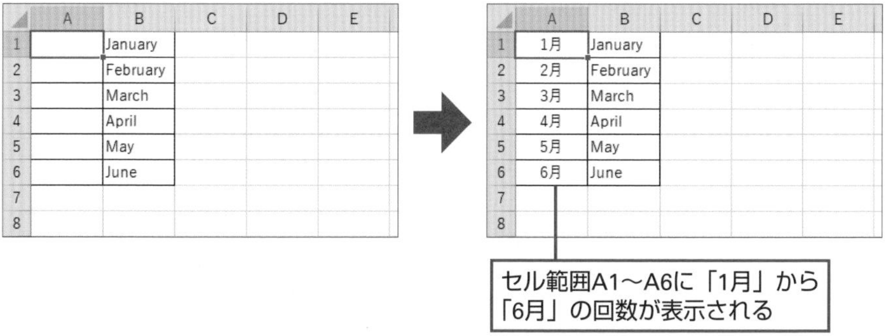

ヒント

文字列連結演算子

「&」は2つの文字列を結合する文字列連結演算子です。「i & "月"」とすると、変数iが「1」なら「1月」、「2」なら「2月」と変数iの値によって表示される文字列が変化していきます。

■ 増分値を指定する

増分値を指定しなければ、カウンターは1ずつ加算されます。Stepを追加するとカウンターの増分値を指定することができます。増分値は正数を指定するとカウンターに増分値を加算し、負数を指定するとカウンターから増分値を減算します。

増分値を使用して1行おきに色をつける

増分値を使用して、セル範囲A1～B6に1行おきに色をつけます。

```
Sub 増分値を使用して1行おきに色をつける()
    Dim i As Integer
    For i = 1 To 6 Step 2                2ずつ増加させiが1から6まで変化
      Range(Cells(i, 1), Cells(i, 2)).Interior.ThemeColor = xlThemeColorAccent4
      Range(Cells(i, 1), Cells(i, 2)).Interior.TintAndShade = 0.6
    Next i                  セルi行の1列目と2列目に塗りつぶしの色を設定
End Sub
```

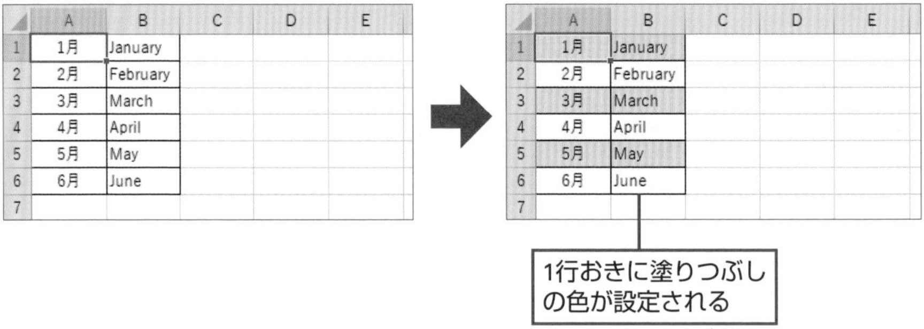

ヒント

増分値に負数を指定

増分値に負数を設定するとカウンターは減算されます。たとえば、上記のサンプルの増分値を負数として、「For i = 5 To 1 Step -2」記述すると、処理の対象となる行が下から上に移動します。増分値を負数で指定した場合、初期値のほうが終了値より大きくなっていないと、一度も繰り返し処理が行われないことになります。

11 条件が成立している間処理を繰り返すには

指定した条件を判断して、条件が成立している間だけ同じ処理を繰り返すにはDo While...Loopステートメントを使用します。

●Do While...Loopステートメント　［ドゥ］［ホワイル］［ループ］

条件が成立している間処理を繰り返す。

書式

```
Do While 繰り返しを続ける条件式
    繰り返し処理
Loop
```

使用例

```
Do While Cells(i,1).Value <> 0
    Cells(i,1).Font.ColorIndex = 3
    i = i + 1
Loop
```

セルの値が0ではない間、セルのフォントの色を赤にする処理を繰り返す。

■ Do While...Loopステートメントの処理の流れ

Do While...Loopステートメントは、Whileの後ろに繰り返すための条件を記述し、条件が成立している間はLoopまでの間に記述されている処理を繰り返します。最初に条件を判断するため、成立しない条件を指定した場合は、1度も処理が行われません。

条件が成立している間処理を繰り返す

C列のセルに値が入力されている間、C列のセルの値を変数Goukeiに加算し、最終行に変数Goukeiの値を表示します。

```
Sub 条件が成立している間処理を繰り返す()
    Dim Gyou As Long ←――――― 行数を扱う変数Gyouを宣言
    Dim Goukei As Long ←――――― 合計計算に使用する変数Goukeiを宣言
    Gyou = 3 ←――――― 3行目から処理を開始するので変数Gyouに3を代入
    Do While Cells(Gyou, 3).Value <> "" ←― C列のセルが空白ではない間繰り返す
        Goukei = Goukei + Cells(Gyou, 3).Value ←― C列のセルを変数Goukeiに加算
        Gyou = Gyou + 1 ←――― 次の行に処理を移すために変数Gyouに1を足す
    Loop
    Cells(Gyou, 3).Value = Goukei ←――― 変数GoukeiをC列の合計行に代入する
End Sub
```

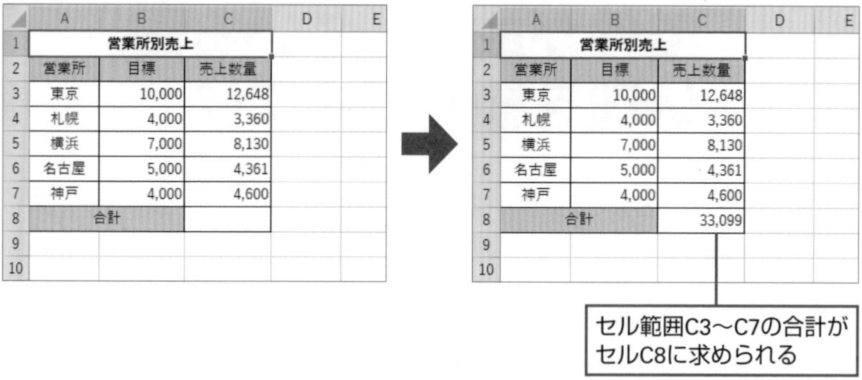

	A	B	C	D	E
1	営業所別売上				
2	営業所	目標	売上数量		
3	東京	10,000	12,648		
4	札幌	4,000	3,360		
5	横浜	7,000	8,130		
6	名古屋	5,000	4,361		
7	神戸	4,000	4,600		
8	合計				
9					
10					

	A	B	C	D	E
1	営業所別売上				
2	営業所	目標	売上数量		
3	東京	10,000	12,648		
4	札幌	4,000	3,360		
5	横浜	7,000	8,130		
6	名古屋	5,000	4,361		
7	神戸	4,000	4,600		
8	合計		33,099		
9					
10					

■変数の値を加算する

変数Gyouを1ずつ加算するために「Gyou = Gyou + 1」と記述しています。これは変数Gyouに1を加算して、結果を変数Gyou に代入しているため、変数Gyouは繰り返すごとに1ずつ増えていき、処理の対象となる行を移動することができます。

同様に「Goukei = Goukei + Cells(Gyou, 3).Value」という記述は、処理の対象となる行の3列目のセルの値をGoukeiに加算し、結果を変数Goukeiに代入しています。

ヒント

初期値設定について

このサンプルでは最初に変数Gyouに3を代入しています。もし、変数Gyouに何も代入せずにマクロを実行すると、初期値として0が代入され、0行目のセルを参照しようとして、エラーになるので注意しましょう。

12 条件が成立するまで処理を繰り返すには

指定した条件を判断して、条件が成立するまで同じ処理を繰り返すにはDo Until...Loopステートメントを使用します。

●Do Until...Loopステートメント　［ドゥ］［アンティル］［ループ］

条件が成立するまで処理を繰り返す。

書式
```
Do Until 繰り返しを終了する条件式
     繰り返し処理
Loop
```

使用例
```
Do Until Cells(i,1).Value = 0
     Cells(i,1).Font.ColorIndex =3
     i = i + 1
Loop
```
セルの値が0になるまで、セルのフォントの色を赤にする処理を繰り返す。

■ Do Until...Loopステートメントの処理の流れ

Do While...Loopは条件が成立している間繰り返すのに対し、Do Until...Loopステートメントは、Untilの後ろに繰り返しを終了するための条件を記述し、Loopまでの間に記述されている処理を条件が成立するまで繰り返します。

Do While...Loopステートメントで作成したサンプルを繰り返しの条件をDo Until...Loopステートメントで記述すると次のようになります。繰り返しの条件が異なることが確認できます。

```
Do While Cells(Gyou, 1).Value <> ""
```

↓

```
Do Until Cells(Gyou, 1).Value = ""
```

条件が成立するまで繰り返す

セル範囲D3～D7に達成率を求めます。

```
Sub 条件が成立するまで繰り返す()
    Dim i As Integer
    i = 3
    Do Until Cells(i, 1).Value = ""
        Cells(i, 4).Value = Cells(i, 3).Value / Cells(i, 2).Value
        i = i + 1
    Loop
End Sub
```

- Dim i As Integer ← 行数を扱う変数iを宣言
- i = 3 ← 3行目から処理を開始するので変数iに3を代入
- Do Until Cells(i, 1).Value = "" ← A列のi行目が空白になるまで繰り返す
- Cells(i, 4).Value = Cells(i, 3).Value / Cells(i, 2).Value ← C列のi行目のセルをB列のi行目のセルで割り、D列のi行目に入力
- i = i + 1 ← 次の行に処理を移すために変数iに1を足す

	A	B	C	D
1	営業所別売上			
2	営業所	目標	売上数量	達成率
3	東京	10,000	12,648	
4	札幌	4,000	3,360	
5	横浜	7,000	8,130	
6	名古屋	5,000	4,361	
7	神戸	4,000	4,600	
8				
9				

↓

	A	B	C	D
1	営業所別売上			
2	営業所	目標	売上数量	達成率
3	東京	10,000	12,648	126%
4	札幌	4,000	3,360	84%
5	横浜	7,000	8,130	116%
6	名古屋	5,000	4,361	87%
7	神戸	4,000	4,600	115%
8				
9				

D列に達成率が求められる

ヒント

無限ループについて

このサンプルでは、処理を次の行に移すために変数iに1を加算しています。変数iが変化しないと、ずっと同じ行を参照するため、繰り返し処理は終了できなくなります。これを無限ループといいます。無限ループになってしまった場合は、Esc または Ctrl + Break を押すと、次のようなダイアログが表示され、無限ループを抜けることができます。

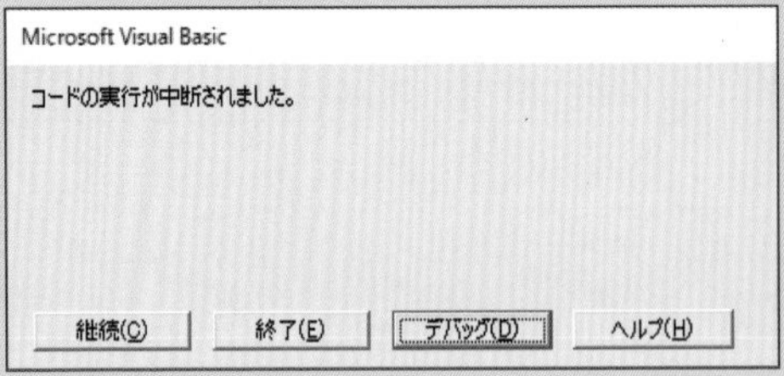

13 必ず1回は繰返し処理をするには

Do...Loopステートメントで条件をLoopの後ろに記述すると、最初に繰り返しの処理を必ず1回は実行してから条件式の評価を行います。入力値によって終了条件を決定する場合などは、条件を最後に記述します。

●Do...Loop While／Untilステートメント

［ドゥ］［ループ］［ホワイル］［アンティル］

繰り返し処理の終了条件の判断を最後に行い、必ず1回は処理を行う。

書式

```
Do
    繰り返し処理
Loop While／Until 条件
```

使用例

```
Do
    Suuji = Suuji + Range("A1").Value
Loop Until Suuji > 100
```

変数SuujiにセルA1の値を加算し、変数Suujiの値が100より大きくなるまで処理を繰り返す。

必ず1回は繰返し処理をする

「処理を続けますか？」というメッセージに［いいえ］がクリックされるまで、アクティブシートのコピーを繰り返します。ただし、必ず1枚のワークシートはコピーされます。

```
Sub 必ず1回は繰返し処理をする()
    Do
        ActiveSheet.Copy After:=ActiveSheet
    Loop Until MsgBox("処理を続けますか？", vbYesNo) = vbNo
End Sub
```

ActiveSheet.Copy After:=ActiveSheet ← アクティブシートをアクティブシートの後ろにコピーする

MsgBox("処理を続けますか？", vbYesNo) = vbNo ← 「処理を続けますか？」というメッセージに［いいえ］がクリックされるまで処理を繰り返す

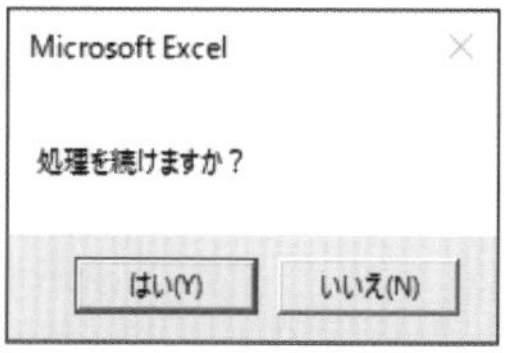

▲MsgBox関数はダイアログにメッセージを表示する。

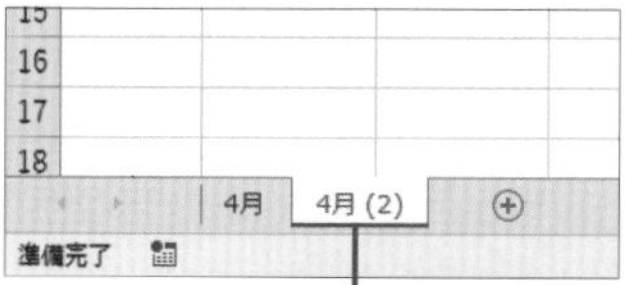

必ず1回はアクティブシートがコピーされる

参照
MsgBox関数
第8章の1

14 繰り返し処理を途中で終了するには

ループの途中で処理を中断するには、Exit Forステートメント、またはExit Doステートメントを使用します。また、Exit Subステートメントを使用すると、プロシージャの処理を途中で終了できます。

●Exit Forステートメント

[エグジット] [フォー]

For...Nextステートメントの繰り返し処理を中断する。Exit Forステートメントは、Forの行とNextの行の間に記述する。

書式

```
For カウンター = 初期値 To 最大値
    繰り返し処理
    Exit For
Next カウンター
```

使用例

```
For i = 1 To 10
   If Cells(i,1).Value ="" Then
      Exit For
   End If
Next i
```

処理を10回繰り返す。ただしセルが空白のときは強制的に繰り返し処理を中断する。

●Exit Doステートメント

[エグジット] [ドゥ]

Do...Loopステートメントの繰り返し処理を中断する。Exit Doステートメントは、Doの行とLoopの行の間に記述する。

書式

```
Do While／Until　条件
    繰り返し処理
    Exit Do
Loop
```

使用例

```
Do Until Cells(i,1).Value =""
      If Cells(i,1).Value =0 Then
           Exit Do
      End If
      i = i + 1
Loop
```

セルの値が空白になるまで繰り返す。ただしセルの値が0の時は強制的に繰り返し処理を中断する。

●Exit Subステートメント　［エグジット］［サブ］

実行中のSubプロシージャを終了する。

書式
```
Sub プロシージャ名()
    処理
    Exit Sub
    処理
End Sub
```

使用例
```
Sub Test()
    If Range("A1").Value ="" Then
        Exit Sub
    End If
    Activesheet.PrintOut
End Sub
```

セルA1が空白ならプロシージャを終了し、それ以外はアクティブシートを印刷する。

条件を満たしたら繰り返し処理を中断する

変数iが3から7まで変化する間処理を繰り返します。ただし、合計がセルD8と同じになった場合は、A列の塗りつぶしの色を黄色に設定し、繰り返し処理を中断します。

```
Sub 条件を満たしたら繰り返し処理を中断する()
    Dim i As Integer
    For i = 3 To 7
        If Cells(i, 4).Value = Range("D8").Value Then
            Cells(i, 1).Interior.Color = RGB(255, 255, 0)
            Exit For
        End If
    Next i
End Sub
```

- Dim i As Integer ← カウンターとして使用する変数iを宣言
- For i = 3 To 7 ← iが3から7まで変化
- If Cells(i, 4).Value = Range("D8").Value Then ← D列のi行目のセルがセルD8と同じか判定
- Cells(i, 1).Interior.Color = RGB(255, 255, 0) ← A列のi行目のセルの塗りつぶしの色を黄色に設定する
- Exit For ← 繰り返し処理を中断する

	A	B	C	D
1	成績一覧			
2	氏名	筆記	面接	合計
3	鈴木圭介	80	70	150
4	山田優香	60	72	132
5	竹内壮太	90	85	175
6	井上凛	70	75	145
7	岡本龍平	80	70	150
8	最高点			175
9				

➡

	A	B	C	D
1	成績一覧			
2	氏名	筆記	面接	合計
3	鈴木圭介	80	70	150
4	山田優香	60	72	132
5	竹内壮太	90	85	175
6	井上凛	70	75	145
7	岡本龍平	80	70	150
8	最高点			175
9				

合計がセルD8と同じになった場合、A列の塗りつぶしの色を設定し、繰り返し処理を終了する

15 繰り返し処理をネストするには

繰り返し処理のことをループといいます。ループの中にループを入れることをループのネストや入れ子などといいます。For...NextステートメントやDo...Loop ステートメントの内側に、別のFor...NextステートメントやDo...Loopステートメントを入れることができます。

繰り返しをネストする

セル範囲B3～C7の中で値が80以上のセルのフォントの色を赤に設定します。

```
Sub 繰り返しをネストする()
    Dim Gyou As Integer
    Dim Retu As Integer
    For Gyou = 3 To 7
        For Retu = 2 To 3
            If Cells(Gyou, Retu).Value >= 80 Then
                Cells(Gyou, Retu).Font.Color = RGB(255,0,0)
            End If
        Next Retu
    Next Gyou
End Sub
```

変数Retuの値が2から3に変化する

Gyou行、Retu列の交差するセルの値が130以上かを判定してフォントの色を設定する

変数Gyouが3から7まで変化する

	A	B	C	D	E
1	成績一覧				
2	氏名	筆記	面接	合計	
3	鈴木圭介	80	70	150	
4	山田優香	60	72	132	
5	竹内壮太	90	85	175	
6	井上凛	70	75	145	
7	岡本龍平	80	70	150	

➡

	A	B	C	D	E
1	成績一覧				
2	氏名	筆記	面接	合計	
3	鈴木圭介	80	70	150	
4	山田優香	60	72	132	
5	竹内壮太	90	85	175	
6	井上凛	70	75	145	
7	岡本龍平	80	70	150	

値が80以上のセルにフォントの色が設定される

■繰り返し処理のネスト

上記の例では、外側のループのカウンター変数Gyouが3のときに、内側のループが2回処理されます。内側のループはカウンター変数Retuを2から3まで変化させることで、処理の対象となるセルを列方向に移動しています。2列分の処理が終了すると、変数Gyouに1が加算され、処理の対象となるセルが行方向に移動します。この処理が5回繰り返されることによって、5行分の処理が行われます。

16 同じ種類のオブジェクトに同じ処理を行うには

　コレクション内のすべてのオブジェクトに同じ処理をする場合は、For Each...Nextステートメントを使用します。

●For Each...Nextステートメント　［フォー］［イーチ］［ネクスト］

コレクション内の要素に同じ処理を実行する。

書式
```
For Each コレクションの要素 In コレクション
    繰り返し処理
Next コレクションの要素
```

使用例
```
For Each mySheet In ActiveWorkbook.Worksheets
    mySheet.PrintOut
Next mySheet
```
アクティブブックのすべてのワークシートを印刷する。

■オブジェクト変数の指定

　For Eachのあとに記述できるのは、コレクションの各要素を参照するためのオブジェクト変数です。指定したセル範囲のすべてのセルに同じ処理をする場合はRange型のオブジェクト変数、ブック内のすべてのワークシートに同じ処理をする場合はWorksheet型のオブジェクト変数を指定します。

指定したセル範囲に同じ処理を行う

　セル範囲B3～C7の中で値が80以上のセルのフォントの色を赤に設定します。

```
Sub 指定したセル範囲に同じ処理を行う()
    Dim myRange As Range
    For Each myRange In Range("B3:C7")
        If myRange.Value >= 80 Then
            myRange.Font.Color = RGB(255,0,0)
        End If
    Next myRange
End Sub
```

←セル範囲を参照するオブジェクト変数を宣言（Dim myRange As Range）

←セル範囲B3～C7のすべてのセルに同じ処理を行う（For Each～Next myRange）

	A	B	C	D
1	成績一覧			
2	氏名	筆記	面接	合
3	鈴木圭介	80	70	
4	山田優香	60	72	
5	竹内壮太	90	85	

➡

	A	B	C	D
1	成績一覧			
2	氏名	筆記	面接	合
3	鈴木圭介	80	70	
4	山田優香	60	72	
5	竹内壮太	90	85	

セルの値が80以上のセルにフォントの色が設定される

17 エラーが発生したときに指定した処理を実行するには

コード実行中に実行不可能な記述があった場合、実行時エラーが発生します。実行時エラーが発生したときに、処理が中断されないように制御するにはOn Error GoToステートメントを使用します。また、Errオブジェクトを使用するとエラーによって処理を分岐することができます。

●On Error GoToステートメント　［オン］［エラー］［ゴートゥー］

実行時エラーが発生した時の処理を記述する。

書式
```
Sub プロシージャ名()
    On Error GoTo 行ラベル
    処理
    Exit Sub
行ラベル:
    エラー処理
End Sub
```

ヒント

行ラベル

行ラベルとはコード内の位置を指定するための任意の名前です。行ラベルは最後に「:」を付けて指定します。

■ On Error GoToステートメントの処理の流れ

実行時エラーが発生すると、On Error GoToステートメントに指定されている行ラベルに処理を移動します。通常、エラー制御のための行ラベルの前の行にExit Subステートメントを記述します。もし、Exit Subステートメントを記述しないと、エラーではなくても、行ラベル以降のエラー処理が実行されてしまいます。

エラー処理を行う

パスワードを設定してワークシートを保護した場合、保護を解除するときに、間違ったパスワードを入力すると実行時エラーが発生してマクロが中断してしまうため、パスワード入力のエラー処理を行います。間違ったパスワードが入力された場合は「パスワードが間違っています」、正しく入力された場合は「保護を解除しました」というメッセージを表示します。

```
Sub エラー処理を行う()
    On Error GoTo エラー処理 ←── 実行時エラー発生時には行ラベル「エラー処理」に処理を移動
    Worksheets("商品リスト").Unprotect
    MsgBox "保護を解除しました" ←── 正常時の処理
    Exit Sub ← 正常終了の場合にエラー処理を行わないようにプロシージャを終了
エラー処理:                                   ┐
    MsgBox "パスワードが間違っています"       ┘←── 実行時エラー時の処理
End Sub
```

▲ワークシートを保護するパスワードは「password」が設定されています。

■ エラーの種類によって処理を分岐する

Errオブジェクトは発生したエラーの情報が格納されているオブジェクトです。Errオブジェクトを使用すると、どのようなエラーが発生したかを調べることができます。

ErrオブジェクトのNumberプロパティは発生したエラー番号、Descriptionプロパティはエラーの内容を返します。

■ エラー処理後に処理を続行する

エラーが起こってもマクロを終了せずに、エラー処理を行った後に処理を続けたい場合はResumeステートメントを使用します。Resumeステートメントは、エラー処理を実行した後に、プロシージャのどの位置に戻るかを指定します。

種類	説明
Resume	エラーが発生した行に戻る
Resume Next	エラーが発生した行の次の行に戻る
Resume ラベル名	指定されたラベルに処理を移す

エラー処理を分岐する

エラーの種類によって処理を分岐します。エラー番号（Err.Numberの値）が「1004」の場合は「パスワードが間違っています」と表示し、エラーが発生した次の行に処理を戻し、「マクロを終了します」と表示します。それ以外のエラーの場合は、Err.Descriptionの内容を表示して、プロシージャを終了します。

正しいパスワードが入力され、保護が解除された場合は「マクロを終了します」というメッセージを表示します。

```
Sub エラー処理を分岐する()
    On Error GoTo エラー処理
    Worksheets("商品リスト").Unprotect
    MsgBox "マクロを終了します"
    Exit Sub
エラー処理:
    If Err.Number = 1004 Then
        MsgBox "パスワードが間違っています"
        Resume Next
    Else
        MsgBox Err.Description
    End If
End Sub
```

- On Error GoTo エラー処理 ← 実行時エラー発生時には行ラベル「エラー処理」に処理を移動
- If Err.Number = 1004 Then ← エラー番号が1004かを判定
- Resume Next ← エラーが発生した次の行に戻る
- MsgBox Err.Description ← エラー番号が1004以外の場合はエラーの内容を表示してプロシージャを終了する

▲パスワードが間違っている場合は、Err.Numberに「1004」が格納される。

ヒント

エラー番号

エラー処理をせずに、実行時エラーが発生すると、エラー表示のダイアログが表示され、マクロが中断されます。ErrオブジェクトのNumberプロパティに格納されるエラー番号は、実行時エラーが発生したときに表示されるダイアログで確認することができます。

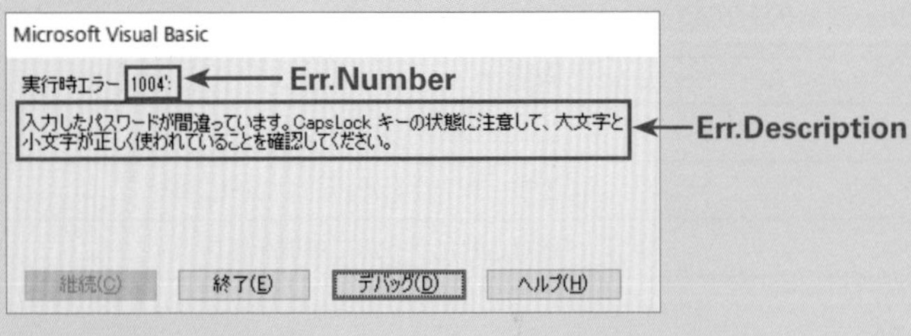

エラートラップの無効化

「On Error GoTo 0」と記述すると、エラートラップが無効になり、それ以降はエラーが発生すると実行時エラーが発生します。

第8章 VBA関数

VBAにもExcelと同様に関数が用意されています。VBAの関数を「VBA関数」といい、Excelの関数は「ワークシート関数」といいます。この章では、代表的なVBA関数を紹介します。またユーザーが作成できるユーザー定義関数の作成方法や、VBAの中でワークシート関数を使用する方法も説明します。

1 メッセージを表示するには

ダイアログに任意のメッセージを表示するには、MsgBox関数を使用します。MsgBox関数を使用すると、ユーザーに対してメッセージを表示したり、[はい] や [いいえ] などのボタンをクリックさせることでユーザーの意思を確認することができます。MsgBox関数が実行されると、ユーザーがダイアログのボタンをクリックするまで、マクロは一時停止した状態になります。

●MsgBox関数 ［メッセージボックス］

ユーザー独自のダイアログを表示し、ユーザーがクリックしたボタンによってInteger型の値を返す。

書式 **MsgBox(prompt[,buttons][,title])**

引数 **prompt**：ダイアログに表示されるメッセージを指定する。
buttons：ダイアログに表示されるボタンの種類、アイコンの種類、標準ボタンを定数または値で指定する。
title：ダイアログのタイトルに表示される文字列を指定する。省略すると「Microsoft Excel」と表示される。

使用例**Ans = MsgBox("終了しますか？",vbYesNo)**
「終了しますか？」というメッセージを表示し、「はい」または「いいえ」のボタンを押した結果を変数Ansに代入する。

■引数buttonsで表示されるボタンを設定するための定数

定数	値	表示されるボタン
vbOKOnly	0	[OK]
vbOKCancel	1	[OK]、[キャンセル]
vbAbortRetryIgnore	2	[中止]、[再試行]、[無視]
vbYesNoCancel	3	[はい]、[いいえ]、[キャンセル]
vbYesNo	4	[はい]、[いいえ]
vbRetryCancel	5	[再試行]、[キャンセル]

引数buttonsでアイコンの種類を設定するための定数

定数	値	アイコンの種類
vbCritical	16	［警告］アイコン
vbQuestion	32	［問い合わせ］アイコン
vbExclamation	48	［注意］アイコン
vbInformation	64	［情報］アイコン

引数buttonsで標準ボタンを設定するための定数

標準ボタンとはあらかじめフォーカスされていて、Enterを押すと、ボタンをクリックしたときと同様の動作になります。

定数	値	標準ボタン
vbDefaultButton1	0	第1ボタン
vbDefaultButton2	256	第2ボタン
vbDefaultButton3	512	第3ボタン

引数buttonsでモーダル指定を設定するための定数

MsgBox関数が実行されると、ダイアログのボタンがクリックされるまで、アプリケーションが中断されます。この状態をモーダルといい、実行中のアプリケーションを中断するか、すべてのアプリケーションを中断するかを選択できます。

定数	値	モーダル指定
vbApplicationModal	0	アプリケーションモーダルに設定され、ダイアログに応答するまで、現在実行中のアプリケーションが中断される
vbSystemModal	4096	システムモーダルに設定され、ダイアログに応答するまで、すべてのアプリケーションが中断される

引数buttonsの組み合わせ

引数buttonsは、複数の定数を組み合わせて設定できます。たとえば、「vbOKCancel + vbExclamation + vbDefaultButton1」という記述は、［OK］と［Cancel］のボタン、［注意］アイコンを表示、第1ボタンを標準ボタンにするという意味です。また、値で指定することもできます。この場合は、「1 + 48」、または合計した値の「49」と指定します。引数buttonsを省略した場合は、「0」が設定されるので、［OK］ボタンのみ表示されます。

メッセージを表示する

ダイアログに表のタイトルを表示します。アイコンは［情報］アイコンを表示します。

```
Sub メッセージを表示する()
    MsgBox Range("A1") & "を表示します", vbInformation
End Sub
```

MsgBox関数の戻り値

MsgBox関数の戻り値は、ボタンに割り当てられているInteger型の値です。どのボタンがクリックされたかは戻り値でわかるので、クリックされたボタンによって処理を分岐することができます。

定数	値	クリックされたボタン
vbOK	1	[OK]
vbCancel	2	[キャンセル]
vbAbort	3	[中止]
vbRetry	4	[再試行]
vbIgnore	5	[無視]
vbYes	6	[はい]
vbNo	7	[いいえ]

戻り値によって処理を分岐する

「予約数のデータを消去しますか？」というメッセージを表示し、［はい］と［いいえ］ボタン、［問い合わせ］アイコンを表示します。［はい］がクリックされたら、セル範囲A4～D8のセルの値を消去します。

```
Sub 戻り値によって処理を分岐する()
    If MsgBox("予約数のデータを消去しますか?", vbYesNo + vbQuestion) = vbYes Then
        Range("C4:C9").ClearContents
    End If
End Sub
```

［はい］をクリックするとセルC4～C9のセルの値が消去される

	A	B	C	D	E
1	セミナー予約状況				
2					
3	講座名	定員	予約数	集客率	
4	Excel基礎	20		0%	
5	Excel応用	15		0%	
6	Word基礎	20		0%	
7	Word応用	15		0%	
8	Access基礎	15		0%	
9	Access応用	12		0%	
10					

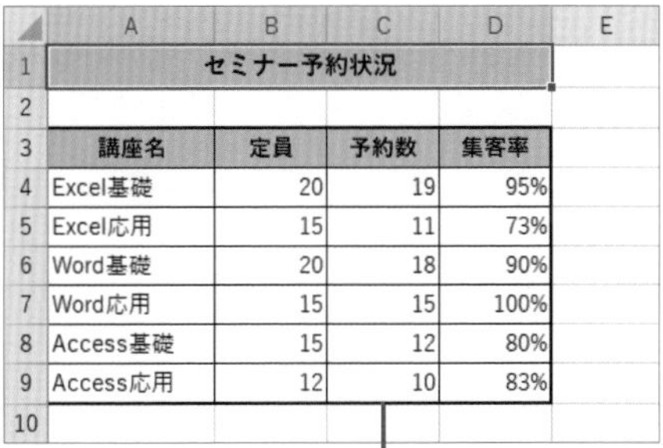

	A	B	C	D	E
1	セミナー予約状況				
2					
3	講座名	定員	予約数	集客率	
4	Excel基礎	20	19	95%	
5	Excel応用	15	11	73%	
6	Word基礎	20	18	90%	
7	Word応用	15	15	100%	
8	Access基礎	15	12	80%	
9	Access応用	12	10	83%	
10					

［いいえ］をクリックすると消去されない

ヒント

戻り値がない場合の記述について

プロパティやメソッドと同様に、関数で戻り値を受け取る場合は、引数をかっこで囲みます。「Ans = MsgBox("終了しますか?", vbYesNo + vbQuestion)」のように戻り値を必要とする場合は、引数をかっこで囲みます。それに対して、「MsgBox "終了します"」のようにメッセージを表示するだけで、戻り値を必要としない場合は、引数はかっこで囲みません。

2 ユーザーに文字を入力させるには

マクロの処理の中でユーザーにデータを入力させたい場合は、InputBox関数を使用します。

●InputBox関数 ［インプットボックス］

入力用のダイアログを表示し、ユーザーに文字を入力させる。

書式 **InputBox(prompt[, title][, default][,xpos][, ypos])**

引数 **prompt**：ダイアログに表示されるメッセージを指定する。
title：ダイアログのタイトルに表示される文字列を指定する。省略すると「Microsoft Excel」と表示される。
default：既定値としてあらかじめテキストボックスに表示される文字列を指定する。省略すると何も表示されない。
xpos：画面の左端からダイアログの左端までの距離を指定する。省略すると画面の中央の位置に配置される。
ypos：画面の上端からダイアログの上端までの距離を指定する。省略すると画面の上端から3分の1の位置に配置される。

使用例 **Ans = InputBox("名前を入力してください")**
「名前を入力してください」と表示されるダイアログを表示し、入力された文字列を変数Ansに代入する。

■戻り値

InputBox関数は文字列を返すので、入力された値を受け取るためにString型の変数を用意します。また、入力された値を直接セルに代入することもできます。ダイアログで［OK］をクリックすると、テキストボックスに入力された文字列が返され、［キャンセル］をクリックすると、空の文字列（""）が返されます。

データを入力する

「パスワードを入力してください」と表示されるダイアログを表示し、入力された値をセルB2に代入します。

```
Sub データを入力する()
    Range("B2").Value = InputBox("パスワードを入力してください")
End Sub
```

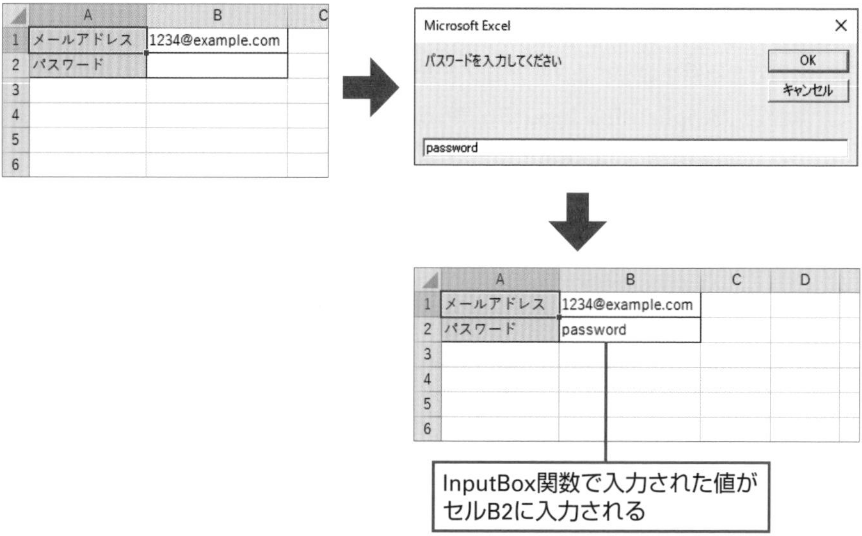

ヒント

InputBox関数で数値を入力する

InputBox関数は、入力された値を文字列として返します。計算などに使用する場合は、入力された値を数値に変換する必要があります。文字列を数値に変換するにはVal関数を使用します。Val関数は、文字列の中に数字以外の文字を見つけると、そこまでに見つけた数字を数値として変換します。

「Suuji = Val(InputBox("数値を入力してください"))」と記述すると、入力された値が数値に変換され、変数Suujiに代入されます。

入力された値をセルに代入する場合は、数字のみが入力されると自動的に数値として扱われます。

3 入力できるデータを指定して文字を入力させるには

Applicationオブジェクトの InputBoxメソッドを使用すると、入力できる値を限定して値を入力させることができます。

●InputBoxメソッド ［インプットボックス］

入力できる値を限定するダイアログを表示し、ユーザーにデータを入力させる。

書式 **Application.InputBox(Prompt[,Title][,Default][,Left][,Top][,HelpFile][,HelpContextID][,Type])**

引数 **Prompt**：ダイアログに表示されるメッセージを指定する。
Title：ダイアログのタイトルに表示される文字列を指定する。省略すると「Microsoft Excel」と表示される。
Default：既定値としてあらかじめテキストボックスに表示される値を指定する。省略すると何も表示されない。
Left：ダイアログを表示するX座標の位置を指定する。
Top：ダイアログを表示するY座標の位置を指定する。
HelpFile：ヘルプファイルの名前を指定する。
HelpContextID：ヘルプファイル内のコンテキストIDを指定する。
Type：戻り値のデータの型を指定する。省略すると文字列が返される。

使用例 **Ans = Application.InputBox("名前を入力してください",Type:=2)**
「名前を入力してください」と表示される文字列を入力するダイアログを表示し、入力された文字列を変数Ansに代入する。

■戻り値

ダイアログで［OK］をクリックすると入力された値が返されます。［キャンセル］をクリックすると「False」が返されます。

引数Typeに指定できる値

引数 Type には次の数値を指定します。複数の値を指定する場合は合計値を指定します。引数Typeで指定したデータ型以外の値を入力するとエラーメッセージが表示されます。

値	意味
0	数式
1	数値
2	文字列
4	論理値（True／False）
8	セル参照（Rangeオブジェクト）
16	#N/A などのエラー値
64	数値配列

数値のみが入力できるようにする

数値のみが入力できるダイアログを表示し、数値が入力されたらセルA2に代入し、［キャンセル］がクリックされた場合は何も処理を行いません。

```
Sub 数値のみが入力できるようにする()
    Dim Nenrei As Integer
        Nenrei = Application.InputBox("あなたの年齢は？", Type:=1)
    If Nenrei <> False Then
        Range("A2").Value = Nenrei
    End If
End Sub
```

数値のみ入力できるダイアログで入力された値を変数Nenreiに代入

［キャンセル］がクリックされなかった場合は入力値をセルA2に代入

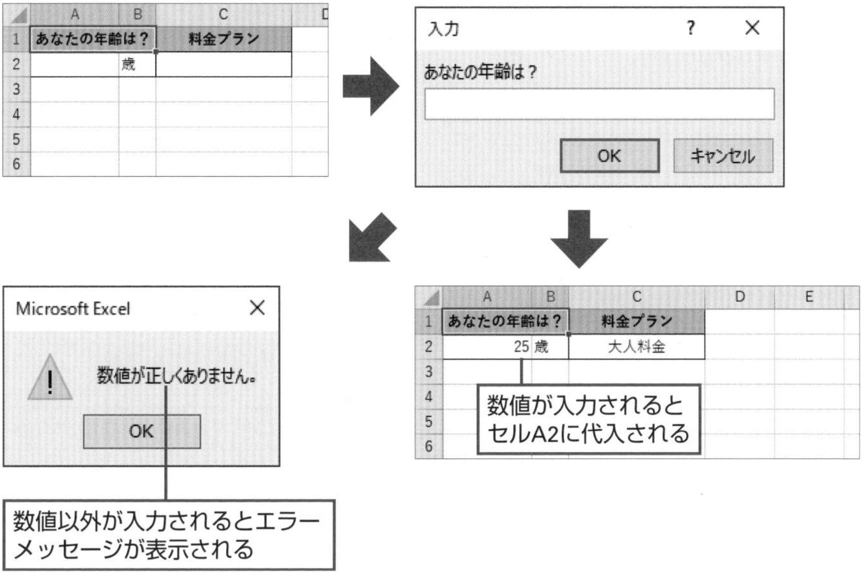

4 現在の日付と時刻を求めるには

現在の日付を求めるにはDate関数、現在の時刻を求めるにはTime関数を使用します。

●Date関数 ［デイト］

現在のシステム日付を求め、「2021/04/01」という形式のVariant型の値を返す。

書式 **Date**

使用例 **Range("A1") .Value = Date**

セルA1に現在の日付を入力する。

●Time関数 ［タイム］

現在のシステム時刻を求め、「10:30:00」という形式のVariant型の値を返す。

書式 **Time**

使用例 **Range("A1") .Value = Time**

セルA1に現在の時刻を入力する。

日付と時刻を表示する

セルA1に現在の日付、セルA2に現在の時刻を表示する。

```
Sub 日付と時刻を表示する()
    Range("A1").Value = Date
    Range("A2").Value = Time
End Sub
```

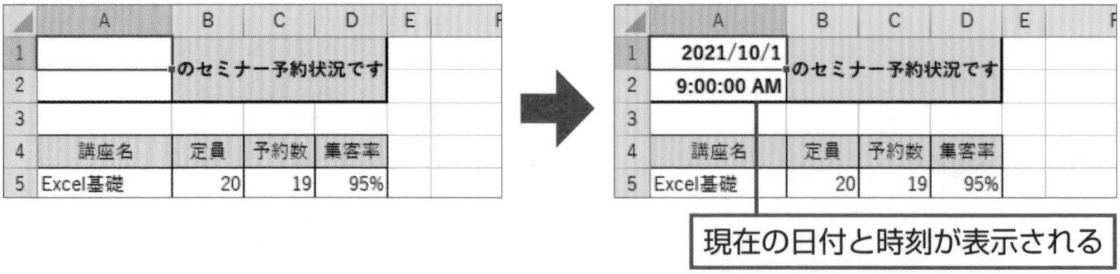

ヒント

Now関数

現在のシステム日付と時刻を求めるには、Now関数を使用します。「2021/04/01 10:00:00」という形式のVariant型の値が返されます。

5 年・月・日を求めるには

日付データから必要な要素を取り出すことができます。Year関数は「年」、Month関数は「月」、Day関数は「日」を返します。

●Year関数　［イヤー］

日付データから年を求める。

書式　**Year(date)**

引数　**date**：文字列形式の日付情報、またはシリアル値の日付情報を指定する。

使用例 **Range("A1") .Value = Year(Date)**
現在の日付から年を取り出し、セルA1に代入する。

●Month関数　［マンス］

日付データから月を求める。

書式　**Month(date)**

引数　**date**：文字列形式の日付情報、またはシリアル値の日付情報を指定する。

●Day関数　［デイ］

日付データから日を求める。

書式　**Day(date)**

引数　**date**：文字列形式の日付情報、またはシリアル値の日付情報を指定する。

日付を年月日に分けて表示する

5日後の日付を年月日に分けて表示します。

```
Sub 日付を年月日に分けて表示する()
    Range("A2").Value = Year(Date+5)
    Range("C2").Value = Month(Date+5)
    Range("E2").Value = Day(Date+5)
End Sub
```

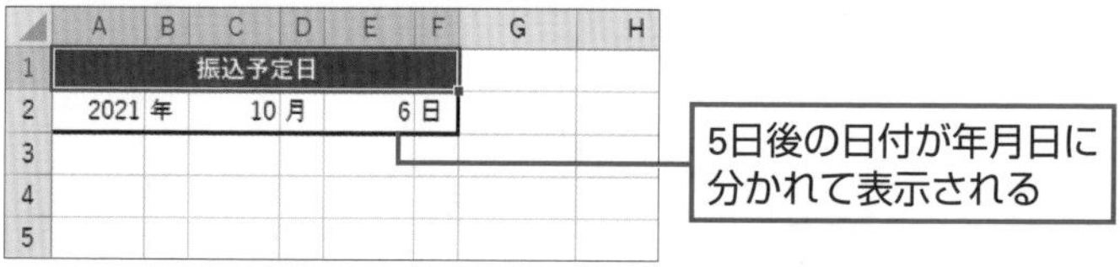

6 時・分・秒を求めるには

時刻データから必要な要素を取り出すことができます。Hour関数は「時」、Minute関数は「分」、Second関数は「秒」を返します。

●Hour関数 ［アワー］

時刻データから時を求める。

書式　**Hour(time)**

引数　**time**：文字列形式の時刻情報、またはシリアル値の時刻情報を指定する。

使用例**Range("A1") .Value = Hour(Time)**
現在の時刻から時を取り出し、セルA1に代入する。

●Minute関数 ［ミニット］

時刻データから分を求める。

書式　**Minute(time)**

引数　**time**：文字列形式の時刻情報、またはシリアル値の時刻情報を指定する。

●Second関数 ［セカンド］

時刻データから秒を求める。

書式　**Second(time)**

引数　**time**：文字列形式の時刻情報、またはシリアル値の時刻情報を指定する。

時刻を時分秒に分けて表示する

セルD1に現在の時刻を表示し、その1時間後の時刻をセルA4、C4、E4に分けて表示します。

```
Sub 時刻を時分秒に分けて表示する()
    Range("D1").Value = Time
    Range("A4").Value = Hour(Range("D1")) + 1
    Range("C4").Value = Minute(Range("D1"))
    Range("E4").Value = Second(Range("D1"))
End Sub
```

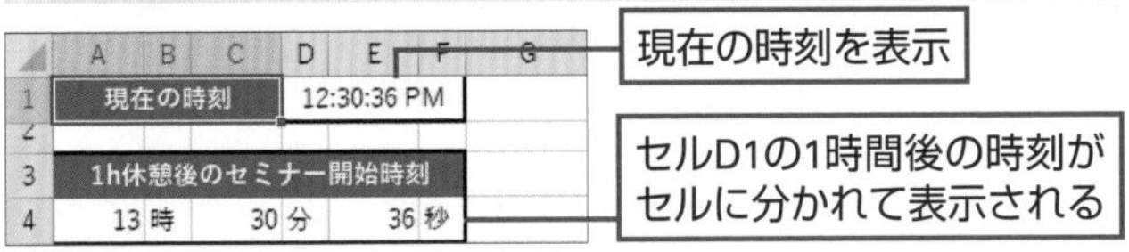

7 制御文字を挿入するには

制御文字を使用すると、MsgBox関数やInputBox関数で表示されるメッセージを複数行に分けて表示することができます。制御文字は、Chr関数を使用して挿入します。

●Chr関数　[キャラクタ]

指定した文字コードに対応する文字を返す。

書式　**Chr(charcode)**

引数　**charcode**：0～255の範囲の値を指定する。0～31の範囲は制御文字に対応するため文字は表示されない。

使用例　**Pass = InputBox("パスワード入力" & Chr(13) & "半角で入力してください")**
InputBox関数のメッセージには、「パスワード入力」と「半角で入力してください」の間で改行して表示して、入力された値を変数Passに代入する。

■制御文字について

制御文字は、文字列に改行やタブを挿入したいときに使用します。よく使用する制御文字には定数が割り当てられています。

定数	制御文字	説明
vbTab	Chr(9)	タブ
vbLf	Chr(10)	ラインフィード
vbCr	Chr(13)	キャリッジリターン

文字列を途中で改行したメッセージを表示する

現在の時刻をダイアログで表示します。

```
Sub 文字列を途中で改行したメッセージを表示する()
    MsgBox "現在の時刻は" & vbCr & Time & vbCr & "です"
End Sub
```

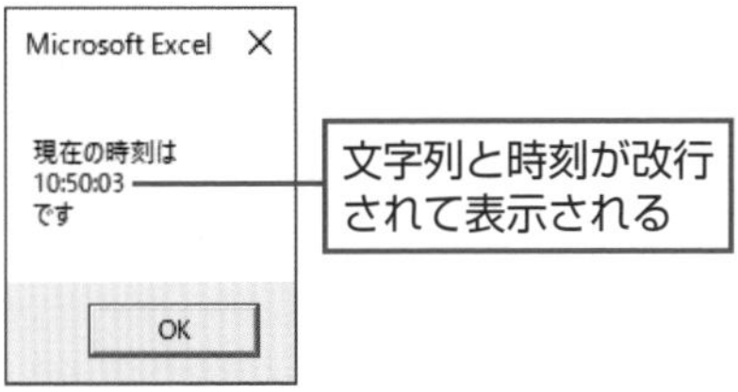

ヒント

Chr関数を使用して文字を表示する

文字には文字コードが割り当てられています。たとえば大文字の「A」には、文字コード「65」が割り当てられているので、「Chr(65)」と記述すると、大文字の「A」を表します。

8 文字列の長さを求めるには

文字列の長さを調べるには、Len関数を使用します。

●Len関数　[レングス]

文字列の長さをLong型の値で返す。

書式　**Len(string)**

引数　**string**：文字数を調べたい文字列を指定する。

使用例**Range("B1") .Value = Len(Range("A2").Value)**
セルA2に格納されている文字列の長さをセルB1に代入する。

文字列の長さを確認する

セルB2に入力されている文字列が9文字ではない場合、「学籍番号入力エラー」というメッセージを表示します。

```
Sub 文字列の長さを確認する()
    If Len(Range("B2").Value) <> 9 Then  ← セルB2の文字列の長さが
                                            9文字か判定
        MsgBox "学籍番号入力エラー"
    End If
End Sub
```

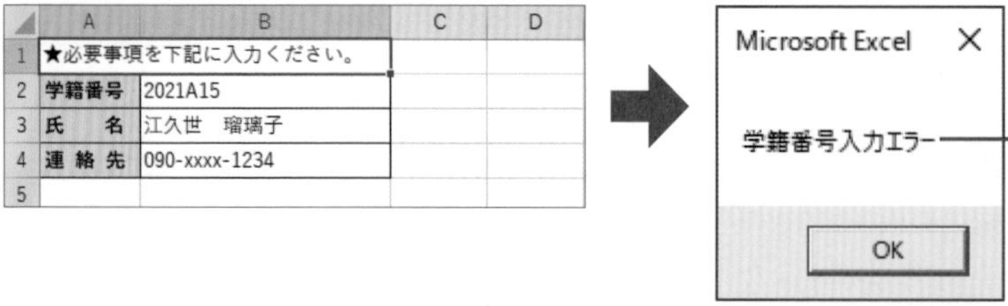

セルB2の文字列の長さが9文字ではない場合、メッセージが表示される

9 文字列の一部を取得するには

文字列から指定された部分だけを取り出すには、Left関数、Right関数、Mid関数を使用します。

●Left関数 ［レフト］

文字列の左から指定した文字数分の文字列を取り出す。

書式　**Left(string,length)**

引数　**string**：取り出す元になる文字列を指定する。
　　　length：取り出す文字数を指定する。

使用例 **Range("A1") .Value = Left(Range("A2").Value,3)**
　　　セルA2に格納されている文字列の左から3文字分をセルA1に代入する。

●Right関数 ［ライト］

文字列の右から指定した文字数分の文字列を取り出す。

書式　**Right (string,length)**

引数　**string**：取り出す元になる文字列を指定する。
　　　length：取り出す文字数を指定する。

使用例 **Range("A1") .Value = Right(Range("A2").Value,3)**
　　　セルA2に格納されている文字列の右から3文字分をセルA1に代入する。

●Mid関数 ［ミッド］

文字列の指定した開始位置から指定した文字数分の文字列を取り出す。

書式　**Mid(string, start[,length])**

引数　**string**：取り出す元になる文字列を指定する。
　　　start：左端から何文字目の位置から取り出すかを数値で指定する。
　　　length：取り出す文字数を指定する。省略すると引数start以降のすべての文字列を返す。

使用例 **Range("A1") .Value = Mid(Range("A2").Value,3,2)**
　　　セルA2に格納されている文字列の3文字目から2文字分をセルA1に代入する。

文字列を分割する

セル範囲A2〜A5に入力されている注文番号の4文字目の文字が「-」の場合は左から3文字をB列に、右から5文字をC列に代入します。「-」でない場合は、B列に「エラー」という文字列を代入します。

```
Sub 文字列を分割する()
    Dim i As Integer
    Dim Tcode As String  ←  注文番号の文字列を格納するための変数Tcode
    For i = 2 To 5  ←  2行目から5行目まで繰り返す
        Tcode = Cells(i, 1).Value  ←  i行目のA列のセルの値を変数Tcodeに代入
        If Mid(Tcode, 4, 1) = "-" Then
            Cells(i, 2).Value = Left(Tcode, 3)
            Cells(i, 3).Value = Right(Tcode, 5)
        Else
            Cells(i, 2).Value = "エラー"  ←  i行目のB列に「エラー」と代入
        End If
    Next i
End Sub
```

（If～Elseの部分）← 変数Tcodeの4文字目が「-」の場合は、変数Tcodeの左から3文字をB列、右から5文字をC列に代入

	A	B	C	D
1	注文番号	分類	商品コード	
2	A07-3500L			
3	A07-4800M			
4	A08-5550S			
5	A08 6300S			
6				

↓

	A	B	C	D
1	注文番号	分類	商品コード	
2	A07-3500L	A07	3500L	
3	A07-4800M	A07	4800M	
4	A08-5550S	A08	5550S	
5	A08 6300S	エラー		
6				

注文番号の右5文字が表示される。ただし4文字目が「-」でなければなにも表示されない

注文番号の左3文字が表示される。ただし4文字目が「-」でなければ「エラー」と表示される

10 文字列を指定した形式に変換するには

StrConv関数を使用すると、指定した文字列を指定した形式に変換することができます。

●StrConv関数　[ストリングコンバート]

文字列を指定した形式に変換する。

書式　**StrConv(string, conversion)**

引数　**string**：変換したい文字列を指定する。
conversion：変換形式を定数または値で指定する。

使用例 **Range("A2") .Value = StrConv(Range("A2").Value,vbKatakana)**
セルA2に入力されている文字列のひらがなをカタカナに変換する。

引数conversionで指定できる定数

定数は矛盾しない限り、組み合わせて指定することができます。たとえば、vbWideとvbNarrowの組み合わせは矛盾するので、実行時エラーが発生します。

定数	値	説明
vbUpperCase	1	アルファベットを大文字に変換する
vbLowerCase	2	アルファベットを小文字に変換する
vbProperCase	3	アルファベットの各単語の先頭の文字を大文字に変換する
vbWide	4	半角文字を全角文字に変換する
vbNarrow	8	全角文字を半角文字に変換する
vbKatakana	16	ひらがなをカタカナに変換する
vbHiragana	32	カタカナをひらがなに変換する
vbUnicode	64	システムの既定のコードページからUnicodeに変換する
vbFromUnicode	128	Unicodeからシステムの既定のコードページに変換する

文字の形式を変換する

セル範囲C2～C7に入力されている半角文字を全角文字に、セル範囲D2～D7に入力されているメールアドレスの英字を小文字に変換します。

```
Sub 文字の形式を変換する()
    Dim i As Integer
    For i = 2 To 7
        Cells(i, 3).Value = StrConv(Cells(i, 3).Value, vbWide)
        Cells(i, 4).Value = StrConv(Cells(i, 4).Value, vbLowerCase)
    Next i
End Sub
```

2行目から7行目に変換処理を繰り返す

	A	B	C	D
1	会社名	住所1	住所2	メールアドレス
2	(株)水温社	東京都杉並区高円寺南4-2-*	ｽｲｵﾝﾀﾜｰ55F	k-mk@suionsya.example.com
3	東青山住販(株)	東京都足立区伊興4-*-*-101		KUNO_rei@coco.example.ne.jp
4	(株)きらりん装飾	東京都文京区本郷2-*-*	きらりんﾏﾝｼｮﾝA棟	Kirakira@wow.example.com
5	(株)瓜乃織物	東京都目黒区洗足4-*-*	駅前ﾋﾞﾙ	tachibana-y@333.example.ne.jp
6	サファイアガーデン(株)	東京都中央区八丁堀*-3-*	ｶﾞｰﾃﾞﾝｻﾌｧｲｱ	ASU@you.example.com
7	(株)おひつじ座	東京都千代田区神田神保町3-*-*	ｽｶｲﾊﾟﾚｽ森田	KUMINN@dee.example.ne.jp
8				

	A	B	C	D
1	会社名	住所1	住所2	メールアドレス
2	(株)水温社	東京都杉並区高円寺南4-2-*	スイオンタワー５５Ｆ	k-mk@suionsya.example.com
3	東青山住販(株)	東京都足立区伊興4-*-*-101		kuno_rei@coco.example.ne.jp
4	(株)きらりん装飾	東京都文京区本郷2-*-*	きらりんマンションＡ棟	kirakira@wow.example.com
5	(株)瓜乃織物	東京都目黒区洗足4-*-*	駅前ビル	tachibana-y@333.example.ne.jp
6	サファイアガーデン(株)	東京都中央区八丁堀*-3-*	ガーデンサファイア	asu@you.example.com
7	(株)おひつじ座	東京都千代田区神田神保町3-*-*	スカイパレス森田	kuminn@dee.example.ne.jp
8				

セル範囲C2～C7に入力されている半角文字が全角文字に、セル範囲D2～D7に入力されているメールアドレスの英字が小文字に変換される

11 文字列に特定の文字が含まれているか調べるには

InStr関数を使用すると、文字列の中に指定された文字が含まれているかを調べることができます。

●InStr関数 ［インストリング］

指定した文字が含まれているかを調べ、最初に見つかった位置を返す。見つからなかった場合は0を返す。

書式 **InStr([start,]string1, string2[, compare])**

引数 **start**：文字列の中の検索開始位置を指定する。省略すると1文字目から検索する。
string1：検索対象となる文字列を指定する。
string2：引数string1の中から検索する文字列を指定する。
compare：比較モードを指定する。

使用例 **Ret = InStr(Range("A2"),"-")**
セルA2に「-」が含まれるかを調べ、見つかった位置を変数Retに代入する。

■引数compareで指定できる定数

文字列を比較する方法には、バイナリモードとテキストモードの2つがあります。バイナリモードでは、大文字と小文字、半角と全角、ひらがなとカタカナが区別されますが、テキストモードでは区別されません。引数compareを指定した場合は、引数startも指定する必要があります。引数compareを省略すると、Option Compare ステートメントの設定によって比較モードが決定されます。

定数	値	説明
vbUseCompareOption	-1	Option Compareステートメントの設定を使用して比較する。既定ではバイナリモードになる
vbBinaryCompare	0	バイナリモードで比較する
vbTextCompare	1	テキストモードで比較する

ヒント

Option Compareステートメント

文字列の既定の比較方法をモジュールレベルで設定します。省略するとバイナリモードが使用されます。モジュールの最初に「Option Compare Text」と記述すると、そのモジュールでは文字の比較方法はテキストモードになります。

■ 検索した結果で返される戻り値

内容	戻り値
string1内にstring2が見つかった場合	見つかった文字列の位置
string1内にstring2が見つからない場合	0
string1が空文字（""）または引数startの値がstring1の文字数を超えている場合	0
string1またはstring2がNullの場合	Null 値
String2が空文字（""）の場合	引数startで指定された位置

指定した文字を検索する

セル範囲A2～A6に入力されている取引先名に「株式会社」が含まれている場合は、D列に「株式会社」と入力します。

```
Sub 指定した文字を検索する()
    Dim i As Integer
    For i = 2 To 6
        If InStr(Cells(i, 1).Value, "株式会社") > 0 Then
            Cells(i, 4).Value = "株式会社"
        End If
    Next i
End Sub
```

2行目から6行目に処理を繰り返す

InStr関数の戻り値が0より大きい場合は「株式会社」が見つかったと判定する

	A	B	C	D
1	取引先名	〒	住所	分類
2	リラックスドット株式会社	158-0095	東京都世田谷区瀬田*-30-*	
3	エクセルマンション管理組合	112-0001	東京都文京区白山100-1-*	
4	株式会社志木彩	150-0021	東京都渋谷区恵比寿西*-20-*	
5	NPO法人希望ヶ丘	104-0042	東京都中央区入船1-50-*-102	
6	ナガミツ鉱業株式会社	134-0003	東京都江戸川区春江町4-*-*	
7				

	A	B	C	D
1	取引先名	〒	住所	分類
2	リラックスドット株式会社	158-0095	東京都世田谷区瀬田*-30-*	株式会社
3	エクセルマンション管理組合	112-0001	東京都文京区白山100-1-*	
4	株式会社志木彩	150-0021	東京都渋谷区恵比寿西*-20-*	株式会社
5	NPO法人希望ヶ丘	104-0042	東京都中央区入船1-50-*-102	
6	ナガミツ鉱業株式会社	134-0003	東京都江戸川区春江町4-*-*	株式会社
7				

取引先名に「株式会社」が含まれている場合はD列に「株式会社」と表示する

12 文字列を別の文字列に置換するには

Replace関数を使用すると、文字列の中から指定した文字列を検索し、置換文字列に置き換えることができます。

●Replace関数 ［リプレイス］

文字列の中から指定した文字列を別の文字列に置き換える。置き換えられた文字列が返される。

書式　**Replace(expression, find, replace[, start][, count][, compare])**

引数　**expression**：置換対象となる文字列を指定する。
find：検索する文字列を指定する。
replace：置換する文字列を指定する。
start：文字列の中の検索開始位置を指定する。省略すると1文字目から検索する。
count：置換する回数を指定する。省略すると見つかった文字列をすべて置換する。
compare：比較モードを指定する。

使用例 **Range("A3").Value = Replace(Range("A3").Value, "桜" ,"さくら")**
セルA3の「桜」という文字列を「さくら」に置き換える。

文字列を別の文字列に置換する

セル範囲B2～B6の電話番号の中の「-」を削除します。

```
Sub 文字列を別の文字列に置換する()
    Dim i As Integer
    For i = 2 To 6 ←――― 2行目から6行目までに置換処理を繰り返す
        Cells(i, 2).Value = Replace(Cells(i, 2).Value, "-","")
    Next i
End Sub
```

	A	B
1	氏名	電話番号(10桁)
2	石崎　逸子	03-1200-56xx
3	芹沢　幸美	03-6109-98xx
4	杉野　千夏	03-7446-12xx
5	鹿沢　明日実	047-xxx-1234
6	前田　紀美野	03-80xx-65xx
7		

➡

	A	B
1	氏名	電話番号(10桁)
2	石崎　逸子	03120056xx
3	芹沢　幸美	03610998xx
4	杉野　千夏	03744612xx
5	鹿沢　明日実	047xxx1234
6	前田　紀美野	0380xx65xx
7		

電話番号の中の「-」が削除される

13 ユーザー定義関数を作成するには

Functionプロシージャは処理を行い、処理結果を戻り値として返すプロシージャです。Functionプロシージャを使用すると、ユーザー定義関数を作成することができます。ユーザー定義関数は、Excelのワークシートで通常の関数と同様に使用することができるので、繰り返し使う計算や複雑な計算はユーザー定義関数として作成しておくと便利です。

●Functionプロシージャ ［ファンクション］

ユーザー定義関数を作成する。

書式

```
Function 関数名(引数 As 引数のデータ型) As 戻り値のデータ型
    処理
    関数名 = 戻り値
End Function
```

使用例

```
Function Zei(Kingaku As Long) As Long
    Zei = Kingaku * 0.1
End Function
```

消費税を求める「Zei」という関数を作成する。Zei関数はLong型の引数を持ち、引数に0.1を掛けた結果を戻り値とする。

ヒント

複数の引数を設定

引数の宣言をコンマ（,）で区切って複数の引数を宣言することができ、それぞれの引数には個別のデータ型を指定することができます。

●Optionalキーワード　［オプショナル］

Functionプロシージャの引数にOptionalキーワードを指定すると、その引数は省略可能になる。引数を省略した場合は、既定値として指定されている値を引数として使用する。

書式　**Optional 引数 As データ型 = 既定値**

使用例
```
Function Calc(Kingaku As Long,Optional Waribiki AsDouble = 0.8) As Long
    Calc = Kingaku * Waribiki
End Function
```
割引した金額を求める「Calc」という関数を作成する。Calc関数は引数Kingakuと引数Waribikiを掛けた結果を戻り値とする。引数Waribikiが省略された場合は既定値の「0.8」を使用して計算される。

金額をもとにランクを求める関数を作成する

入力された金額をもとにランクを求める「GetRank」というユーザー定義関数を作成します。金額をLong型の引数として受け取り、金額をもとに求めた会員ランクをString型で返します。会員ランクは金額が80,000以上なら「A」、50,000～79,999なら「B」、50,000未満なら「C」とします。

```
Function GetRank(Kingaku As Long) As String    ← GetName関数を定義
    If Kingaku >= 80000 Then                   ← Kingakuが80000以上なら「A」を返す
        GetRank = "A"
    ElseIf Kingaku >= 50000 Then               ← Kingakuが50000以上なら「B」を返す
        GetRank = "B"
    Else                                       ← それ以外なら「C」を返す
        GetRank = "C"
    End If
End Function
```

14 ユーザー定義関数を使用するには

ユーザー定義関数はVBAとExcelのワークシートの両方から呼び出すことができます。

別のプロシージャから呼び出す

作成したGetRank関数を別のプロシージャから呼び出して使用できます。ここでは、GetRank関数を呼び出し、年間の購入金額をもとにランクを求め、ランクが「A」の場合は「ゴールド」、それ以外は「レギュラー」と表示します。

```
Sub ユーザー定義関数を呼び出す()
    Dim Kingaku As Long
    Kingaku = InputBox("購入金額を入力してください")
    If GetRank(Kingaku) = "A" Then
        MsgBox "ゴールドランク"
    Else
        MsgBox "レギュラーランク"
    End If
End Sub
```

金額を入力させるためのダイアログを表示し、入力された値を変数Kingakuに代入

GetRank関数を呼びだし、金額をもとにランクを求め、ランクが「A」の場合は「ゴールドランク」、それ以外は「レギュラーランク」と表示する

▲上記のプロシージャはGetRank関数を作成したブック内のモジュールに作成する。

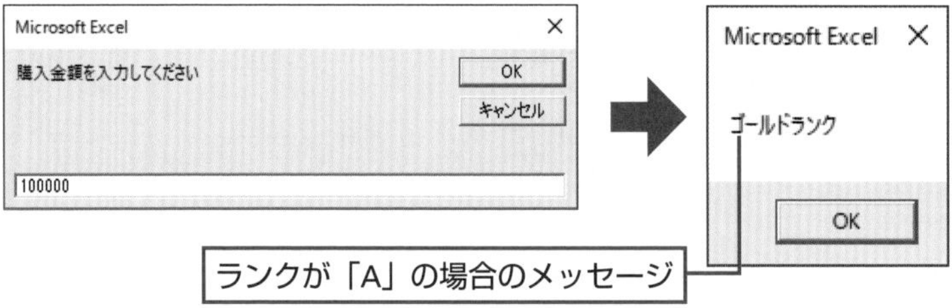

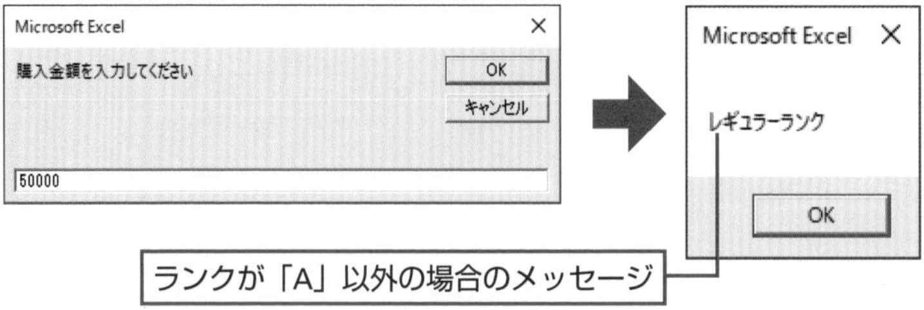

ワークシートでユーザー定義関数を使用する

作成したGetRank関数はExcelのワークシートでも使用することができます。

❶ セルC3をクリックする。

❷「=ge」と入力すると、ワークシート関数の一覧に表示される「GetRank」を選択し Tab キーを押す。

❸ 引数には購入金額が入力されているセル「B3」を指定し、「)」を入力する。

❹ Enter を押す。

❺ 購入金額をもとに求められたランクがセルC3に表示される

❻ セルC3の数式をセル範囲C4～C7にコピーする

▲上記の手順はGetRank関数を作成したブック内のワークシートで行う。

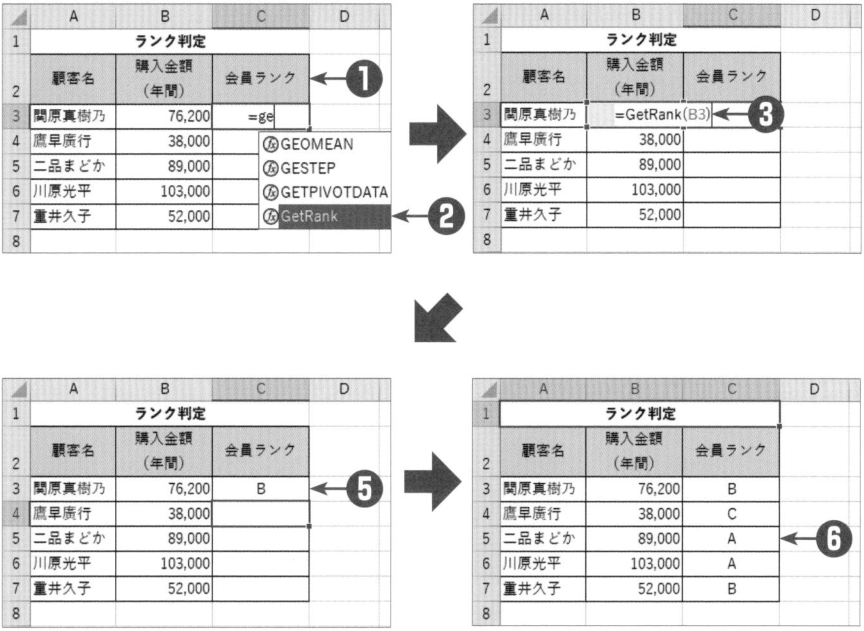

15 ユーザー定義関数を別のブックで使えるようにするには

他のブックで作成したユーザー定義関数を使用するには、Functionプロシージャを作成したモジュールをアドインファイルとして保存します。

アドイン形式で保存する

作成したGetRank関数をアドイン形式で保存します。

❶［ファイル］タブの［名前を付けて保存］をクリックする。
❷［その他の場所］の［参照］をクリックする。
❸［名前を付けて保存］ダイアログが表示される。
❹［ファイルの種類］の▼をクリックして、［Excelアドイン］を選択する。
❺［ファイル名］に任意の名前を入力する。
❻［保存］をクリックする。

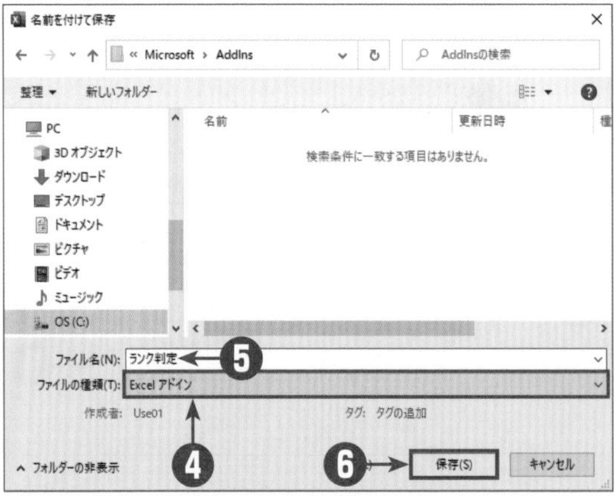

アドインを組み込む

別のブックでユーザー定義関数を利用するには、作成したアドインファイルをExcelに組み込みます。

❶［ファイル］タブの［オプション］をクリックする。
❷［Excelのオプション］ダイアログの左側の一覧から［アドイン］をクリックする。
❸［設定］をクリックする。
❹［アドイン］ダイアログで組み込むアドインにチェックを入れる。
❺［OK］をクリックする。

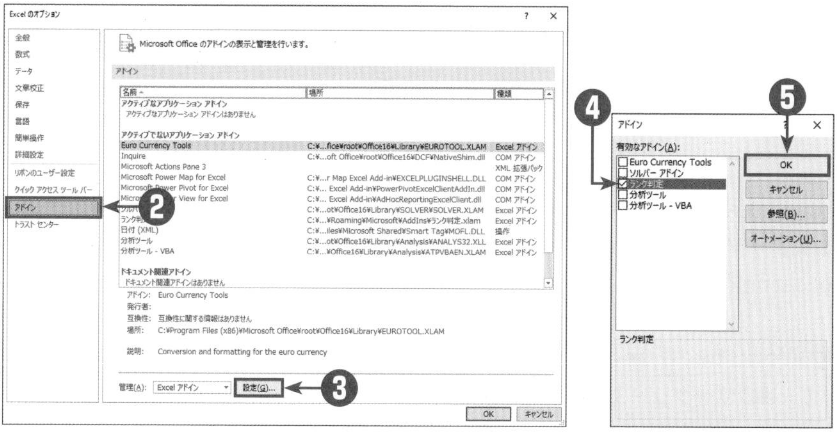

ヒント

アドインファイルの参照

［アドイン］ダイアログに目的のアドインが表示されていない場合は、［参照］をクリックすると、保存先を指定してアドインファイルを選択することができます。

別のブックでユーザー定義関数を利用する

作成したGetRank関数を別のブックで使用します。

❶ ブックを新規に作成する。

❷ 任意のセルで「=ge」と入力すると、ワークシート関数の一覧に表示される「GetRank」を選択しTabを押す。

❸ 引数に「70000」と入力する。

❹「)」を入力して、Enterを押す。

❺「B」と表示される。

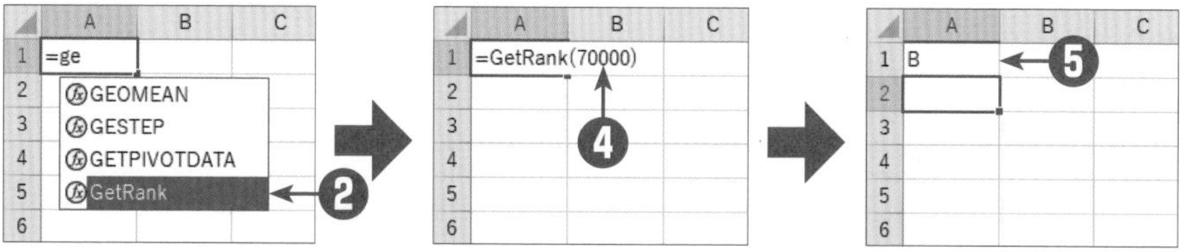

ヒント

アドインを解除するには

アドインを組み込む時と同様に［アドイン］ダイアログを表示して、解除したいアドインのチェックを外します。解除しただけではアドインファイルは削除されません。完全に削除するにはアドインファイルを削除します。［アドイン］ダイアログで削除したいアドインファイルを選択し、［参照］をクリックして、表示されるアドインファイルを削除します。ただし、組み込みが設定されているアドインファイルは削除することができません。

16 VBAでワークシート関数を使用するには

Excelで使用するワークシート関数をVBAで使用することができます。日常利用している関数をVBAで呼び出せるので便利です。ワークシート関数を使用するには、ApplicationオブジェクトのWorksheetFunctionプロパティを使用します。

●WorksheetFunctionプロパティ ［ワークシートファンクション］

Excelのワークシート関数を呼び出す。

書式 **Application.WorksheetFunction.ワークシート関数名(引数)**

引数 **ワークシート関数で決められている引数を指定する。**

使用例 **Ret = WorksheetFunction.Sum(Range("C3:C8"))**
セル範囲C3～C8の合計を変数Retに代入する。

ヒント

セル範囲の指定

ワークシート関数の引数にセルの範囲を指定する場合は、Rangeオブジェクトを使用します。

ワークシート関数を使用する

ワークシート関数「Average」を使用してセル範囲F4～F8に支店別売上の平均を求めます。

```
Sub ワークシート関数を使用する()
    Dim  i  As Integer
    For i = 4 To 8
        Cells(i, 6).Value = _
            WorksheetFunction.Average(Range(Cells(i, 2), Cells(i, 4)))
    Next i
End Sub
```

For i = 4 To 8 ← 変数iが4から8まで変化することで、4行目から8行目に平均を求める

WorksheetFunction.Average(…) ← ワークシート関数「Average」を使用してｉ行のB列からD列の平均をF列に求める

ヒント

VBAで使用可能な関数

VBAではすべてのワークシート関数を使用できるわけではありません。使用できる関数は、コードウィンドウで「WorksheetFunction.」と入力すると表示されるリストで確認することができます。

第9章

マクロ記録の活用

マクロを使用して、Excelの機能を自動化する場合、すべてのコードを記述するより、マクロを記録してコードを編集するほうが効率的です。この章では、記録したマクロを編集する方法を紹介します。

1 フォントや塗りつぶしの色を設定するには

フォントの色やセルの塗りつぶしの色などを変更するには、ThemeColorプロパティやColorプロパティに定数や色番号を指定する必要があります。フォントの色や塗りつぶしの色を設定するマクロを記録すると指定する定数や色番号を取得することができます。

ワークシートを作成する

ワークシートを作成します。

❶ 図を参考にワークシート「予約状況」を作成する。

	A	B	C	D	E	F	G	H
1	パソコンセミナー予約状況							
2								
3	日付	セミナー名	定員	予約人数	満席			
4	10月1日	Excel基礎	20	19				
5	10月2日	Excel応用	15	15	○			
6	10月3日	Word基礎	20	15				
7	10月4日	Word応用	15	8				
8	10月5日	Access基礎	20	20	○			
9	10月6日	Access応用	12	12	○			
10	10月7日	Excel基礎	20	19				
11	10月8日	Excel応用	15	15	○			
12	10月9日	Word基礎	20	8				
13	10月10日	Word応用	15	15	○			
14	10月11日	Access基礎	15	13				
15	10月12日	Access応用	12	9				
16								

マクロを記録する

❶ セルE4をクリックする。

❷ ［開発］タブの［コード］の マクロの記録 ［マクロの記録］をクリックする。

❸ ［マクロの記録］ダイアログが表示されるので、［マクロ名］に［書式設定］と入力する。

❹ ［マクロの保存先］に［作業中のブック］と表示されていることを確認する。

❺ ［OK］をクリックする。

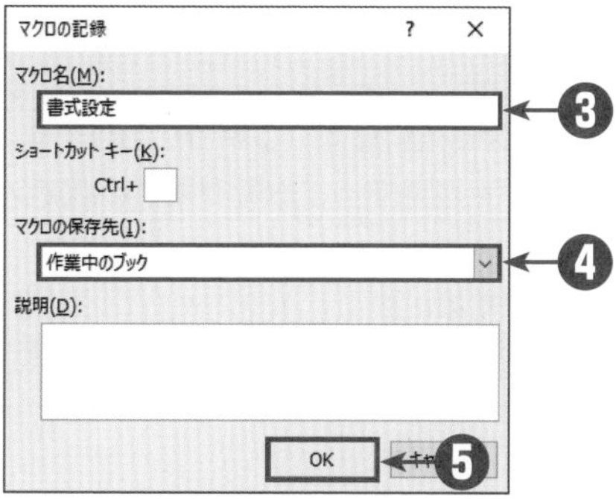

❻ マクロの記録が開始される。
❼［ホーム］タブの［フォント］の ［塗りつぶしの色］の▼をクリックする。
❽ 設定したい色を選択する。
❾［ホーム］タブの［フォント］の ［塗りつぶしの色］の▼をクリックする。
❿［塗りつぶしなし］を選択する。

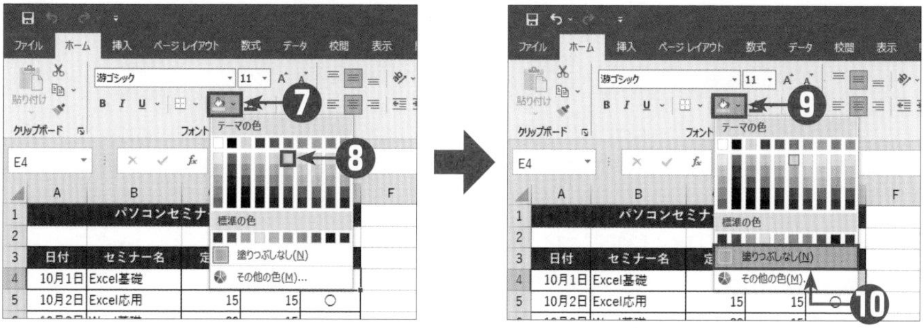

⓫［開発］タブの［コード］の ■記録終了 ［記録終了］をクリックする。
⓬ マクロの記録が終了する。

ヒント

間違った操作を取り消すには

操作を間違えてしまうと、間違った操作がマクロに記録されます。操作を取り消すにはクイックアクセスツールバーの ［元に戻す］をクリックします。元に戻した操作はマクロに記録されません。

不要なコードを削除する

マクロを記録すると、設定していない項目までマクロに記録される場合があります。マクロの実行に必要な部分だけを残し、不要なコードを削除すると簡潔で見やすいマクロになります。

❶［開発］タブの［コード］の［マクロ］をクリックする。
❷［マクロ］ダイアログの［マクロ名］で［書式設定］が選択されていることを確認する。
❸［編集］をクリックする。

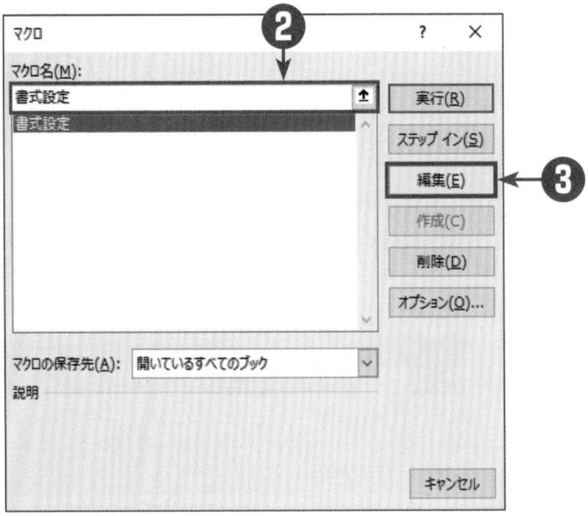

❹ VBEが起動して、［書式設定］マクロのコードが表示される。
❺ 次のコードの枠で囲まれた行を削除する。

```
Sub 書式設定()
'
' 書式設定 Macro
'

'
    With Selection.Interior
        .Pattern = xlSolid
        .PatternColorIndex = xlAutomatic
        .ThemeColor = xlThemeColorAccent2
        .TintAndShade = 0.799981688894314
        .PatternTintAndShade = 0
    End With
    With Selection.Interior
        .Pattern = xlNone
```

```
            .TintAndShade = 0
            .PatternTintAndShade = 0
        End With
End Sub
```

参照

Interiorプロパティ
ThemeColorプロパティ
TintAndShadeプロパティ
Colorプロパティ

第5章の20

ヒント

プロパティに設定される値

設定した塗りつぶしの色によって、ThemeColorプロパティやTintAndShadeプロパティに設定される値は異なります。

セルの書式設定

塗りつぶしの色を設定するマクロを記録すると、[セルの書式設定] ダイアログの [塗りつぶしの色] タブで設定できるプロパティの内容が記録されます。

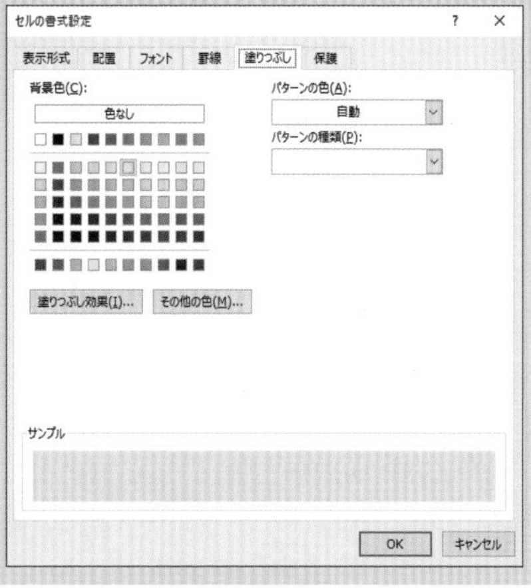

コードを編集する

満席が「○」の行は指定した色で塗りつぶし、それ以外は塗りつぶしの色を解除する処理を、すべての行に繰り返すようにマクロを編集します。

❶ コードを次のように変更する（色文字部分）。

```
Sub 書式設定()
    Dim Gyou As Long ←❶
    Gyou = 4 ←❷
    Do Until Cells(Gyou, 1).Value = ""
        If Cells(Gyou, 5).Value = "○" Then
            With Range(Cells(Gyou, 1), Cells(Gyou, 5)).Interior
                .ThemeColor = xlThemeColorAccent2
                .TintAndShade = 0.799981688894314
            End With
        Else
            With Range(Cells(Gyou, 1), Cells(Gyou, 5)).Interior
                .Pattern = xlNone
            End With
        End If
        Gyou = Gyou + 1 ←❻
    Loop
End Sub
```

（❸：Do Until～Loop、❹：If～End With、❺：Else～End If）

■ コードの説明

各行のコードの処理を説明します。

❶ 行数を格納するためのLong型の変数Gyouを宣言する。

❷ 4行目から処理を行うために、変数Gyouに4を代入する。

❸ 処理の対象となる行（変数Gyouの値）のA列が空白になるまで、④～⑤の処理を繰り返す。

▲A列が空白であるかを判定することで、表の最終行であるかを調べている。

❹ 処理の対象となる行（変数Gyouの値）の満席（E列）が「○」の場合は、処理の対象となる行（変数Gyouの値）のA列からE列に塗りつぶしの色を設定する。

❺ 処理の対象となる行（変数Gyouの値）の満席（E列）が「○」以外の場合は、処理の対象となる行（変数Gyouの値）のA列からE列の塗りつぶしの色を解除する。

❻ 次の行に処理を移すために、変数Gyouに1を足す。

マクロを実行する

作成したマクロを実行します。

❶ Excelに切り替えるために［表示Microsoft Excel］をクリックする。

❷［開発］タブの［コード］の［マクロ］をクリックする。

❸［マクロ］ダイアログで［書式設定］が選択されていることを確認する。

❹［実行］をクリックする。

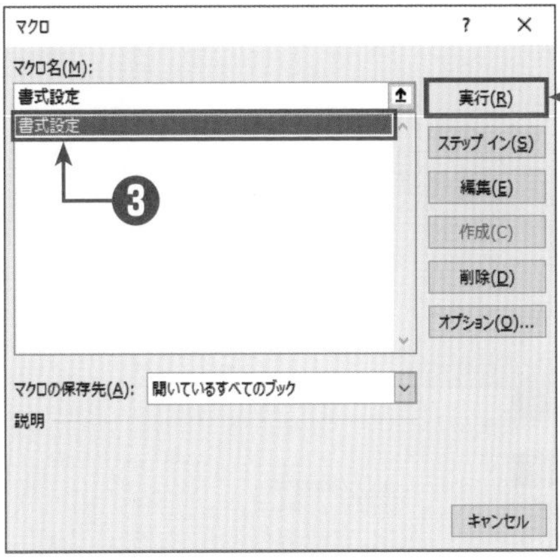

❺ 満席が「○」の行に塗りつぶしの色が設定される。もし別の行に塗りつぶしの色が設定されていた場合は塗りつぶしの色が解除される。

	A	B	C	D	E	F
1	パソコンセミナー予約状況					
2						
3	日付	セミナー名	定員	予約人数	満席	
4	10月1日	Excel基礎	20	19		
5	10月2日	Excel応用	15	15	○	
6	10月3日	Word基礎	20	15		
7	10月4日	Word応用	15	8		
8	10月5日	Access基礎	20	20	○	
9	10月6日	Access応用	12	12	○	
10	10月7日	Excel基礎	20	19		
11	10月8日	Excel応用	15	15	○	
12	10月9日	Word基礎	20	8		
13	10月10日	Word応用	15	15	○	
14	10月11日	Access基礎	15	13		
15	10月12日	Access応用	12	9		
16						

2 並べ替え機能を活用するには

並べ替えの操作をマクロに記録した場合、並べ替えの対象となるセル範囲が固定になっているため、行が追加されても追加された行が並べ替えの対象になりません。表全体が並べ替えの対象となるようにマクロを編集します。また、作成したマクロをコピーし、一部分を変更する方法も説明します。

ワークシートを作成する

ワークシートを作成します。

❶ 図を参考にワークシート「集計」を作成する。

	A	B	C	D	E	F
1	コーヒー豆売上					
2						
3	商品コード	商品名	単価	数量	売上金額	
4	C0001	ブラジル	600	280	168,000	
5	C0002	コロンビア	600	180	108,000	
6	C0003	ブルーマウンテン	2,000	120	240,000	
7	C0004	マンデリン	500	350	175,000	
8	C0005	キリマンジャロ	900	260	234,000	
9	C0006	グアテマラ	550	350	192,500	
10						

マクロを記録する

❶ [開発] タブの [コード] の [マクロの記録] をクリックする。

❷ [マクロの記録] ダイアログが表示されるので、[マクロ名] に [売上金額並べ替え] と入力する。

❸ [マクロの保存先] に [作業中のブック] と表示されていることを確認する。

❹ [OK] をクリックする。

❺ マクロの記録が開始される。

❻ セルE3をクリックする。

❼ [データ] タブの [並べ替えとフィルター] の [降順] をクリックする。

❽ 売上金額の降順に並べ替えられたことを確認する。

❾ [開発] タブの [コード] の [記録終了] をクリックする。

❿ マクロの記録が終了する。

参照
Sortメソッド
第5章の29

コードを編集する

表に行を追加、または行を削除しても表全体が並べ替えの対象になるように変更します。

❶［開発］タブの［コード］の［マクロ］をクリックする。

❷［マクロ］ダイアログの［マクロ名］で［売上金額並べ替え］が選択されていることを確認する。

❸［編集］をクリックする。

❹ VBEが起動して、［売上金額並べ替え］マクロのコードが表示される。

❺ コードを次のように変更する（色文字部分）。

※自動的に追加されたコメントは削除しています。

```
Sub 売上金額並べ替え()
    Range("E3").Select
    ActiveWorkbook.Worksheets("集計").Sort.SortFields.Clear
    ActiveWorkbook.Worksheets("集計").Sort.SortFields.Add Key:=Range("E3"), SortOn _
        :=xlSortOnValues, Order:=xlDescending, DataOption:=xlSortNormal
    With ActiveWorkbook.Worksheets("集計").Sort
        .SetRange Range("A3").CurrentRegion ←❶
        .Header = xlYes ←❷
        .MatchCase = False
        .Orientation = xlTopToBottom
        .SortMethod = xlPinYin
        .Apply
    End With
End Sub
```

▲環境によっては、4行目の末尾のxlSortNormalがxlSortTextAsNumbersと記録される場合があります。

■ コードの説明

各行のコードの処理を説明します。

❶ 表全体を選択する。

▲CurrentRegionプロパティを使用して、表全体を選択するように変更している。

❷ 先頭行を見出しとして使用する。

▲先頭行を見出しとして指定するために、Headerプロパティに「xlYes」を指定する。

マクロをコピーする

［売上金額並べ替え］マクロをコピーして、商品コードの昇順に並べ替える［商品コード並べ替え］マクロを作成します。

❶「Sub 入場者数並べ替え」から「End Sub」までの行を選択し、［コピー］をクリックする。

❷「End Sub」の下の行をクリックし、［貼り付け］をクリックする。

❸ コピーしたコードを次のように変更する（色文字部分）。

```
Sub 商品コード並べ替え()
    Range("E3").Select
    ActiveWorkbook.Worksheets("集計").Sort.SortFields.Clear
    ActiveWorkbook.Worksheets("集計").Sort.SortFields.Add Key:= Range("A3"), SortOn _
        :=xlSortOnValues, Order:= xlAscending, DataOption:=xlSortNormal
    With ActiveWorkbook.Worksheets("集計").Sort
        .SetRange Range("A3").CurrentRegion
        .Header = xlYes
        .MatchCase = False
        .Orientation = xlTopToBottom
        .SortMethod = xlPinYin
        .Apply
    End With
End Sub
```

並べ替えのキーを商品コードに、並べ替え順を昇順に変更する

マクロを実行する

作成したマクロを実行します。

❶ Excelに切り替えるために ［表示Microsoft Excel］をクリックする。

❷ 表の最終行にデータを追加する。

	A	B	C	D	E	F
1	コーヒー豆売上					
2						
3	商品コード	商品名	単価	数量	売上金額	
4	C0001	ブラジル	600	280	168,000	
5	C0002	コロンビア	600	180	108,000	
6	C0003	ブルーマウンテン	2,000	120	240,000	
7	C0004	マンデリン	500	350	175,000	
8	C0005	キリマンジャロ	900	260	234,000	
9	C0006	グアテマラ	550	350	192,500	
10	C0007	モカ	600	300	180,000	
11						

❸［開発］タブの［コード］の ［マクロ］をクリックする。

❹［マクロ］ダイアログで［売上金額並べ替え］を選択し、［実行］をクリックする。

❺ 追加した行も並べ替えの範囲になっていることを確認する。

	A	B	C	D	E	F
1	コーヒー豆売上					
2						
3	商品コード	商品名	単価	数量	売上金額	
4	C0003	ブルーマウンテン	2,000	120	240,000	
5	C0005	キリマンジャロ	900	260	234,000	
6	C0006	グアテマラ	550	350	192,500	
7	C0007	モカ	600	300	180,000	
8	C0004	マンデリン	500	350	175,000	
9	C0001	ブラジル	600	280	168,000	
10	C0002	コロンビア	600	180	108,000	
11						

❻［商品コード並べ替え］マクロを実行すると、商品コードの昇順に並べ替えられる。

	A	B	C	D	E	F
1	コーヒー豆売上					
2						
3	商品コード	商品名	単価	数量	売上金額	
4	C0001	ブラジル	600	280	168,000	
5	C0002	コロンビア	600	180	108,000	
6	C0003	ブルーマウンテン	2,000	120	240,000	
7	C0004	マンデリン	500	350	175,000	
8	C0005	キリマンジャロ	900	260	234,000	
9	C0006	グアテマラ	550	350	192,500	
10	C0007	モカ	600	300	180,000	
11						

3 オートフィルター機能を活用するには

オートフィルターの操作をマクロに記録し、セルに入力された条件をもとにデータが抽出できるように変更します。

ワークシートを作成する

ワークシートを作成します。

❶ 図を参考にワークシート「成績分析」を作成する。

❷ セルE3をクリックする。

❸ [データ] タブの [並べ替えとフィルター] の [フィルター] をクリックする。

	A	B	C	D	E	F
1	成績分析表		合計点		以上	
2						
3	番号	氏名	筆記	面接	合計点	
4	1	里村　理穂	76	76	152	
5	2	金子　真樹	65	55	120	
6	3	久野　玲子	62	58	120	
7	4	島田　舞子	68	70	138	
8	5	橘　由衣	64	76	140	
9	6	津村　飛鳥	59	93	152	
10	7	寺本　久美子	92	77	169	
11	8	平田　隆二	78	86	164	
12	9	住井　浩二	58	81	139	
13	10	瀬戸　美咲	95	91	186	
14	11	富田　聡	81	57	138	
15						

マクロを記録する

❶ [開発] タブの [コード] の [マクロの記録] をクリックする。

❷ [マクロの記録] ダイアログが表示されるので、[マクロ名] に [合計点フィルター] と入力する。

❸ [マクロの保存先] に [作業中のブック] と表示されていることを確認する。

❹ [OK] をクリックする。

❺ マクロの記録が開始される。

❻ セルE3の▼をクリックする。

❼ [数値フィルター] の [指定の値以上] をクリックする。

❽ [合計点] ボックスに「150」と入力する。

❾ [OK] をクリクする。

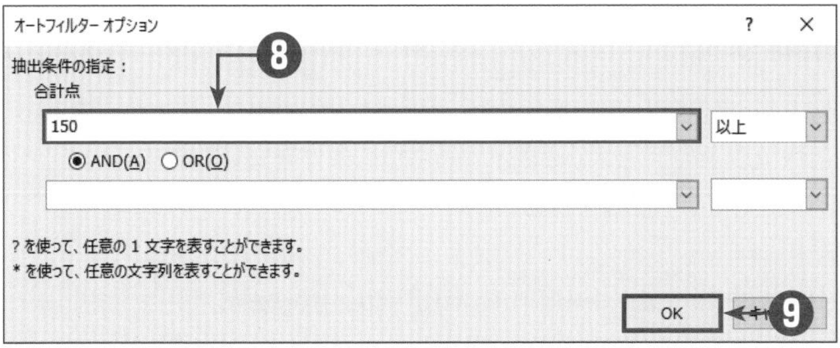

❿ 合計点が150以上のデータだけが表示されたことを確認する。

⓫［開発］タブの［コード］の［記録終了］■記録終了 をクリックする。

⓬ マクロの記録が終了する。

マクロを確認する

❶［開発］タブの［コード］の［マクロ］をクリクする。

❷［マクロ］ダイアログの［マクロ名］で［合計点フィルター］が選択されていることを確認する。

❸［編集］をクリックする。

❹ VBEが起動して、［合計点フィルター］マクロのコードが表示される。

```
Sub 合計点フィルター()
    ActiveSheet.Range("$A$3:$E$14").AutoFilter Field:=5, Criteria1:=">=150", _
        Operator:=xlAnd
End Sub
```

●Autofilterメソッド

オートフィルターの設定を行います。

書式　**Rangeオブジェクト.AutoFilter(［Field］［,Criteria1］［,Operator］［,Criteria2］［,SubField］［,VisibleDropDown］)**

引数　**Field**：フィルターの対象となるフィールドが左から何番目にあるかを数字で指定する。

Criteria1：抽出条件を指定する。

Operator：複数の条件を関連付けるための定数を指定する。たとえば、And条件なら「xlAnd」、Or条件なら「xlOr」を指定する。

Criteria2：2番目の抽出条件を指定する。

SubField：抽出条件を適用するデータ型のフィールドを設定する。

VisibleDropDown：Trueを設定するとオートフィルターのドロップダウン矢印が表示され、Falseを設定すると非表示になる。省略するとTrueが設定される。

コードを編集する

表に行を追加、または行を削除しても表全体がフィルターの対象になるように変更し、セルD1に入力された数値以上のデータのみ表示するように条件を変更します。

コードを次のように変更する（色文字部分）。

```
Sub 合計点フィルター()
    ActiveSheet.Range("A3").CurrentRegion.AutoFilter Field:=5, _
        Criteria1:= ">=" & Range("D1").Value, _
        Operator:=xlAnd
End Sub
```

ヒント

条件にセルの値を設定するには

「Criteria1:=">=150"」は150以上のデータを抽出するという意味です。「Criteria1:=">=" & Range("D1").Value」に変更すると、セルD1に「160」が入力されていた場合、「Range("D1").Value」が「160」に置き換わり、条件は「Criteria1:=">=160"」となります。

マクロを実行する

作成したマクロを実行します。

❶ Excelに切り替えるために［表示Microsoft Excel］をクリックする。
❷ セルD1に基準となる点数を入力する。
❸［開発］タブの［コード］の［マクロ］をクリックする。
❹［マクロ］ダイアログで［合計点フィルター］を選択し、［実行］をクリックする。
❺ セルD1に入力された点数以上のデータのみが表示されたことを確認する。

	A	B	C	D	E	F
1	成績分析表		合計点	150	以上	
2						
3	番号	氏名	筆記	面接	合計点	
4	1	里村　理穂	76	76	152	
9	6	津村　飛鳥	59	93	152	
10	7	寺本　久美子	92	77	169	
11	8	平田　隆二	78	86	164	
13	10	瀬戸　美咲	95	91	186	
15						

4 印刷設定を活用するには

印刷の設定を行うマクロを作成すると、複数のワークシートに対して同じ設定で印刷することができるようになります。［ページ設定］ダイアログの設定をマクロに記録します。

ワークシートを作成する

ワークシートを作成します。

❶ 図を参考にワークシート「10月」と「11月」を作成する。

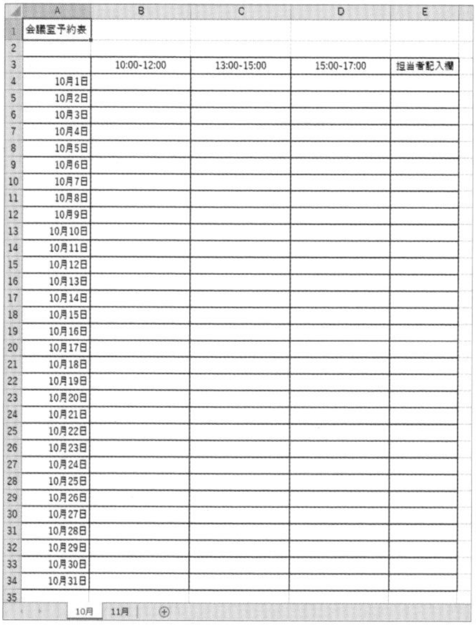

	A	B	C	D	E
1	会議室予約表				
2					
3		10:00-12:00	13:00-15:00	15:00-17:00	担当者記入欄
4	10月1日				
5	10月2日				
6	10月3日				
7	10月4日				
8	10月5日				
9	10月6日				
10	10月7日				
11	10月8日				
12	10月9日				
13	10月10日				
14	10月11日				
15	10月12日				
16	10月13日				
17	10月14日				
18	10月15日				
19	10月16日				
20	10月17日				
21	10月18日				
22	10月19日				
23	10月20日				
24	10月21日				
25	10月22日				
26	10月23日				
27	10月24日				
28	10月25日				
29	10月26日				
30	10月27日				
31	10月28日				
32	10月29日				
33	10月30日				
34	10月31日				
35					

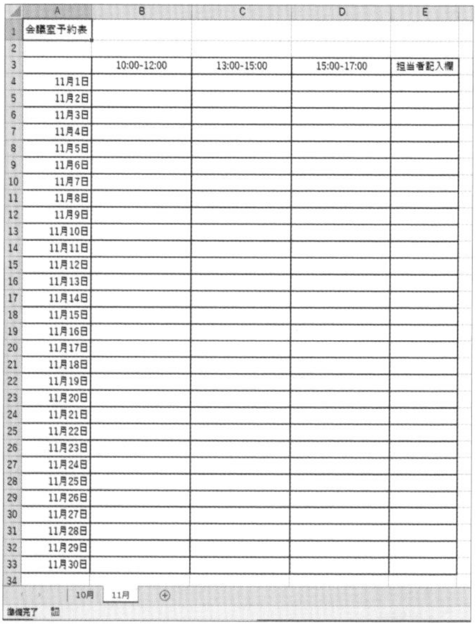

	A	B	C	D	E
1	会議室予約表				
2					
3		10:00-12:00	13:00-15:00	15:00-17:00	担当者記入欄
4	11月1日				
5	11月2日				
6	11月3日				
7	11月4日				
8	11月5日				
9	11月6日				
10	11月7日				
11	11月8日				
12	11月9日				
13	11月10日				
14	11月11日				
15	11月12日				
16	11月13日				
17	11月14日				
18	11月15日				
19	11月16日				
20	11月17日				
21	11月18日				
22	11月19日				
23	11月20日				
24	11月21日				
25	11月22日				
26	11月23日				
27	11月24日				
28	11月25日				
29	11月26日				
30	11月27日				
31	11月28日				
32	11月29日				
33	11月30日				
34					

マクロを記録する

❶ ［開発］タブの［コード］の マクロの記録 ［マクロの記録］をクリックする。

❷ ［マクロの記録］ダイアログが表示されるので、［マクロ名］に［印刷設定］と入力する。

❸ ［マクロの保存先］に［作業中のブック］と表示されていることを確認する。

❹ ［OK］をクリックする。

❺ マクロの記録が開始される。

❻ ［ページレイアウト］タブの［ページ設定］の をクリックする。

❼ [ページ設定] ダイアログが表示される。
❽ [ページ] タブの [次のページ数に合わせて印刷] オプションボタンをオンにする。
❾ [ページ] タブの [用紙サイズ] ボックスの▼をクリックし、一覧から [B5] を選択する。
❿ [余白] タブの [ページ中央] の [水平] チェックボックスをオンにする。
⓫ [シート] タブの [印刷範囲] に「A:D」と記入する。
⓬ [OK] をクリックする。

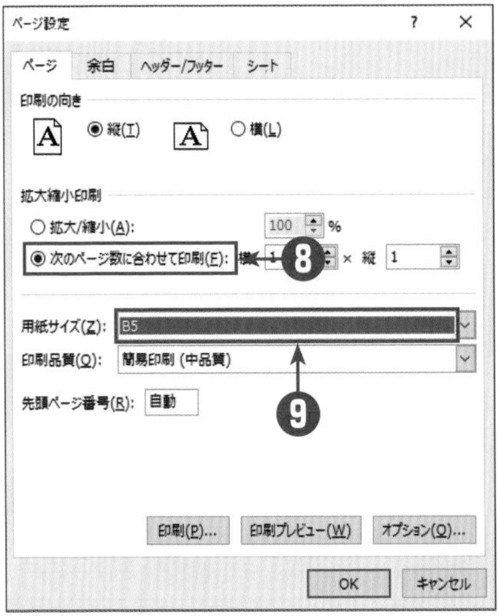

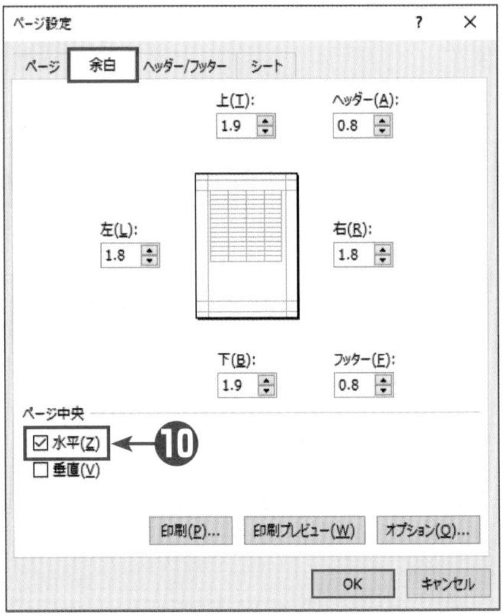

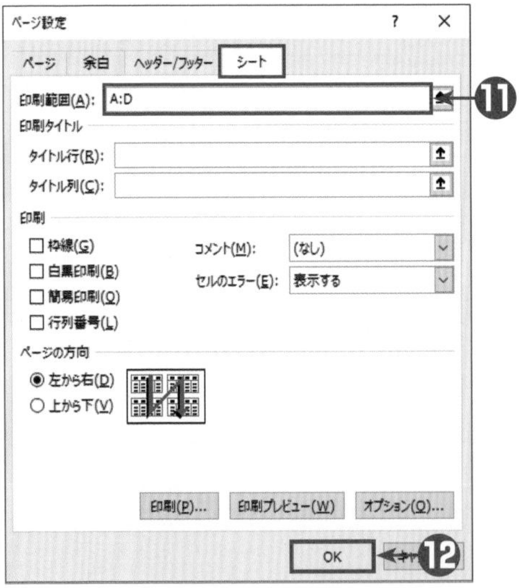

⓭ [開発] タブの [コード] の ■記録終了 [記録終了] をクリックする。
⓮ マクロの記録が終了する。

不要なコードを削除する

マクロの実行に必要な部分だけを残し、不要なコードを削除します。

❶［開発］タブの［コード］の［マクロ］をクリックする。
❷［マクロ］ダイアログの［マクロ名］で［印刷設定］が選択されていることを確認する。
❸［編集］をクリックする。
❹ VBEが起動して、［印刷設定］マクロのコードが表示される。
❺ 次のコード以外のコードを削除する。

```
Sub 印刷設定()
    ActiveSheet.PageSetup.PrintArea = "$A:$D"  ←❶
    Application.PrintCommunication = False
    With ActiveSheet.PageSetup
        .CenterHorizontally = True  ←❷
        .PaperSize = xlPaperB5  ←❸
        .FitToPagesWide = 1  ┐
        .FitToPagesTall = 1  ┘←❹
    End With
    Application.PrintCommunication = True
End Sub
```

■ コードの説明

各行のコードの処理を説明します。

❶ 印刷範囲をA列～D列に設定する
❷ 水平方向のページ中央に印刷する。
❸ 用紙サイズを「B5」に設定する。
❹ 縦、横ともに1ページに収まるように印刷する。

■ PrintCommunicationプロパティ

マクロでページ設定するには、PageSetupオブジェクトを使用します。PrintCommunicationプロパティにFalseを設定すると、プリンターとの通信を一時的に無効にして、PageSetupプロパティを設定するマクロの実行を高速化することができます。プリンターとの通信を有効にするには、Trueを設定します。

ヒント

PageSetupオブジェクトのプロパティ

PageSetupオブジェクトには多くのプロパティが用意されています。[ページ設定] ダイアログの設定をマクロに記録すると、[ページ設定] ダイアログで設定可能なプロパティが追加されます。必要なプロパティ以外のコードは削除したほうがわかりやすくなります。マクロの記録を使用すると、使いたいプロパティや設定可能な定数などを調べることができます。

マクロを実行する

作成したマクロを実行します。

❶ Excelに切り替えるために [表示Microsoft Excel] をクリックする。
❷ ワークシート [11月] を選択する。
❸ [開発] タブの [コード] の [マクロ] をクリックする。
❹ [マクロ] ダイアログで [印刷設定] を選択し、[実行] をクリックする。
❺ [ファイル] タブの [印刷] をクリックし、設定されている項目と印刷イメージを確認する。

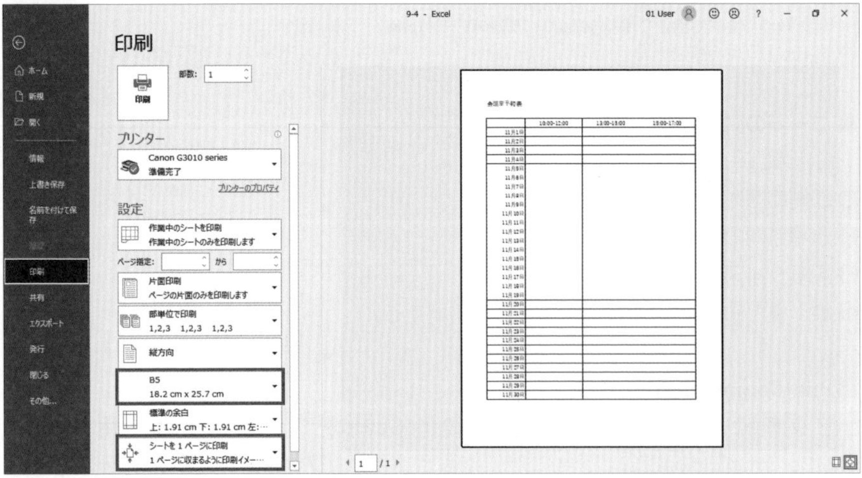

第10章 コントロールの操作

コントロールとは、ワークシートやユーザーフォームに配置することができる部品です。この章では、コントロールをワークシートに配置し、操作する方法を紹介します。

1 コマンドボタンを作成するには

コマンドボタンは、マクロの処理を開始したり、中断したりするために使用されます。

コントロールとは

アンケートのような決まった形式でデータを入力する場合、コントロールを利用すると入力の効率を向上させることができます。コントロールとはワークシートやユーザーフォームに貼り付けることができる部品です。ワークシートにコントロールを作成する手順は、図形を作成する手順と同じで、挿入したいコントロールを選択し、ワークシートに配置したい位置でドラッグします。

コマンドボタンを作成する

ワークシートにコマンドボタンを作成します。

❶［開発］タブの［コントロール］の［挿入］をクリックする。
❷一覧から［コマンドボタン（ActiveXコントロール）］をクリックする。
❸ボタンを配置したい位置の左上から右下方向にドラッグする。

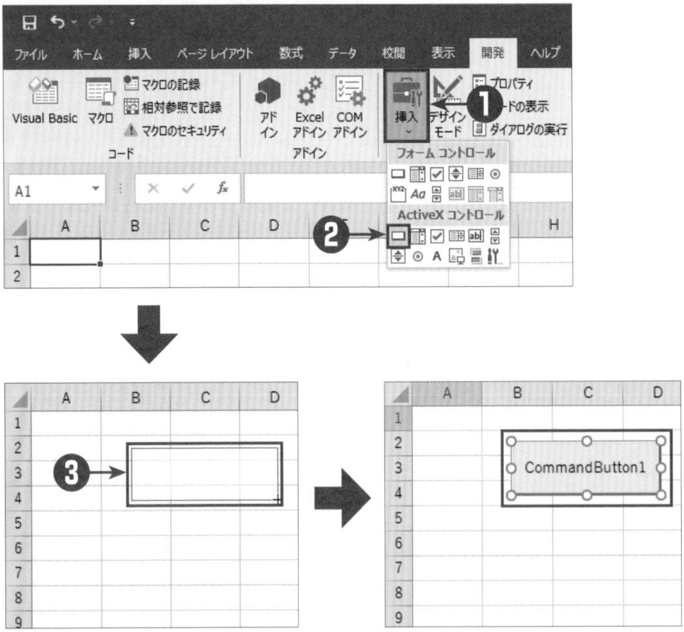

オブジェクト名

ワークシートに配置されたコントロールはオブジェクトとして扱われ、これらをマクロから操作するには、オブジェクトに名前を設定する必要があります。既定では、コマンドボタンを作成すると「CommandButton1」などのように、オブジェクト名は自動的に割り振られています。既定のオブジェクト名では、どのような用途で使用されているのかわかりにくいため、わかりやすい名前に変更します。

ヒント

わかりやすいオブジェクト名

オブジェクト名にコントロールの種類を表すプリフィックスを付けておくと、オブジェクト名を見ただけでコントロールの種類がわかります。プリフィックスとコントロールに割り当てる機能がわかる単語を組み合わせるとわかりやいオブジェクト名になります。主なコントロールのプリフィックスは次のとおりです。

コントロール	プリフィックス	コントロール	プリフィックス
コマンドボタン	cmd	チェックボックス	chk
テキストボックス	txt	コンボボックス	cbo
オプションボタン	opt	ラベル	lbl

プロパティを変更する

ワークシートに配置されたコントロールはさまざまなプロパティを持っています。プロパティを変更するにはプロパティウィンドウを表示します。

ここでは、コマンドボタンのオブジェクト名とボタンの表示名を変更します。

❶ 配置したコマンドボタンを選択した状態で［開発］タブの［コントロール］の

［プロパティ］をクリックする。
→プロパティウィンドウが表示される

❷［(オブジェクト名)］をクリックし、右側の欄に「cmdComment」と入力する。

❸［Caption］をクリックし、右側の欄に「コメント表示」と入力する。
→ボタンの表示名が「コメント表示」に変わる。

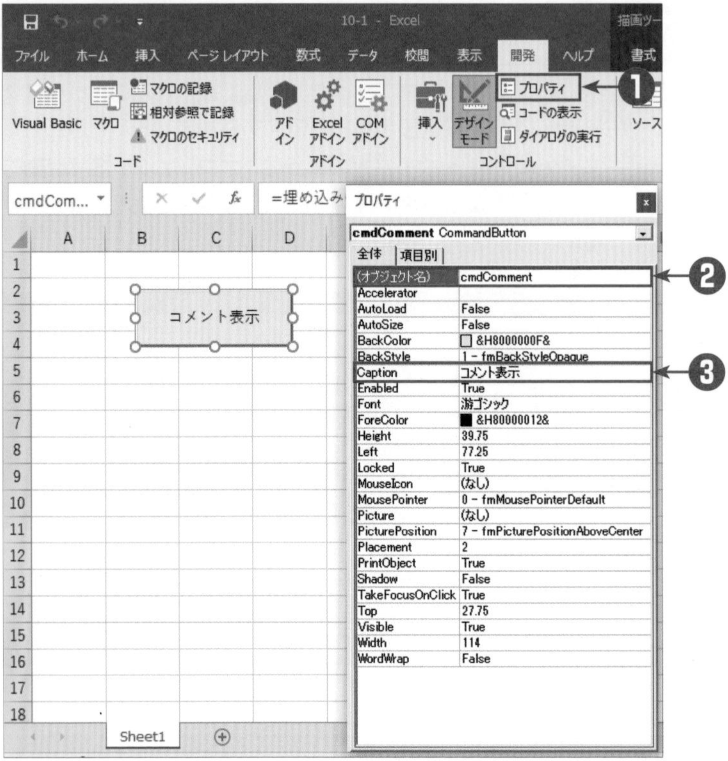

■ デザインモード

コントロールを編集するには、デザインモードにする必要があります。[開発] タブの [コントロール] の [デザインモード] をクリックすると、オンとオフが切り替わります。デザインモードがオンの場合にのみ、プロパティを変更したり、コントロールの大きさや位置を変更することができます。

ヒント

フォームコントロールとの違い

コントロールには、フォームコントロールとActiveXコントロールがあります。ActiveXコントロールはプロパティを設定したり、イベントを発生させることができます。たとえば、コマンドボタンをクリックしたときだけではなく、マウスをポイントしたり、ダブルクリックしたときなどのイベントが発生したときの処理を記述することができます。フォームコントロールのコマンドボタンにはマクロを登録することができますが、プロパティを設定したり、イベントを発生させることはできません。
コマンドボタンをクリックしたときにマクロを実行させるだけなら、フォームコントロールのほうが簡単に使用できます。フォームコントロールの作成手順は、第5章の「30 ボタンをクリックして処理を実行するには」を参照して下さい。

2 イベントプロシージャを作成するには

　コマンドボタンをクリックしたときなどにイベントが発生します。イベントが発生したときの処理を記述するために「イベントプロシージャ」を作成します。

イベントとは

　イベントは、ユーザーが特定の操作を行ったときに発生します。たとえば、コマンドボタンをクリックしたり、テキストボックスの内容を書き換えたりするとイベントが発生します。また、ブックを開いたり、セルの内容を書き換えたり、Excelを終了するなどの操作をしたときにもイベントは発生します。

イベントプロシージャとは

　イベントが発生すると、イベントプロシージャが実行されます。イベントプロシージャには、イベントが発生したときにどのような処理をするかを記述します。今まで作成してきたプロシージャは、プロシージャ名を任意につけることができましたが、イベントプロシージャは「オブジェクト名_イベント名()」という形式に決まっています。

```
書式　Private Sub ＜オブジェクト名＞_＜イベント名＞()
　　　　・
　　　　・
　　　End Sub
```

　イベントプロシージャは、今まで作成してきた標準モジュールではなく、コントロールが配置されたワークシートのシートモジュールに作成されます。

イベントプロシージャを作成する

　コマンドボタンcmdCommentをクリックしたときにメッセージが表示されるように、イベントプロシージャを作成します。

❶［開発］タブの［コントロール］の［デザインモード］をクリックして、デザインモードをオンにする。

❷コマンドボタンcmdCommentをダブルクリックする。

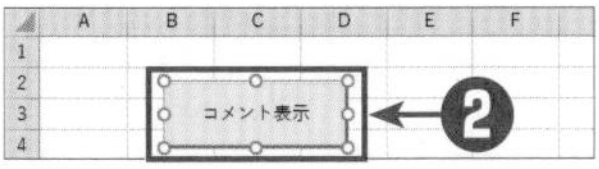

❸ コードウィンドウが表示され、自動的に「cmdComment_Click」というイベントプロシージャが作成される。

❹ 次のコードを記述する。

❺ [表示Microsoft Excel] をクリックして、Excelに切り替える。

❻ [開発] タブの [コントロール] の [デザインモード] をクリックして、デザインモードをオフにする。

❼ コマンドボタンcmdCommentをクリックするとメッセージボックスが表示される。

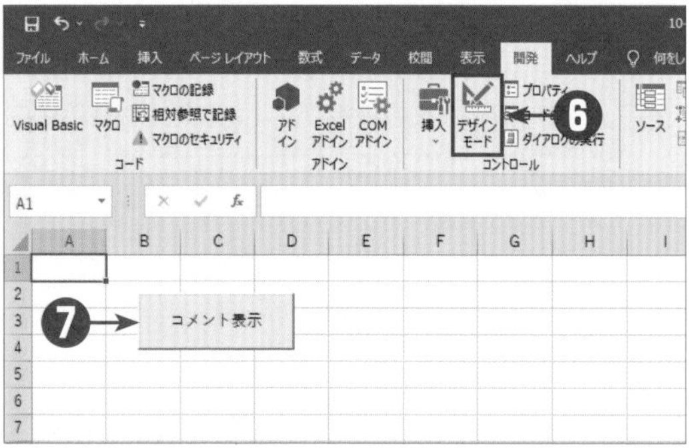

ヒント

イベントの選択

コントロールは複数のイベントを持っています。コントロールをダブルクリックすると、コントロールの既定のイベントのイベントプロシージャが作成されます。既定のイベント以外のイベントプロシージャを作成するには、コードウィンドウの [オブジェクト] ボックスでオブジェクト名を選択し、[プロシージャ] ボックスでイベントを選択します。

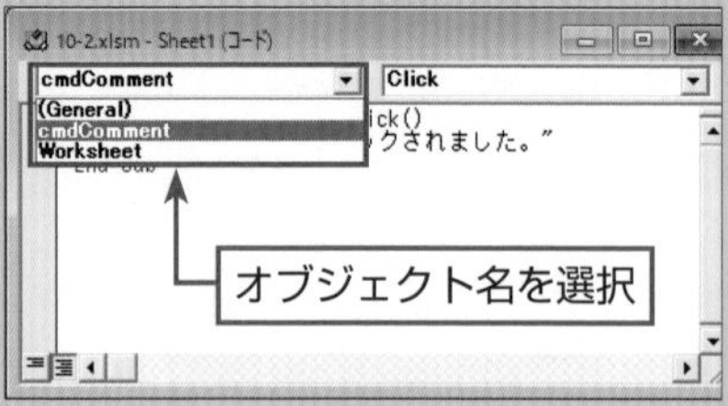

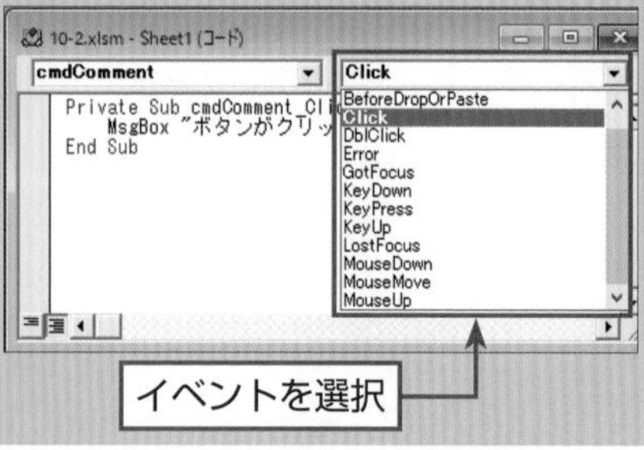

3 テキストボックスを作成するには

テキストボックスは、ユーザーに文字や数値などを入力させるためのコントロールです。

テキストボックスの主なプロパティ

●Valueプロパティ　[バリュー]

テキストボックスに入力された値を保持する。

●Textプロパティ　[テキスト]

テキストボックスに入力された値を保持する。

■ マクロでプロパティの値を操作する

テキストボックスに入力された値はValueプロパティ、またはTextプロパティを使用して取得することができます。テキストボックスtxtCodeに入力された値を、セルB2に代入するには次のように記述します。

```
Range("B2").Value = txtCode.Value
```

テキストボックスを作成する

ワークシートにテキストボックスを作成します。

❶ [開発] タブの [コントロール] の [挿入] をクリックする。

❷ 一覧から abl [テキストボックス (ActiveXコントロール)] をクリックする。

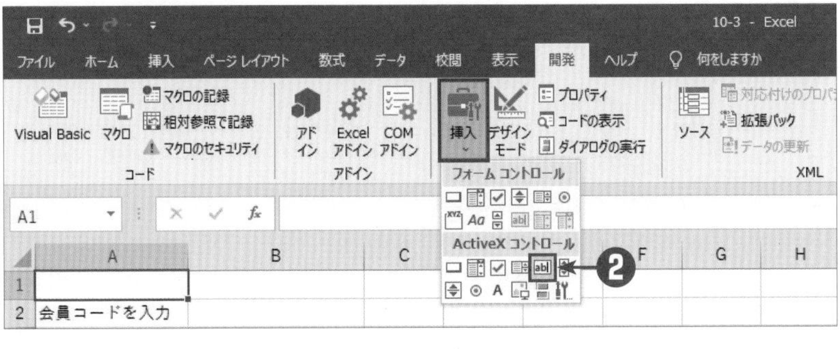

❸ テキストボックスを配置したい位置の左上から右下方向にドラッグする。

❹ プロパティウィンドウを表示してテキストボックスのオブジェクト名を「txtCode」に変更する。

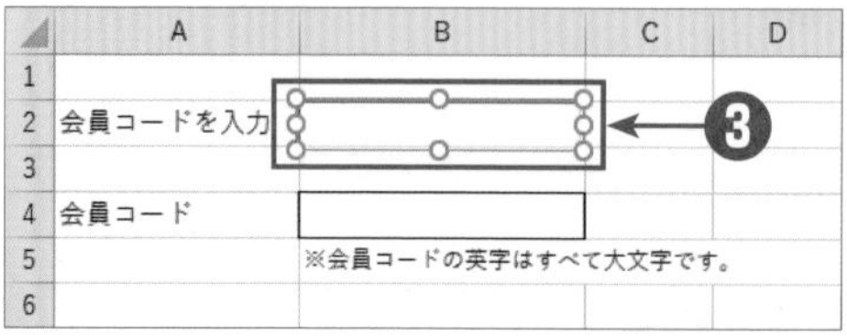

イベントプロシージャを作成する

テキストボックスtxtCodeに小文字で入力された英字を大文字に変換してセルB4に表示するイベントプロシージャを作成します。

❶ テキストボックスtxtCodeをダブルクリックする。

❷ コードウィンドウが表示され、自動的に「txtCode_Change」というイベントプロシージャが作成される。

❸ 次のコードを記述する。(色文字部分)

```
Private Sub txtCode_Change()
    Range("B4").Value = StrConv(txtCode.Value, vbUpperCase)
End Sub
```

❹ [表示Microsoft Excel] をクリックして、Excelに切り替える。

❺ [開発] タブの [コントロール] の [デザインモード] をクリックして、デザインモードをオフにする。

❻ テキストボックスtxtCodeに小文字の英字を入力すると大文字に変換されてセルB4に表示される。

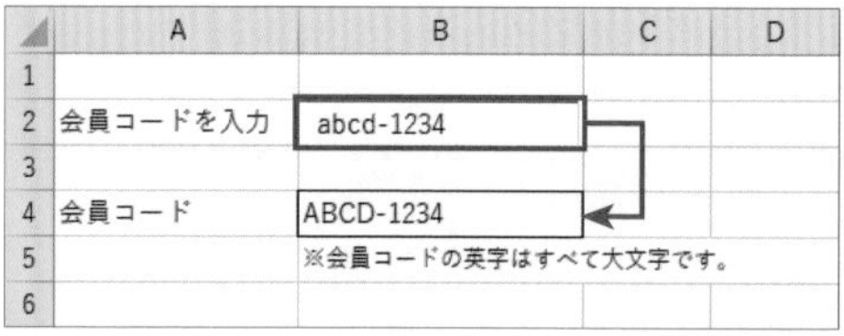

ヒント

テキストボックスに複数行入力できるようにするには

既定の状態では、テキストボックスの幅いっぱいに文字が入力されても、文字は折り返されません。複数行に入力するには、MultiLineプロパティをTrueに設定します。また、テキストボックス内でEnterキーを押すと改行できるようにするには、EnterKeyBehaviorプロパティをTrueに設定します。

4 オプションボタンを作成するには

オプションボタンは、複数の項目の中から選択したい項目をクリックして、1つを選択するためのコントロールです。

オプションボタンの主なプロパティ

●Captionプロパティ　［キャプション］

オプションボタンに表示する文字列を指定する。

●Valueプロパティ　［バリュー］

オプションボタンがオンになるとTrue、オフになるとFalseが設定される。

オプションボタンを作成する

ワークシートにオプションボタンを2つ作成します。

❶［開発］タブの［コントロール］の［挿入］をクリックする。
❷一覧から［オプションボタン（ActiveXコントロール）］をクリックする。
❸オプションボタンを配置したい位置の左上から右下方向にドラッグする。
❹プロパティウィンドウでオプションボタンのオブジェクト名を「optTakeout」に、Captionプロパティを「テイクアウト」に設定する。
❺同様にオプションボタンを作成し、オブジェクト名を「optEatin」に、Captionプロパティを「店内飲食」に設定する。

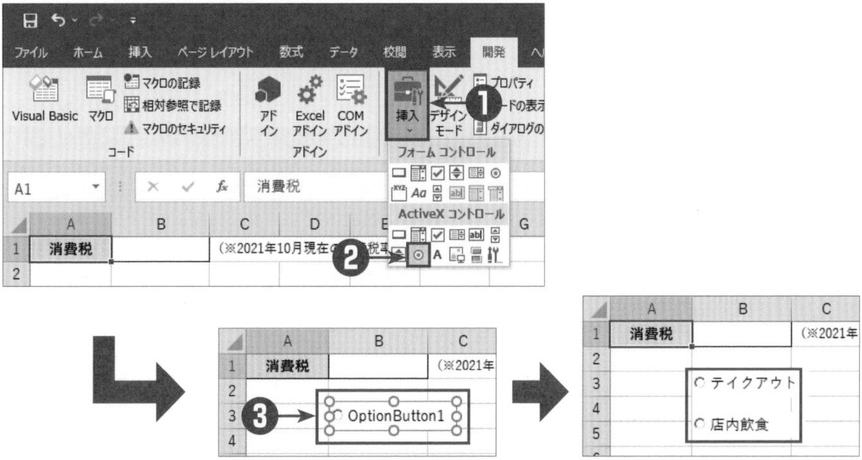

イベントプロシージャを作成する

オプションボタンoptTakeoutを選択した場合は「8%」、オプションボタンoptEatinを選択した場合は「10%」とセルB1に表示するイベントプロシージャを作成します。

❶ オプションボタンoptTakeoutをダブルクリックする。

❷ コードウィンドウが表示され、自動的に「optTakeout_Click」というイベントプロシージャが作成される。

❸ 次のコードを記述する。(色文字部分)

```
Private Sub optTakeout_Click()
    Range("B1").Value = 0.08
End Sub
```

❹ コードウィンドウの[オブジェクト]ボックスでoptEatinを選択する。

❺ 自動的に「optEatin _Click」というイベントプロシージャが作成される。

❻ 次のコードを記述する。(色文字部分)

```
Private Sub optEatin_Click()
    Range("B1").Value = 0.1
End Sub
```

❼ [表示Microsoft Excel]をクリックして、Excelに切り替える。

❽ オプションボタンoptEatinをクリックすると「8%」、オプションボタンoptEatinをクリックすると「10%」とセルB1に表示される

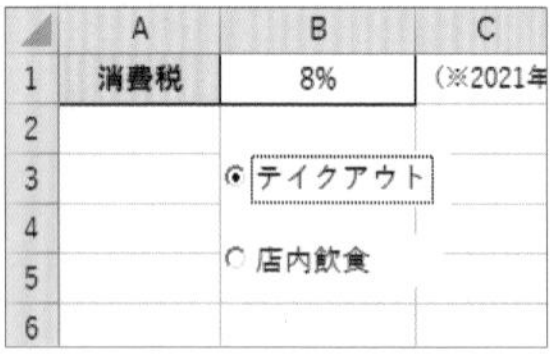

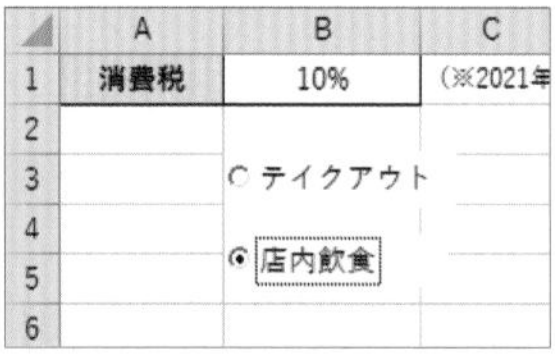

ヒント

オプションボタンのグループ化

ワークシートに複数のオプションボタンを作成した場合、いずれかのオプションボタンをオンにすると、他のオプションボタンはオフになります。1つのワークシート内で複数の種類を選択させるには、オプションボタンをグループ分けする必要があります。グループ分けするには、同じグループにしたいオプションボタンに同じGroupNameプロパティを設定します。

5 コンボボックスを作成するには

コンボボックスは、選択肢をドロップダウンリスト形式で表示し、一覧から1つの項目を選択するためのコントロールです。

コンボボックスの主なプロパティ

●ListFillRangeプロパティ　［リストフィルレンジ］

ワークシートのセル範囲を指定すると、セルの内容がコンボボックスの選択肢に設定される。選択肢となるデータは同じ列に入力する必要がある。

●Styleプロパティ　［スタイル］

fmStyleDropDownComboに設定すると選択肢以外にもユーザーが自由に文字を入力でき、fmStyleDropDownListに設定すると選択肢以外は選択できない。

●Valueプロパティ　［バリュー］

コンボボックスの一覧から選択された値はValueプロパティに格納される。

●ListIndexプロパティ　［リストインデックス］

コンボボックスで選択されている行のインデックスが格納される。一覧の最初の行は0、2番目の行は1のようになる。

コンボボックスを作成する

ワークシートにコンボボックスを作成します。

❶［開発］タブの［コントロール］の［挿入］をクリックする。
❷一覧から［コンボボックス（ActiveXコントロール）］をクリックする。
❸コンボボックスを配置したい位置の左上から右下方向にドラッグする。
❹プロパティウインドウでコンボボックスのオブジェクト名を「cboSize」、ListFillRangeプロパティを「D2:D4」に設定する。

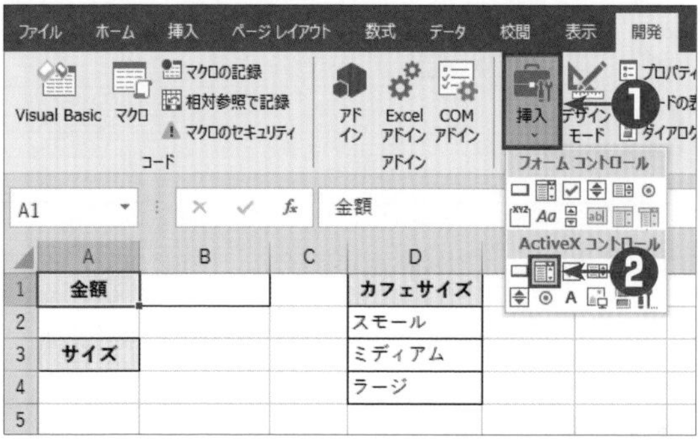

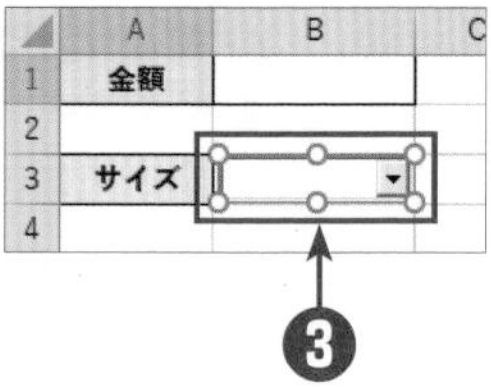

イベントプロシージャを作成する

コンボボックスcboSizeでスモールを選択すると「220」、ミディアムを選択すると「330」、ラージを選択すると「440」とセルB1に表示するイベントプロシージャを作成します。

❶ コンボボックスcboSizeをダブルクリックする。

❷ コードウィンドウが表示され、自動的に「cboSize_Change」というイベントプロシージャが作成される。

❸ 次のコードを記述する。（色文字部分）

```
Private Sub cboSize_Change()
    Select Case cboSize.Value
        Case "スモール"
            Range("B1").Value = 220
        Case "ミディアム"
            Range("B1").Value = 330
        Case "ラージ"
            Range("B1").Value = 440
    End Select
End Sub
```

❹ ［表示Microsoft Excel］をクリックして、Excelに切り替える。

❺［開発］タブの［コントロール］の［デザインモード］をクリックして、デザインモードをオフにする。

❻ コンボボックスcboSizeでスモールを選択すると「220」、ミディアムを選択すると「330」、ラージを選択すると「440」とセルB1に表示される。

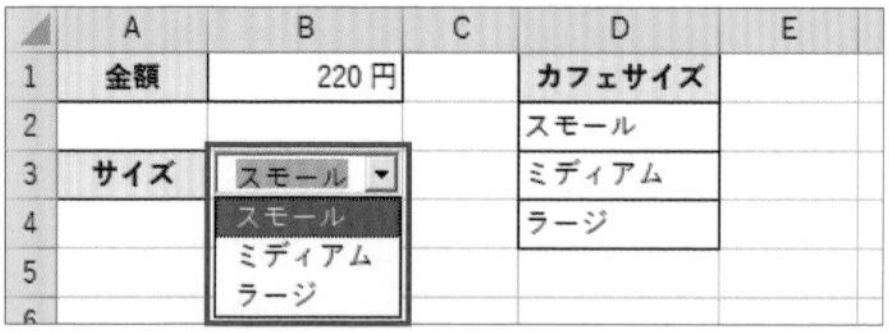

◀セルB1には「円」の表示形式が設定されている。

6 チェックボックスを作成するには

チェックボックスは項目をクリックしてオンとオフの2つの状態を選択するためのコントロールです。

チェックボックスの主なプロパティ

●Captionプロパティ　[キャプション]

チェックボックスに表示する文字列を指定する。

●Valueプロパティ　[バリュー]

チェックボックスがオンになるとTrue、オフになるとFalseが設定される。

チェックボックスを作成する

ワークシートにチェックボックスを作成します。

❶ [開発] タブの [コントロール] の [挿入] をクリックする。
❷ 一覧から [チェックボックス (ActiveXコントロール)] をクリックする。
❸ チェックボックスを配置したい位置の左上から右下方向にドラッグする。
❹ プロパティウィンドウでチェックボックスのオブジェクト名を「chkCoupon」に、Captionプロパティを「クーポン利用」に設定する。

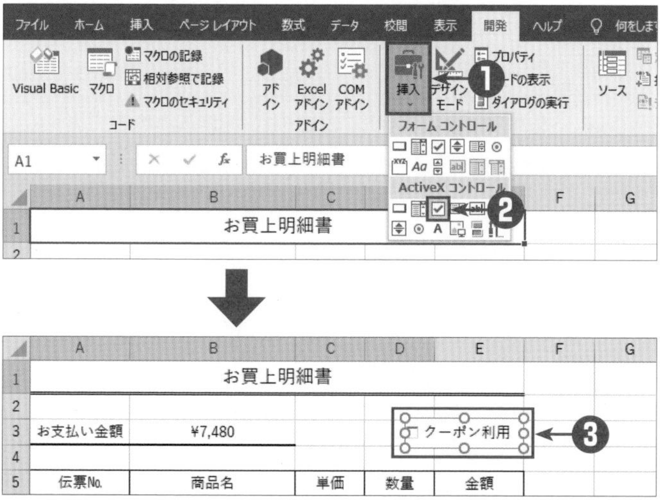

イベントプロシージャを作成する

チェックボックスchkCouponをオンにするとクーポン利用の割引が適用され、小計の5%がセルE13に表示されるイベントプロシージャを作成します。

❶ チェックボックスchkCouponをダブルクリックする。

❷ コードウィンドウが表示され、自動的に「chkCoupon_Click」というイベントプロシージャが作成される。

❸ 次のコードを記述する。（色文字部分）

```
Private Sub chkCoupon_Click()
    If chkCoupon.Value = True Then
        Range("E13").Value = Range("E12") * 0.05
    Else
        Range("E13").Value = 0
    End If
End Sub
```

❹ [表示Microsoft Excel] をクリックして、Excelに切り替える。

❺ [開発] タブの [コントロール] の [デザインモード] をクリックして、デザインモードをオフにする。

❻ チェックボックスchkCouponをオンにすると割引額がセルE13に表示される。

	A	B	C	D	E	F
1		お買上明細書				
2						
3	お支払い金額	¥7,106		☑クーポン利用		
4						
5	伝票No.	商品名	単価	数量	金額	
6	2021-111	ハンバーグ弁当	650	2	1,300	
7	2021-111	唐揚げ弁当	590	3	1,770	
8	2021-111	幕の内弁当	790	1	790	
9	2021-111	とくのり弁当	390	3	1,170	
10	2021-112	ミニサラダ	150	8	1,200	
11	2021-112	豚汁	250	5	1,250	
12			小計		7,480	
13			クーポン割引		374	
14			合計		7,106	

❼ チェックボックスchkCouponをオフにするとセルE13に「0」と表示される。

	A	B	C	D	E	F
1		お買上明細書				
2						
3	お支払い金額	¥7,480		☐クーポン利用		
4						
5	伝票No.	商品名	単価	数量	金額	
6	2021-111	ハンバーグ弁当	650	2	1,300	
7	2021-111	唐揚げ弁当	590	3	1,770	
8	2021-111	幕の内弁当	790	1	790	
9	2021-111	とくのり弁当	390	3	1,170	
10	2021-112	ミニサラダ	150	8	1,200	
11	2021-112	豚汁	250	5	1,250	
12			小計		7,480	
13			クーポン割引		0	
14			合計		7,480	

第11章 集計の基本

VBAのコードを記述することで、Excelの機能や関数を使用しただけでは実現できないさまざまな集計を実現することができます。この章では、基本的な集計のサンプルプログラムを作成する方法を紹介します。

1 集計行を挿入するには

入力された表を、指定した項目ごとに集計するプログラムを作成します。

● プログラムの流れ

商品コードを昇順に並べ替えます。同じ商品コードの金額の小計を求め、商品コードが変わったときに行を挿入し、挿入した行に求めた小計を表示します。

（実行前）

10月売上

日付	商品コード	商品名	単価	数量	金額
10月1日	C0002	コロンビア	600	20	12,000
10月3日	C0004	マンデリン	500	19	9,500
10月5日	C0003	ブルーマウンテン	2,000	15	30,000
10月6日	C0005	キリマンジャロ	900	25	22,500
10月8日	C0002	コロンビア	600	39	23,400
10月9日	C0005	キリマンジャロ	900	13	11,700
10月10日	C0001	ブラジル	600	28	16,800
10月12日	C0006	グアテマラ	550	41	22,550
10月13日	C0004	マンデリン	500	27	13,500
10月14日	C0004	マンデリン	500	45	22,500
10月16日	C0005	キリマンジャロ	900	21	18,900
10月17日	C0003	ブルーマウンテン	2,000	21	42,000
10月19日	C0006	グアテマラ	550	45	24,750
10月21日	C0001	ブラジル	600	17	10,200
10月23日	C0003	ブルーマウンテン	2,000	30	60,000

売上

（実行後）

❶ 商品コードの昇順に並べ替える

❷ 商品コードが変わるときに、行を挿入し、商品別の小計を表示する

10月売上

日付	商品コード	商品名	単価	数量	金額
10月10日	C0001	ブラジル	600	28	16,800
10月21日	C0001	ブラジル	600	17	10,200
				小計	27,000
10月1日	C0002	コロンビア	600	20	12,000
10月8日	C0002	コロンビア	600	39	23,400
10月23日	C0002	コロンビア	600	20	12,000
10月27日	C0002	コロンビア	600	27	16,200
10月27日	C0002	コロンビア	600	13	7,800
				小計	71,400
10月5日	C0003	ブルーマウンテン	2,000	15	30,000
10月17日	C0003	ブルーマウンテン	2,000	21	42,000
10月23日	C0003	ブルーマウンテン	2,000	30	60,000
10月25日	C0003	ブルーマウンテン	2,000	10	20,000
10月29日	C0003	ブルーマウンテン	2,000	36	72,000
				小計	224,000

売上

● 用意する変数

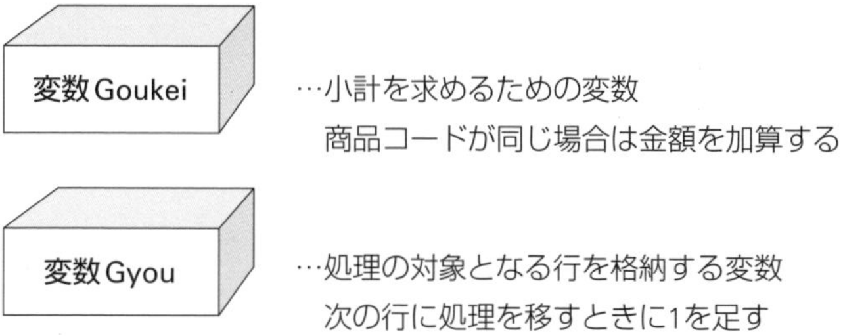

● 小計を求める処理手順

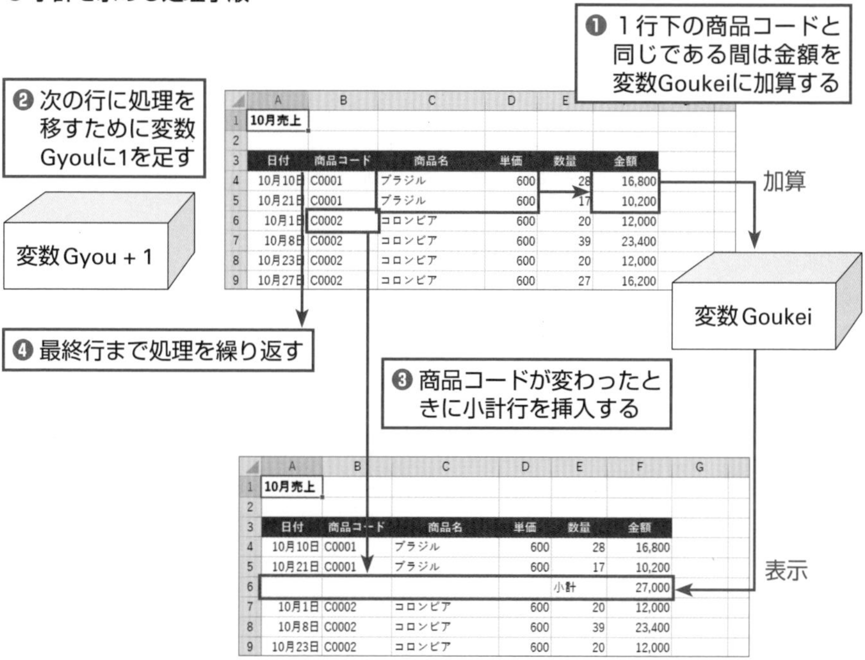

● 変数の上書き

次の行に処理を移すために変数Gyouに1を足すには、次のように記述します。

```
Gyou = Gyou + 1
```

変数Gyouに1を足した結果を変数Gyouに代入

変数Gyouに1を足した結果を変数Gyouに代入することで、変数Gyouの値が1ずつ増えることになります。同様に「Goukei = Goukei + Cells(4, 6).Value」という記述は、セルF4の値を変数Goukeiに加算するという意味になります。

商品別に集計するマクロを作成する

商品別集計表を作成するためのマクロを新規に作成します。

❶ サンプルファイルの「11-1.xlsm」を開く。

	A	B	C	D	E	F	G
1	10月売上						
2							
3	日付	商品コード	商品名	単価	数量	金額	
4	10月1日	C0002	コロンビア	600	20	12,000	
5	10月3日	C0004	マンデリン	500	19	9,500	
6	10月5日	C0003	ブルーマウンテン	2,000	15	30,000	
7	10月6日	C0005	キリマンジャロ	900	25	22,500	
8	10月8日	C0002	コロンビア	600	39	23,400	
9	10月9日	C0005	キリマンジャロ	900	13	11,700	
10	10月10日	C0001	ブラジル	600	28	16,800	
11	10月12日	C0006	グアテマラ	550	41	22,550	
12	10月13日	C0004	マンデリン	500	27	13,500	
13	10月14日	C0004	マンデリン	500	45	22,500	
14	10月16日	C0005	キリマンジャロ	900	21	18,900	
15	10月17日	C0003	ブルーマウンテン	2,000	21	42,000	
16	10月19日	C0006	グアテマラ	550	45	24,750	
17	10月21日	C0001	ブラジル	600	17	10,200	
18	10月23日	C0003	ブルーマウンテン	2,000	30	60,000	

売上

▲ワークシート「売上」は日付順に売上データが入力されている。

❷ [開発] タブの [コード] の [Visual Basic] をクリックして、VBEを起動する。

❸ [挿入] メニューの [標準モジュール] をクリックして、モジュールシートを挿入する。

❹ コードウィンドウは入力しやすいように最大化にする。

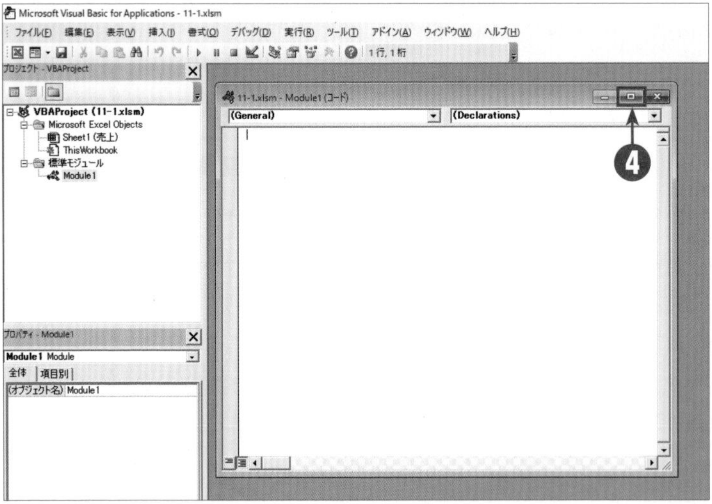

❺ プロシージャ「商品別集計」を新規に作成する。次のコードを記述する。

```
Sub 商品別集計()
    Dim Gyou As Long
    Dim Goukei As Long    ]←❶
```

```
    With ActiveSheet.Sort
        .SortFields.Clear
        .SortFields.Add Key:=Range("B4"), SortOn:=xlSortOnValues, _
            Order:=xlAscending
        .SetRange Range("A3").CurrentRegion
        .Header = xlYes
        .Apply
    End With
    Gyou = 4
    Do Until Cells(Gyou, 2).Value = ""
        Goukei = Goukei + Cells(Gyou, 6).Value
        If Cells(Gyou, 2).Value <> Cells(Gyou + 1, 2).Value Then
            Gyou = Gyou + 1
            Rows(Gyou).Insert
            Cells(Gyou, 5).Value = "小計"
            Cells(Gyou, 6).Value = Goukei
            Goukei = 0
        End If
        Gyou = Gyou + 1
    Loop
End Sub
```

■ コードの説明

各行のコードの処理を説明します。

❶ 次の変数を宣言する。

・行数を格納するためのLong型の変数Gyou

・小計を格納するためのLong型の変数Goukei

❷ 商品コードの昇順に並べ替える。

❸ 4行目から処理を行うために、変数Gyouに4を代入する。

❹ 処理の対象となる行（変数Gyouの値）のB列が空白になるまで、❺～❼の処理を繰り返す。

▲B列が空白であるかを判定することで、表の最終行であるかを調べている。

❺ 処理の対象となる行（変数Gyouの値）の金額を変数Goukeiに加算する。

❻ 処理の対象となる行（変数Gyouの値）の商品コードと1行下の商品コードが異なる場合は、次の処理を行う。

・1つ下の行に小計行を挿入するために、変数Gyouに1を足す。

・行を挿入する。

・挿入した行の5列目のセルに「小計」と表示する。

・挿入した行の6列目のセルに変数Goukeiの値を表示する。

・次の商品コードの合計を求めるために、変数Goukeiに0を代入する。

❼ 次の行に処理を移すために、変数Gyouに1を足す。

マクロを実行する

作成したマクロを実行します。ExcelとVBEの両方の画面を表示しておくと、VBAのプロシージャを見ながらExcelの実行結果を確認できます。

❶ ExcelとVBEの画面を並べて表示する。

❷ VBEのプロシージャ「商品別集計」内にカーソルを移動する。

❸ VBEの ▶ [Sub/ユーザーフォームの実行] ボタンをクリックする。 もしくはF5キーでも実行できる。

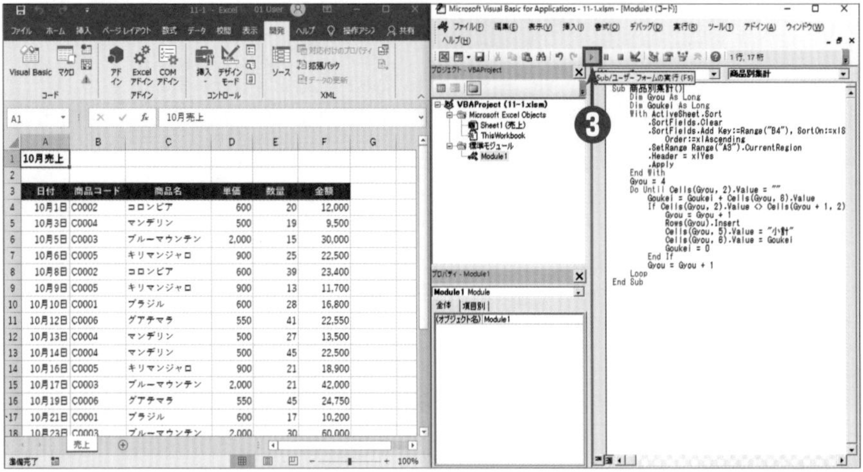

▲ウィンドウのサイズと位置を調整して2つのウィンドウが見えるようにしておく。Windowsキーを押しながら←キー、または→キーでウィンドウを左右に配置できる。

❹ プロシージャが実行され、商品コードの昇順に並べ替えられ、同じコードの下に行が挿入され金額の小計が表示されたことを確認する。

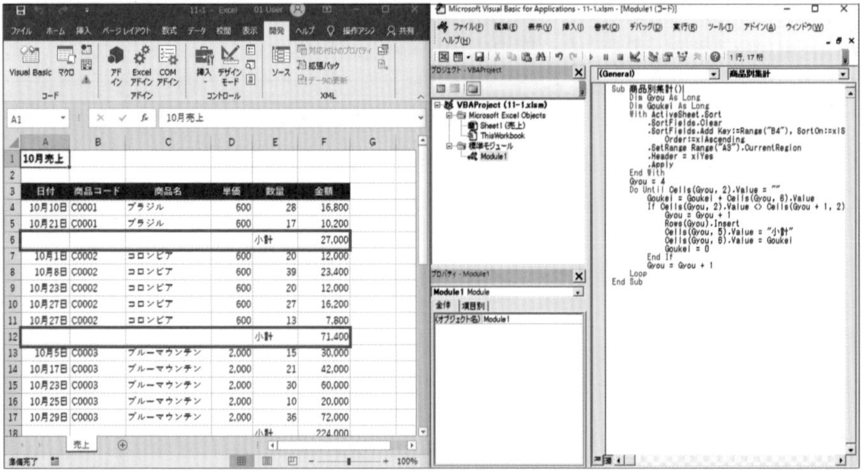

ヒント

プロシージャのステップ実行

プロシージャの実行時にF8キーを使うとステートメントを1行ずつ実行できます。F8キーを押すごとに黄色いハイライトが移動して、次に実行するステートメントを確認できます。プロシージャは［中断］モードになっているため、途中で中止する場合は ［リセット］ボタンをクリックします。

2 複数のシートから集計するには

商品コード順に並べられていない複数のワークシートをもとに商品別の売上を集計するプログラムを作成します。

● プログラムの流れ

ワークシート「10月」から「12月」に入力されている数量を、ワークシート「商品別集計」の商品ごとの数量に加算します。各月のワークシートは日付順に入力されています。

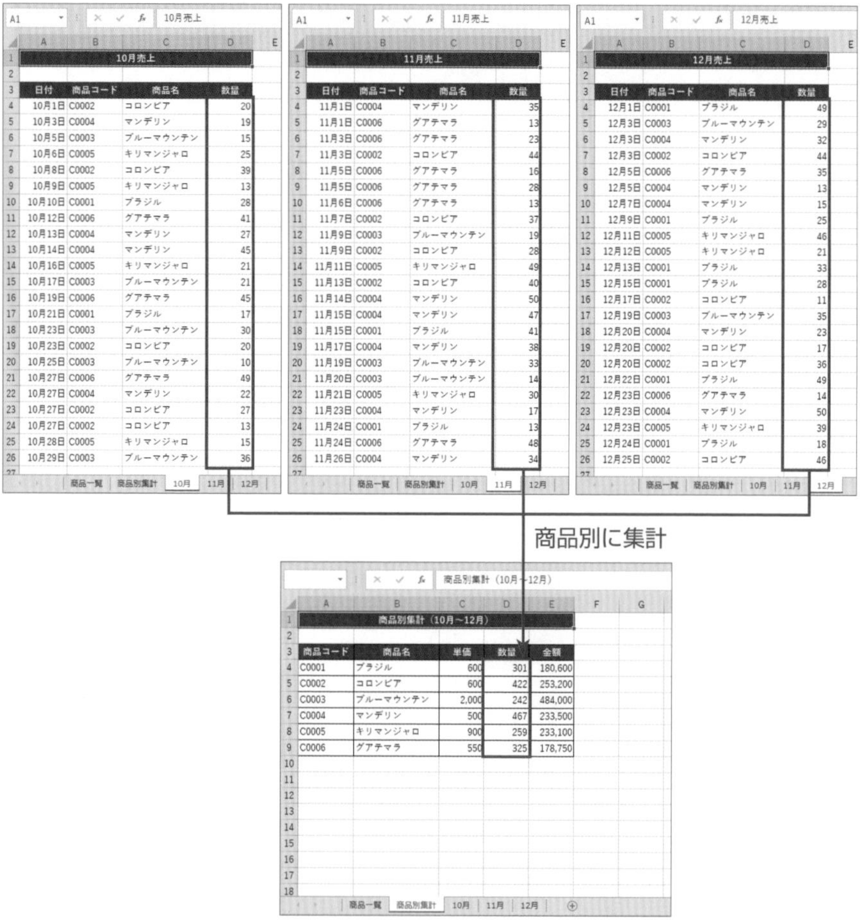

10月売上

日付	商品コード	商品名	数量
10月1日	C0002	コロンビア	20
10月3日	C0004	マンデリン	19
10月5日	C0003	ブルーマウンテン	15
10月6日	C0005	キリマンジャロ	25
10月8日	C0002	コロンビア	39
10月9日	C0005	キリマンジャロ	13
10月10日	C0001	ブラジル	28
10月12日	C0006	グアテマラ	41
10月13日	C0004	マンデリン	27
10月14日	C0004	マンデリン	45
10月16日	C0005	キリマンジャロ	21
10月17日	C0003	ブルーマウンテン	21
10月19日	C0006	グアテマラ	45
10月21日	C0001	ブラジル	17
10月23日	C0003	ブルーマウンテン	30
10月23日	C0002	コロンビア	20
10月25日	C0003	ブルーマウンテン	10
10月27日	C0006	グアテマラ	49
10月27日	C0004	マンデリン	22
10月27日	C0002	コロンビア	27
10月27日	C0002	コロンビア	13
10月28日	C0005	キリマンジャロ	15
10月29日	C0003	ブルーマウンテン	36

11月売上

日付	商品コード	商品名	数量
11月1日	C0004	マンデリン	35
11月1日	C0006	グアテマラ	13
11月3日	C0006	グアテマラ	23
11月3日	C0002	コロンビア	44
11月5日	C0006	グアテマラ	16
11月5日	C0006	グアテマラ	28
11月6日	C0006	グアテマラ	13
11月7日	C0002	コロンビア	37
11月9日	C0003	ブルーマウンテン	19
11月9日	C0002	コロンビア	28
11月11日	C0005	キリマンジャロ	49
11月13日	C0002	コロンビア	40
11月14日	C0004	マンデリン	50
11月15日	C0004	マンデリン	47
11月15日	C0001	ブラジル	41
11月17日	C0004	マンデリン	38
11月19日	C0003	ブルーマウンテン	33
11月20日	C0003	ブルーマウンテン	14
11月21日	C0005	キリマンジャロ	30
11月23日	C0004	マンデリン	17
11月24日	C0001	ブラジル	13
11月24日	C0006	グアテマラ	48
11月26日	C0004	マンデリン	34

12月売上

日付	商品コード	商品名	数量
12月1日	C0001	ブラジル	49
12月3日	C0003	ブルーマウンテン	29
12月3日	C0004	マンデリン	32
12月3日	C0002	コロンビア	44
12月5日	C0006	グアテマラ	35
12月5日	C0004	マンデリン	13
12月7日	C0004	マンデリン	15
12月9日	C0001	ブラジル	25
12月11日	C0005	キリマンジャロ	46
12月12日	C0005	キリマンジャロ	21
12月13日	C0001	ブラジル	33
12月15日	C0001	ブラジル	28
12月17日	C0002	コロンビア	11
12月19日	C0003	ブルーマウンテン	35
12月20日	C0004	マンデリン	23
12月20日	C0002	コロンビア	17
12月20日	C0002	コロンビア	36
12月22日	C0001	ブラジル	49
12月23日	C0006	グアテマラ	14
12月23日	C0004	マンデリン	50
12月23日	C0005	キリマンジャロ	39
12月24日	C0001	ブラジル	18
12月25日	C0002	コロンビア	46

商品別集計（10月～12月）

商品コード	商品名	単価	数量	金額
C0001	ブラジル	600	301	180,600
C0002	コロンビア	600	422	253,200
C0003	ブルーマウンテン	2,000	242	484,000
C0004	マンデリン	500	467	233,500
C0005	キリマンジャロ	900	259	233,100
C0006	グアテマラ	550	325	178,750

● 用意する変数

複数のワークシートを扱う場合、どのワークシートのセルを参照するのかを明確にする必要があります。処理するワークシートや行を表す変数には、わかりやすい名前を付けるようにしましょう。

変数Tuki　…処理の対象となる月を格納するための変数

変数TukiSheet　…月別のワークシートを参照するためのオブジェクト変数

変数SyukeiSheet　…ワークシート「商品別集計」を参照するためのオブジェクト変数

変数TukiRow　…月別のワークシートの行を格納するための変数

変数SyukeiRow　…ワークシート「商品別集計」の行を格納するための変数

● 商品別の数量を集計する処理手順

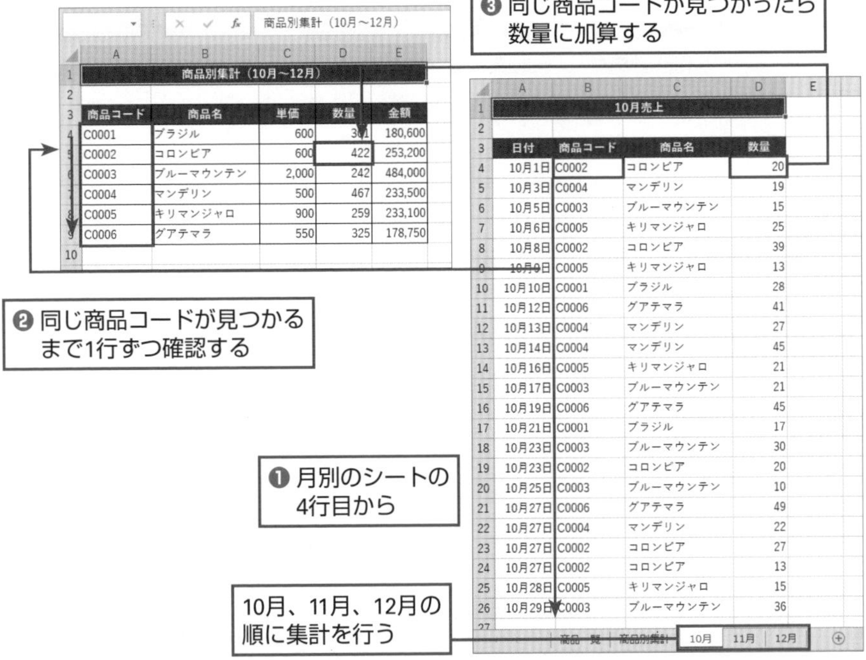

商品別集計（10月～12月）

商品コード	商品名	単価	数量	金額
C0001	ブラジル	600	301	180,600
C0002	コロンビア	600	422	253,200
C0003	ブルーマウンテン	2,000	242	484,000
C0004	マンデリン	500	467	233,500
C0005	キリマンジャロ	900	259	233,100
C0006	グアテマラ	550	325	178,750

10月売上

日付	商品コード	商品名	数量
10月1日	C0002	コロンビア	20
10月3日	C0004	マンデリン	19
10月5日	C0003	ブルーマウンテン	15
10月6日	C0005	キリマンジャロ	25
10月8日	C0002	コロンビア	39
10月9日	C0005	キリマンジャロ	13
10月10日	C0001	ブラジル	28
10月12日	C0006	グアテマラ	41
10月13日	C0004	マンデリン	27
10月14日	C0004	マンデリン	45
10月16日	C0005	キリマンジャロ	21
10月17日	C0003	ブルーマウンテン	21
10月19日	C0006	グアテマラ	45
10月21日	C0001	ブラジル	17
10月23日	C0003	ブルーマウンテン	30
10月23日	C0002	コロンビア	20
10月25日	C0003	ブルーマウンテン	10
10月27日	C0006	グアテマラ	49
10月27日	C0004	マンデリン	22
10月27日	C0002	コロンビア	27
10月27日	C0002	コロンビア	13
10月28日	C0005	キリマンジャロ	15
10月29日	C0003	ブルーマウンテン	36

● セルの上書き

セルに他のセルの値を加算するには次のように記述します。

```
Range("D4") = Range("D4") + Range("E4")
```

セルD4にセルE4の値を加算した結果をセルD4に代入する

関数を使ってもセルの値を置き換えることはできませんが、VBAではセルの値を上書きする記述ができます。

商品別集計表を作成するマクロを作成する

商品別の集計を行うためのマクロを新規に作成します。

❶ サンプルファイルの「11-2.xlsm」を開く。

商品別集計（10月～12月）

商品コード	商品名	単価	数量	金額
C0001	ブラジル	600		
C0002	コロンビア	600		
C0003	ブルーマウンテン	2000		
C0004	マンデリン	500		
C0005	キリマンジャロ	900		
C0006	グアテマラ	550		

▲ワークシート「商品別集計」の「数量」のセルにワークシート「10月」「11月」「12月」の数量を集計する。

10月売上

日付	商品コード	商品名	数量
10月1日	C0002	コロンビア	20
10月3日	C0004	マンデリン	19
10月5日	C0003	ブルーマウンテン	15
10月6日	C0005	キリマンジャロ	25
10月8日	C0002	コロンビア	39
10月9日	C0005	キリマンジャロ	13
10月10日	C0001	ブラジル	28
10月12日	C0006	グアテマラ	41
10月13日	C0004	マンデリン	27
10月14日	C0004	マンデリン	45
10月16日	C0005	キリマンジャロ	21
10月17日	C0003	ブルーマウンテン	21
10月19日	C0006	グアテマラ	45
10月21日	C0001	ブラジル	17
10月23日	C0003	ブルーマウンテン	30

11月売上

日付	商品コード	商品名	数量
11月1日	C0004	マンデリン	35
11月1日	C0006	グアテマラ	13
11月3日	C0006	グアテマラ	23
11月3日	C0002	コロンビア	44
11月5日	C0006	グアテマラ	16
11月5日	C0006	グアテマラ	28
11月6日	C0006	グアテマラ	13
11月7日	C0002	コロンビア	37
11月9日	C0003	ブルーマウンテン	19
11月9日	C0002	コロンビア	28
11月11日	C0005	キリマンジャロ	49
11月13日	C0002	コロンビア	40
11月14日	C0004	マンデリン	50
11月15日	C0004	マンデリン	47
11月15日	C0001	ブラジル	41

12月売上

日付	商品コード	商品名	数量
12月1日	C0001	ブラジル	49
12月3日	C0003	ブルーマウンテン	29
12月3日	C0004	マンデリン	32
12月3日	C0002	コロンビア	44
12月5日	C0006	グアテマラ	35
12月5日	C0004	マンデリン	13
12月7日	C0004	マンデリン	15
12月9日	C0001	ブラジル	25
12月11日	C0005	キリマンジャロ	46
12月12日	C0005	キリマンジャロ	21
12月13日	C0001	ブラジル	33
12月15日	C0001	ブラジル	28
12月17日	C0002	コロンビア	11
12月19日	C0003	ブルーマウンテン	35
12月20日	C0004	マンデリン	23

▲ワークシート「10月」「11月」「12月」には日付ごとに売上商品の数量が入力されている。

❷［開発］タブの［コード］の Visual Basic ［Visual Basic］をクリックして、VBEを起動する。

❸［挿入］メニューの［標準モジュール］をクリックして、モジュールシートを挿入する。

❹ プロシージャ「集計」を新規に作成する。次のコードを記述する。

```
Sub 集計()
    Dim Tuki As Integer
    Dim TukiSheet As Worksheet
    Dim SyukeiSheet As Worksheet          ←❶
    Dim TukiRow As Long
    Dim SyukeiRow As Long

    Set SyukeiSheet = Worksheets("商品別集計") ←❷
    SyukeiSheet.Range("D4:D9").ClearContents ←❸

    For Tuki = 10 To 12                                  ←❹ (For Tuki ～ Next Tuki)
        Set TukiSheet = Worksheets(Tuki & "月") ←❺
        For TukiRow = 4 To TukiSheet.Range("A4").End(xlDown).Row   ←❻ (For TukiRow ～ Next TukiRow)
            For SyukeiRow = 4 To 9                       ←❼ (For SyukeiRow ～ Next SyukeiRow)
            If SyukeiSheet.Cells(SyukeiRow, 1) = _        ←❽ (If ～ End If)
                    TukiSheet.Cells(TukiRow, 2) Then
                SyukeiSheet.Cells(SyukeiRow, 4) = _
                    SyukeiSheet.Cells(SyukeiRow, 4) + _
                    TukiSheet.Cells(TukiRow, 4)
                Exit For
            End If
            Next SyukeiRow
        Next TukiRow
    Next Tuki
End Sub
```

▲紙面の都合で⑧のコードを「 _」で区切って複数行に分けて記載している箇所がありますが、1行で記述して問題ありません。

■ コードの説明

各行のコードの処理を説明します。

❶ 次の変数を宣言する。

- 10月から12月までの繰り返し処理に使用するカウンター用のInteger型の変数Tuki
- 月別のワークシートを参照するためのWorksheet型のオブジェクト変数TukiSheet
- ワークシート「商品別集計」を参照するためのWorksheet型のオブジェクト変数SyukeiSheet
- 月別ワークシートの処理の対象となる行を格納するためのLong型の変数TukiRow
- ワークシート「商品別集計」の処理の対象となる行を格納するためのLong型の変数SyukeiRow

❷ オブジェクト変数SyukeiSheetにワークシート「商品別集計」への参照を設定する。

▲オブジェクト変数SyukeiSheetにワークシート「商品別集計」を参照設定することで、今後SyukeiSheetが指定されているセルはワークシート「商品別集計」のセルを示す。

❸ ワークシート「商品別集計」の「数量」の列の値を消去する。

▲前に集計した結果が残っていると、その値も集計の対象となってしまうので、集計を行うセルの値は消去する。

❹ 変数Tukiの値が10から12になるまで、各月のワークシートに❺～❽の処理を繰り返す。

▲年間集計を行うために、ワークシートが1月から12月まで存在している場合は、変数Tukiを1から12まで変化させる。

❺ オブジェクト変数TukiSheetに処理の対象となる月のワークシートへの参照を設定する。

▲変数Tukiが10のとき「(Tuki & "月")」は「10月」になるため、オブジェクト変数TukiSheetはワークシート「10月」を参照することになり、TukiSheetが指定されているセルはワークシート「10月」のセルを示す。

❻ 各月のワークシートの4行目から最終行まで❼～❽の処理を繰り返す。

▲変数TukiRowは月別ワークシートの行数を示す。

❼ ワークシート「商品別集計」の4行目から9行目まで❽の処理を繰り返す。

▲変数SyukeiRowは商品別集計ワークシートの行数を示す。

❽ ワークシート「商品別集計」の商品コードと月別ワークシートの商品コードが一致した場合は次の処理を行う。

・ワークシート「商品別集計」の変数SyukeiRowが示す行の4列目に、月別ワークシートの変数TukiRowの示す行の4列目の値を加算する。

❼のFor文の繰り返しを抜ける。

▲同じ商品コードが見つかったので、それ以降の行を検索する必要がないので繰り返しを抜ける。

マクロを実行する

作成したマクロを実行します。

❶ ExcelとVBEの画面を並べて表示する。

❷ VBEのプロシージャ「集計」内にカーソルを移動する。

❸ VBEの ▶ [Sub/ユーザーフォームの実行] ボタンをクリックする。もしくはF5キーを押す。

❹ プロシージャが実行され、ワークシート「商品別集計」に複数シートの数量が商品コードごとに集計される。

商品別集計（10月～12月）

商品コード	商品名	単価	数量	金額
C0001	ブラジル	600	301	180,600
C0002	コロンビア	600	422	253,200
C0003	ブルーマウンテン	2,000	242	484,000
C0004	マンデリン	500	467	233,500
C0005	キリマンジャロ	900	259	233,100
C0006	グアテマラ	550	325	178,750

▲セル「金額」には数量に値が入った場合に金額を求める数式が入力されている。

プログラムの作成

第12章

この章では、月別売上を読み込み支店別の売上データを作成するプログラム、特定の行のみを表示するプログラムを作成します。作成の流れとコードの解説を読みながら、総まとめとしてチャレンジしてみましょう。

1 月別の売上ファイルを結合するには

選択したフォルダーに保存されている複数の月別売上を結合するマクロを作成します。

● 売上ファイルを結合する流れ

フォルダーを選択するダイアログを表示し、指定されたフォルダーに保存されているすべてのファイルを読み込み、各ファイルのデータをワークシート「売上一覧」に追加します。

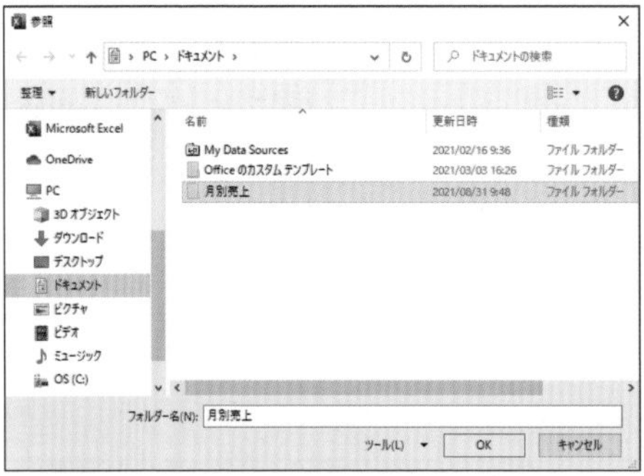

読み込むフォルダーを指定する

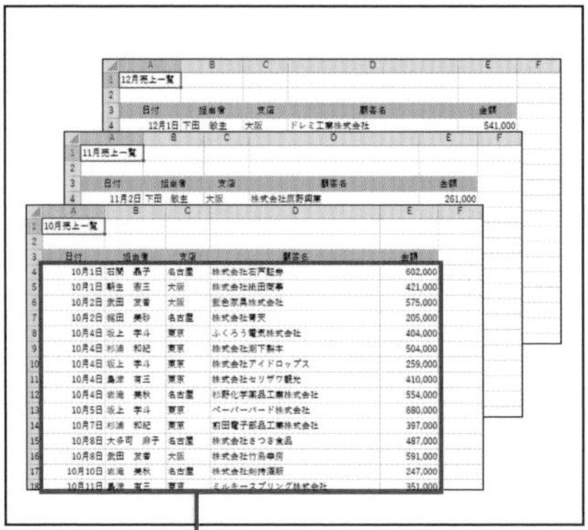

選択したフォルダー内のすべてのファイルを読み込み、ワークシート「売上一覧」の最終行にコピーする

	A	B	C	D	E	F
1		売上読込				
2						
3	売上一覧					
4	日付	担当者	支店	顧客名	金額	
5	10月1日	石間　晶子	名古屋	株式会社石戸証券	602,000	
6	10月1日	朝生　憲三	大阪	株式会社紙田商事	421,000	
7	10月2日	武田　友番	大阪	藍色家具株式会社	575,000	
8	10月2日	梶田　美砂	名古屋	株式会社青天	205,000	
9	10月4日	坂上　学斗	東京	ふくろう電気株式会社	404,000	
10	10月4日	杉浦　和紀	東京	株式会社潮下製本	504,000	
11	10月4日	坂上　学斗	東京	株式会社アイドロップス	259,000	
12	10月4日	島津　有三	東京	株式会社セリザワ観光	410,000	
13	10月4日	岩滝　美秋	名古屋	杉野化学薬品工業株式会社	554,000	
14	10月5日	坂上　学斗	東京	ペーパーバード株式会社	680,000	
15	10月7日	杉浦　和紀	東京	前田電子部品工業株式会社	397,000	
16	10月8日	大多可　麻子	名古屋	株式会社さつき食品	487,000	
17	10月8日	武田　友番	大阪	株式会社竹島幸房	591,000	
18	10月10日	岩滝　美秋	名古屋	株式会社剣持酒販	247,000	

ブックを開く

❶ サンプルファイルの「12-1.xlsm」を開く。

❷ ワークシート「売上一覧」が選択されていることを確認する。

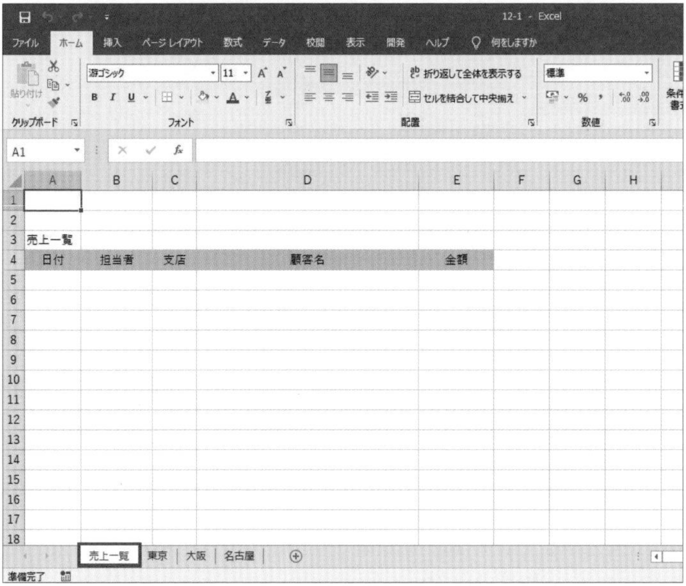

コマンドボタンを作成する

図を参考にワークシート「売上一覧」にコマンドボタンを作成します。

❶［開発］タブの［コントロール］の［挿入］をクリックする。

❷ 一覧から［コマンドボタン（ActiveXコントロール)］をクリックする。

❸ コマンドボタンを配置したい位置の左上から右下方向にドラッグする。

❹ プロパティウィンドウでコマンドボタンのオブジェクト名を「cmd売上読込」に、Captionプロパティを「売上読込」に設定する。

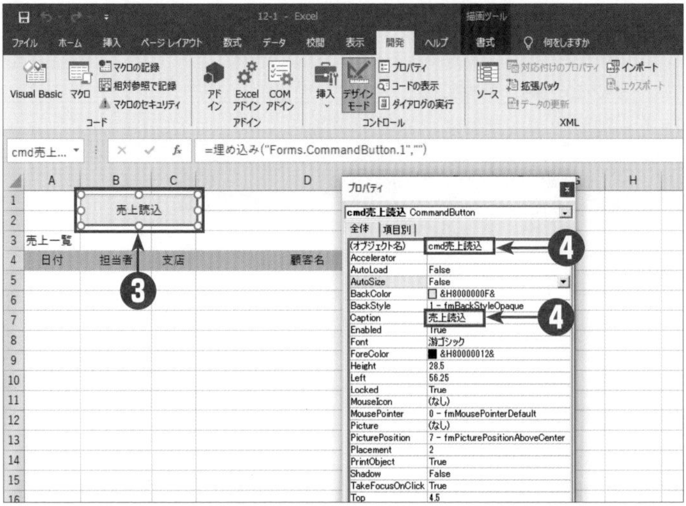

ヒント

プロパティを設定するには

プロパティを設定するには、[開発] タブの [コントロール] の [デザインモード] がオンになっていることを確認します。また、[プロパティ] ウィンドウを表示するには、[開発] タブの [コントロール] の [プロパティ] [プロパティ] をクリックします。

売上読込のマクロを作成する

❶ ワークシート「売上一覧」の [売上読込] ボタンをダブルクリックする。

❷ ワークシート「売上一覧」に「cmd売上読込_Click」というイベントプロシージャが作成される。

❸ 次のコードを記述する。

```
Private Sub cmd売上読込_Click()
    Dim FPath As String          ┐
    Dim FName As String          ├←❶
    Dim myBook As Workbook       ┘
    Application.ScreenUpdating = False ←❷
    With Application.FileDialog(msoFileDialogFolderPicker)   ┐
        If .Show = 0 Then                                     │
            MsgBox "フォルダーが指定されていません"          │
            End                                               ├←❸
        Else                                                  │
            FPath = .SelectedItems(1) & "¥"                   │
        End If                                                │
    End With                                                  ┘
```

```
    FName = Dir(FPath & "*.xlsx") ←❹
    If FName = "" Then                          ┐
        MsgBox "ファイルが存在しませんでした"    │←❺
        End                                     │
    End If                                      ┘
  ┌ Do Until FName = ""
  │     Set myBook = Workbooks.Open(FPath & FName) ←❼
  │     With myBook.Worksheets(1)
  │         .Range("A4", .Cells(.Cells(Rows.Count, "A").End(xlUp).Row, 5)).Copy ←❽
  │     End With
  │     ThisWorkbook.Activate ←❾
  │     With Worksheets("売上一覧")
❻→│         .Select ←❿
  │         .Cells(Rows.Count, "A").End(xlUp).Offset(1).Select ←⓫
  │         .Paste ←⓬
  │     End With
  │     Application.CutCopyMode = False ←⓭
  │     myBook.Close False ←⓮
  │     FName = Dir() ←⓯
  └ Loop
    Range("A5").Activate ←⓰
End Sub
```

■ コードの説明

各行のコードの処理を説明します。

❶ 次の変数を宣言する。

・ブックを保存しているフォルダーを指定するためのString型の変数FPath

・ファイル名を格納するためのString型の変数FName

・作業するブックを参照するためのWorkbook型のオブジェクト変数myBook

❷ マクロの処理の過程が画面に反映されないように設定する。

❸ フォルダーを選択する［参照］ダイアログを表示し、フォルダーが選択されなかった場合は、「フォルダーが指定されていません。」というメッセージを表示して、マクロを終了する。フォルダーが選択された場合は、選択されたフォルダー名に「¥」を付けた文字列を変数FPathに格納する。

❹ 指定したフォルダー内にある拡張子が「xlsx」であるファイルのファイル名を変数FNameに格納する。

❺ 指定したフォルダーにファイルが存在しなかった場合は、「ファイルが存在しませんでした」というメッセージを表示して、マクロを終了する。

❻ フォルダー内のファイルがなくなるまで、❼〜⓯の処理を繰り返す。

❼ 変数FNameに取得したファイル名のブックを開き、オブジェクト変数myBookに参照設定する。
❽ 開いたブックの1枚目のワークシートのデータが入力されているセル範囲をコピーする。
❾ マクロが存在するブックを選択する。
▲「ThisWorkbook」は、マクロが記述されているブックを表す。
❿ ワークシート「売上一覧」を選択する。
⓫ 表の最終行の1行下のセルを選択する。
⓬ データを貼り付ける。
⓭ コピーモードを解除する。
⓮ 開いたブックを閉じる。
⓯ 次のファイル名を取得する。
⓰ ワークシート「売上一覧」のセルA5を選択する。

■ ScreenUpdatingプロパティ

複数のブックを開いたり、閉じたりすると画面にちらつきが出ます。画面のちらつきをなくしたい場合は、ApplicationオブジェクトのScreenUpdatingプロパティにFalseを設定すると、マクロの処理の過程が画面に反映されなくなります。処理過程を画面に反映させないことで、マクロの処理速度を向上させることもできます。ScreenUpdatingプロパティをTrueに設定するか、マクロが終了されるまで画面は更新されません。

■ フォルダーを指定するダイアログの使用

ApplicationオブジェクトのFileDialogプロパティを使用すると、ダイアログを表示してファイルやフォルダーをユーザーに指定させることができます。

書式 **Application.FileDialog (fileDialogType)**
引数 **fileDialogType**：ダイアログの種類を表す定数を指定する

引数fileDialogTypeで指定できる定数は次の通りです。

定数	表示されるダイアログ
msoFileDialogFilePicker	ファイルを選択する［参照］ダイアログ
msoFileDialogFolderPicker	フォルダーを選択する［参照］ダイアログ
msoFileDialogOpen	［ファイルを開く］ダイアログ
msoFileDialogSaveAs	［名前を付けて保存］ダイアログ

フォルダーを選択するダイアログを表示するにはShowメソッドを使用します。［OK］ボタンをクリックすると「-1」、［キャンセル］ボタンをクリックすると「0」が返されます。また、選択したフォルダーのパスはSelectedItems(1)プロパティに格納されます。

■ Dir関数

Dir 関数は、引数に指定したファイルのファイル名を返します。複数のファイルを指定するには、ワイルドカードをします。Dir関数は引数を省略すると直前に指定したファイル名が指定されるので、引数で指定したファイルが複数ある場合は、一致するファイルを順に返します。一致するファイル名がなくなると空白（""）を返します。

書式　**Dir(pathname,[attributes])**

引数　**pathname**：ファイル名を指定する。ドライブ名とフォルダー名を含めて指定でき、ワイルドカードを使用することもできる。

attributes：ファイル属性を指定する。省略した場合は属性のないファイルが返される。

マクロを実行する

作成したマクロを実行します。

❶［開発］タブの［コントロール］の 

［デザインモード］ボタンをオフにする。

❷ワークシート「売上一覧」の［売上読込］ボタンをクリックする。

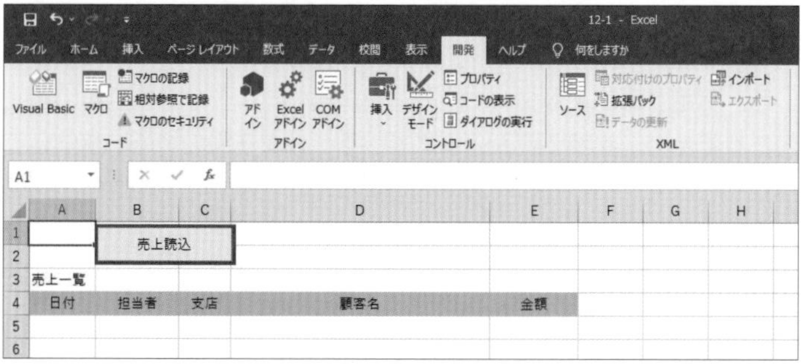

❸フォルダーを選択するダイアログが表示されるので、月別売上のブックが保存されているフォルダーを選択し、［OK］をクリックする。

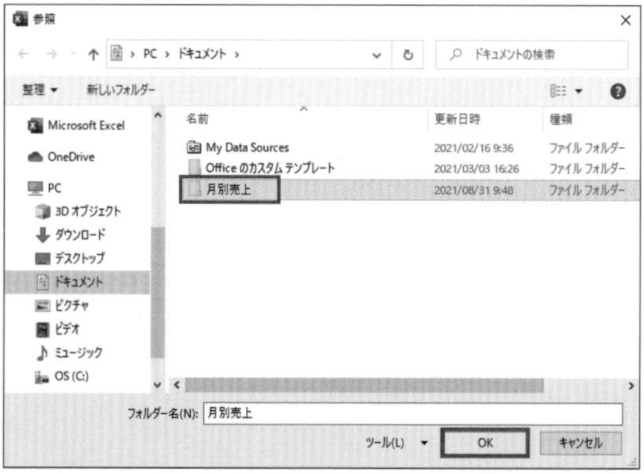

❹ ワークシート「売上一覧」にデータが追加されていることを確認する。

	A	B	C	D	E	F
1		売上読込				
2						
3	売上一覧					
4	日付	担当者	支店	顧客名	金額	
5	10月1日	石間　晶子	名古屋	株式会社石戸証券	602,000	
6	10月1日	朝生　憲三	大阪	株式会社紙田商事	421,000	
7	10月2日	武田　友香	大阪	藍色家具株式会社	575,000	
8	10月2日	梶田　美砂	名古屋	株式会社青天	205,000	
9	10月4日	坂上　学斗	東京	ふくろう電気株式会社	404,000	
10	10月4日	杉浦　和紀	東京	株式会社潮下製本	504,000	
11	10月4日	坂上　学斗	東京	株式会社アイドロップス	259,000	
12	10月4日	島津　有三	東京	株式会社セリザワ観光	410,000	
13	10月4日	岩滝　美秋	名古屋	杉野化学薬品工業株式会社	554,000	
14	10月5日	坂上　学斗	東京	ペーパーバード株式会社	680,000	
15	10月7日	杉浦　和紀	東京	前田電子部品工業株式会社	397,000	
16	10月8日	大多可　麻子	名古屋	株式会社さつき食品	487,000	
17	10月8日	武田　友香	大阪	株式会社竹鳥幸房	591,000	
18	10月10日	岩滝　美秋	名古屋	株式会社剣持酒販	247,000	

売上一覧 | 東京 | 大阪 | 名古屋

■ マクロ実行時の注意点

- 指定したフォルダー内のブックの先頭のワークシートには売上データが決まった形式で存在するものとする。
- 正しいブック、ワークシートが存在しない場合には、マクロは正常に動作せずにエラーが発生する。
- このサンプルは前回読み込まれた売上データの末尾に、指定したデータを追加することを前提としている。指定するフォルダーに読み込み済みのデータが含まれていると同じデータが追加されるため、すでに読み込まれているデータを別の場所に移動しておくとよい。

2 支店別データを作成するには

全支店の売上一覧をもとに支店ごとの売上データを作成するためのマクロを作成します。

● 支店別データを作成する流れ

全支店の売上が入力されたワークシートから、各支店ごとの用意したワークシートにそれぞれの支店の売上データをコピーします。

	A	B	C	D	E
3	売上一覧				
4	日付	担当者	支店	顧客名	金額
5	10月1日	石間　晶子	名古屋	株式会社石戸証券	602,000
6	10月1日	朝生　憲三	大阪	株式会社紙田商事	421,000
7	10月2日	武田　友香	大阪	藍色家具株式会社	575,000
8	10月2日	梶田　美砂	名古屋	株式会社青天	205,000
9	10月4日	坂上　学斗	東京	ふくろう電気株式会社	404,000
10	10月4日	杉浦　和紀	東京	株式会社潮下製本	504,000
11	10月4日	坂上　学斗	東京	株式会社アイドロップス	259,000
12	10月4日	島津　有三	東京	株式会社セリザワ観光	410,000
13	10月4日	岩滝　美秋	名古屋	杉野化学薬品工業株式会社	554,000
14	10月5日	坂上　学斗	東京	ペーパーバード株式会社	680,000
15	10月7日	杉浦　和紀	東京	前田電子部品工業株式会社	397,000
16	10月8日	大多可　麻子	名古屋	株式会社さつき食品	487,000
17	10月8日	武田　友香	大阪	株式会社竹鳥幸房	591,000
18	10月10日	岩滝　美秋	名古屋	株式会社剣持酒販	247,000

	A	B	C	D	E
1	東京支店				
3	日付	担当者	支店	顧客名	金額
4	10月04日	坂上　学斗	東京	ふくろう電気株式会社	404,000
5	10月04日	杉浦　和紀	東京	株式会社潮下製本	504,000
6	10月04日	坂上　学斗	東京	株式会社アイドロップス	259,000
7	10月04日	島津　有三	東京	株式会社セリザワ観光	410,000
8	10月05日	坂上　学斗	東京	ペーパーバード株式会社	680,000
9	10月07日	杉浦　和紀	東京	前田電子部品工業株式会社	397,000
10	10月11日	島津　有三	東京	ミルキースプリング株式会社	351,000

	A	B	C	D	E
1	大阪支店				
3	日付	担当者	支店	顧客名	金額
4	10月01日	朝生　憲三	大阪	株式会社紙田商事	421,000
5	10月02日	武田　友香	大阪	藍色家具株式会社	575,000
6	10月08日	武田　友香	大阪	株式会社竹鳥幸房	591,000
7	10月14日	下田　敏生	大阪	株式会社鷹早航業	462,000
8	10月21日	下田　敏生	大阪	株式会社平志木ホーム	393,000
9	10月27日	平名　彩子	大阪	株式会社シルクルー	371,000
10	11月02日	下田　敏生	大阪	株式会社鷹野興業	261,000

	A	B	C	D	E
1	名古屋支店				
3	日付	担当者	支店	顧客名	金額
4	10月01日	石間　晶子	名古屋	株式会社石戸証券	602,000
5	10月02日	梶田　美砂	名古屋	株式会社青天	205,000
6	10月04日	岩滝　美秋	名古屋	杉野化学薬品工業株式会社	554,000
7	10月08日	大多可　麻子	名古屋	株式会社さつき食品	487,000
8	10月10日	岩滝　美秋	名古屋	株式会社剣持酒販	247,000
9	10月12日	岩滝　美秋	名古屋	株式会社関原文具店	336,000
10	10月16日	石間　晶子	名古屋	株式会社アイシンクカンパニー	312,000

ブックを開く

❶ 12-1で作成したブック、またはサンプルファイルの12-2.xlsmを開く。

❷ ワークシート「東京」「大阪」「名古屋」にタイトルと項目見出しが入力されていることを確認する。

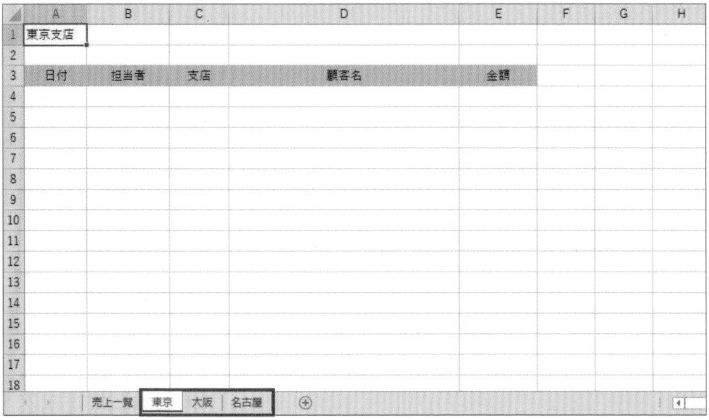

▲A列には日付、E列には通貨の表示形式が設定されている。

コマンドボタンを作成する

図を参考にワークシート「売上一覧」にコマンドボタンを配置し、プロパティを設定します。

❶ ワークシート「売上一覧」にコマンドボタンを作成する。

❷ プロパティウィンドウでコマンドボタンのオブジェクト名を「cmd支店別データ作成」に、Captionプロパティを「支店別データ作成」に設定する。

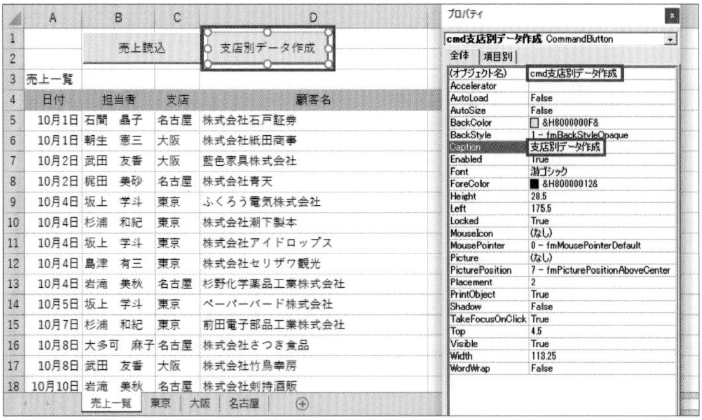

支店別データ作成のマクロを作成する

❶ ワークシート「売上一覧」の［支店別データ作成］ボタンをダブルクリックする。

❷ ワークシート「売上一覧」に「cmd支店別データ作成_Click」というイベントプロシージャが作成される。

❸ 次のコードを記述する。

```
Private Sub cmd支店別データ作成_Click()
    Dim SheetIndex As Integer   ┐
    Dim LastGyou As Long        │←❶
    Dim Gyou As Long            │
    Dim Retu As Long            ┘
    Application.ScreenUpdating = False ←❷
    Gyou = 5 ←❸
    Do Until Cells(Gyou, 1).Value = ""                    ←❹（Loopまで）
        Select Case Cells(Gyou, 3).Value                  ←❺（End Selectまで）
            Case "東京"
                SheetIndex = 2
            Case "大阪"
                SheetIndex = 3
            Case "名古屋"
                SheetIndex = 4
        End Select
        With Worksheets(SheetIndex)
            LastGyou = .Cells(Rows.Count, "A").End(xlUp).Row + 1 ←❻
            For Retu = 1 To 5                             ←❼（Nextまで）
                .Cells(LastGyou, Retu).Value = Cells(Gyou, Retu).Value
            Next
        End With
        Gyou = Gyou + 1 ←❽
    Loop
End Sub
```

■ コードの説明

各行のコードの処理を説明します。

❶ 次の変数を宣言する。

・ワークシートのインデックスを指定するためのInteger型のSheetIndex

・データが入力されている最終行を指定するためのLong型の変数LastGyou

・行数を格納するためのLong型の変数Gyou

・列数を格納するためのLong型の変数Retu

❷ マクロの処理の過程が画面に反映されないように設定する。

❸ ワークシート「売上一覧」の5行目から処理を行うために変数Gyouに5を代入する。

❹ コピー元となる行（変数Gyouの値）のA列が空白になるまで⑤〜⑧の処理を繰り返す。

▲A列が空白であるかを判定することで、表の最終行であるかを調べている。

❺ コピー元となる行（変数Gyouの値）のC列の値が「東京」なら2、「大阪」なら3、「名古屋」なら4を変数SheetIndexに格納する。

▲変数SheetIndexはブック内のワークシートの位置を示す。

❻ コピー先となるワークシート（ブック内の変数SheetIndexで指定されるワークシート）のデータが入力されている最終行の1行下の行を変数LastGyouに格納する。

▲最終行の次の行にコピーするために最終行に1を足している。

❼ ワークシート「売上一覧」のコピー元となる行（変数Gyouの値）の1列目から5列目のデータをコピー先となるワークシートの最終行の１行下の行（変数LastGyouの値）にコピーする

❽ 次の行に処理を移すために、変数Gyouに1を足す。

マクロを実行する

作成したマクロを実行します。

❶［開発］タブの［コントロール］の［デザインモード］ボタンをオフにする。

❷ ワークシート「売上一覧」の［支店別データ作成］ボタンをクリックする。

	A	B	C	D	E
3	売上一覧				
4	日付	担当者	支店	顧客名	金額
5	10月1日	石間　晶子	名古屋	株式会社石戸証券	602,000
6	10月1日	朝生　憲三	大阪	株式会社紙田商事	421,000
7	10月2日	武田　友香	大阪	藍色家具株式会社	575,000
8	10月2日	梶田　美砂	名古屋	株式会社青天	205,000
9	10月4日	坂上　学斗	東京	ふくろう電気株式会社	404,000
10	10月4日	杉浦　和紀	東京	株式会社潮下製本	504,000
11	10月4日	坂上　学斗	東京	株式会社アイドロップス	259,000
12	10月4日	島津　有三	東京	株式会社セリザワ観光	410,000
13	10月4日	岩滝　美秋	名古屋	杉野化学薬品工業株式会社	554,000
14	10月5日	坂上　学斗	東京	ペーパーバード株式会社	680,000
15	10月7日	杉浦　和紀	東京	前田電子部品工業株式会社	397,000
16	10月8日	大多可　麻子	名古屋	株式会社さつき食品	487,000
17	10月8日	武田　友香	大阪	株式会社竹鳥書房	591,000
18	10月10日	岩滝　美秋	名古屋	株式会社剣持酒販	247,000

❹ ワークシート「東京」に支店が東京のデータが追加されていることを確認する。

	A	B	C	D	E	F	G	H
1	東京支店							
2								
3	日付	担当者	支店	顧客名	金額			
4	10月04日	坂上　学斗	東京	ふくろう電気株式会社	404,000			
5	10月04日	杉浦　和紀	東京	株式会社潮下製本	504,000			
6	10月04日	坂上　学斗	東京	株式会社アイドロップス	259,000			
7	10月04日	島津　有三	東京	株式会社セリザワ観光	410,000			
8	10月05日	坂上　学斗	東京	ペーパーバード株式会社	680,000			
9	10月07日	杉浦　和紀	東京	前田電子部品工業株式会社	397,000			
10	10月11日	島津　有三	東京	ミルキースプリング株式会社	351,000			
11	10月17日	坂上　学斗	東京	株式会社光平製菓	525,000			
12	10月19日	島津　有三	東京	重井食品製造株式会社	336,000			
13	10月21日	岩崎　孝典	東京	株式会社フラワーサンシャイン	323,000			
14	10月21日	岩崎　孝典	東京	キュートラップ株式会社	561,000			
15	10月21日	島津　有三	東京	潮森証券株式会社	355,000			
16	10月21日	島津　有三	東京	エンジェルスミシン株式会社	512,000			
17	10月22日	松原　小百合	東京	株式会社皿沼酒店	648,000			
18	10月23日	角田　早苗	東京	株式会社勇気印	635,000			

売上一覧　東京　大阪　名古屋

❺ 同様にワークシート「大阪」に支店が大阪、ワークシート「名古屋」に支店が名古屋のデータが追加されていることを確認する。

■ マクロ実行時の注意点

・各支店のワークシートが存在しない場合には、マクロは正常に動作せずにエラーが発生する。

3 指定した支店のワークシートをブックとして保存するには

指定した支店のワークシートを個別のブックとして保存するためのマクロを作成します。

● 支店別のワークシートを別ファイルに保存する流れ

支店を指定するためのチェックボックスを作成し、チェックボックスがオンになっている支店のワークシートを新しいブックとして保存します。

ブックを開く

❶ 12-2で作成したブック、またはサンプルファイルの「12-3.xlsm」を開く。
❷ ワークシート「売上一覧」を選択する。

コントロールを作成する

図を参考にワークシート「売上一覧」にコマンドボタンとチェックボックスを配置し、プロパティを設定します。

	A	B	C	D	E	F
1		売上読込		支店別データ作成	個別出力	
2						
3	売上一覧				□東京 □大阪 □名古屋	
4	日付	担当者	支店	顧客名	金額	
5	10月1日	石間　晶子	名古屋	株式会社石戸証券	602,000	
6	10月1日	朝生　憲三	大阪	株式会社紙田商事	421,000	
7	10月2日	武田　友香	大阪	藍色家具株式会社	575,000	
8	10月2日	梶田　美砂	名古屋	株式会社青天	205,000	
9	10月4日	坂上　学斗	東京	ふくろう電気株式会社	404,000	
10	10月4日	杉浦　和紀	東京	株式会社潮下製本	504,000	
11	10月4日	坂上　学斗	東京	株式会社アイドロップス	259,000	

❶［個別出力］ボタンを作成する。
・コマンドボタンを作成する。
・オブジェクト名を「cmd個別出力」に設定する。
・Captionプロパティを「個別出力」に設定する。
❷ 東京を選択するためのチェックボックスを作成する。
・チェックボックスを作成する。
・オブジェクト名を「chkTokyo」に設定する。
・Captionプロパティを「東京」に設定する。
❸ 大阪を選択するためのチェックボックスを作成する。
・チェックボックスを作成する。
・オブジェクト名を「chkOsaka」に設定する。
・Captionプロパティを「大阪」に設定する。
❹ 名古屋を選択するためのチェックボックスを作成する。
・チェックボックスを作成する。
・オブジェクト名を「chkNagoya」に設定する。
・Captionプロパティを「名古屋」に設定する。

ヒント

コントロールの操作

同じサイズで同じ種類のコントロールを配置したい場合は、コントロールをコピーしてオブジェクト名やキャプションなどのプロパティを変更すると便利です。また、複数のコントロールを選択して［書式］タブの［配置］の 配置 ［配置］を使用すると左右や上下の位置を揃えることができます。（365の場合は［図形の書式］タブ）

個別出力のマクロを作成する

❶ ワークシート「売上一覧」の［個別出力］ボタンをダブルクリックする。

❷ ワークシート「売上一覧」に「cmd個別出力_Click」というイベントプロシージャが作成される。

❸ 次のコードを記述する。

```
Private Sub cmd個別出力_Click()
    Application.ScreenUpdating = False ←❶
    Application.DisplayAlerts = False ←❷
    If ActiveSheet.chkTokyo.Value = True Then
        Worksheets("東京").Copy
        ActiveWorkbook.SaveAs ThisWorkbook.Path & "¥東京.xlsx" ←❸
        ActiveWorkbook.Close
    End If
    If ActiveSheet.chkOsaka.Value = True Then
        Worksheets("大阪").Copy
        ActiveWorkbook.SaveAs ThisWorkbook.Path & "¥大阪.xlsx" ←❹
        ActiveWorkbook.Close
    End If
    If ActiveSheet.chkNagoya.Value = True Then
        Worksheets("名古屋").Copy
        ActiveWorkbook.SaveAs ThisWorkbook.Path & "¥名古屋.xlsx" ←❺
        ActiveWorkbook.Close
    End If
End Sub
```

■ コードの説明

各行のコードの処理を説明します。

❶ マクロの処理の過程が画面に反映されないように設定する。

❷ 確認メッセージを非表示にする。

▲ブックを閉じるときに保存の確認メッセージが表示されないようにする。

❸ チェックボックス「東京」がオンの場合は、ワークシート「東京」を新しいブックにコピーし、新しく作成されたブックをマクロが記述されているブックが保存されているフォルダーに「東京」という名前で保存する。

▲「ThisWorkbook.Path」と記述すると、マクロが存在するブックが格納されているフォルダーのパス名を取得できる。フォルダー名とファイル名は「¥」で区切られるため、ファイル名の前に「¥」を付加している。

❹ 同様にチェックボックス「大阪」がオンの場合は、ワークシート「大阪」をブックとして保存する。

❺ 同様にチェックボックス「名古屋」がオンの場合は、ワークシート「名古屋」をブックとして保存する。

■ DisplayAlertsプロパティ

ApplicationオブジェクトのDisplayAlertsプロパティはExcelの確認メッセージの表示、非表示を制御することができます。DisplayAlertsプロパティにFalseを設定すると、確認メッセージが表示されなくなります。ここでは、変更後のブックを閉じるときに、保存するかどうかを確認するメッセージが表示されないようにDisplayAlertsプロパティを使用しています。

マクロを実行する

作成したマクロを実行します。

❶［開発］タブの［コントロール］の［デザインモード］ボタンをオフにする。
❷ 出力したい支店のチェックボックスをオンにする。
❸ ワークシート「売上一覧」の［個別出力］ボタンをクリックする。

	A	B	C	D	E
3	売上一覧				
4	日付	担当者	支店	顧客名	金額
5	10月1日	石間　晶子	名古屋	株式会社石戸証券	602,000
6	10月1日	朝生　憲三	大阪	株式会社紙田商事	421,000
7	10月2日	武田　友香	大阪	藍色家具株式会社	575,000
8	10月2日	梶田　美砂	名古屋	株式会社青天	205,000
9	10月4日	坂上　学斗	東京	ふくろう電気株式会社	404,000
10	10月4日	杉浦　和紀	東京	株式会社潮下製本	504,000
11	10月4日	坂上　学斗	東京	株式会社アイドロップス	259,000
12	10月4日	島津　有三	東京	株式会社セリザワ観光	410,000
13	10月4日	岩滝　美秋	名古屋	杉野化学薬品工業株式会社	554,000
14	10月5日	坂上　学斗	東京	ペーパーバード株式会社	680,000
15	10月7日	杉浦　和紀	東京	前田電子部品工業株式会社	397,000
16	10月8日	大多可　麻子	名古屋	株式会社さつき食品	487,000
17	10月8日	武田　友香	大阪	株式会社竹鳥幸房	591,000
18	10月10日	岩滝　美秋	名古屋	株式会社剣持酒販	247,000

❹ マクロが記述されているブックが保存されているフォルダーに、指定した支店のファイルが保存されていることを確認する。

■ マクロ実行時の注意点

・各支店のワークシートが存在しない場合には、マクロは正常に動作せずにエラーが発生する。

4 指定した担当者が入力されている行だけを表示するには

アルバイトのシフト表で指定した担当者が入力されている行だけを表示するマクロを作成します。

● 指定した担当者が入力されている行だけを表示する流れ

コンボボックスで選択された担当者が含まれていない行を非表示にし、担当者が入力されているセルのフォントの色を赤に設定します。

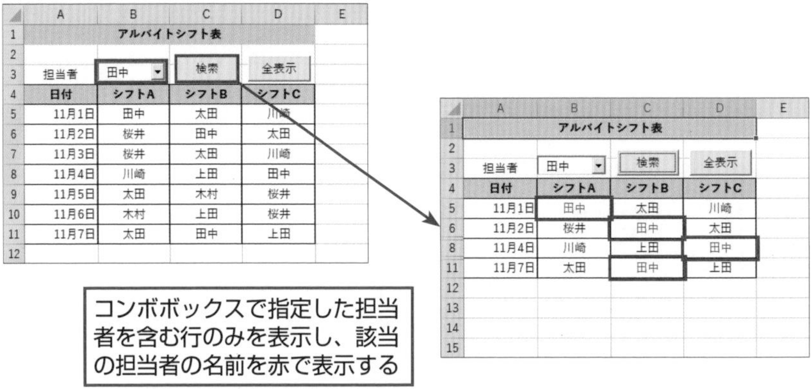

● すべての行を表示する流れ

ワークシートのすべての行を表示します。

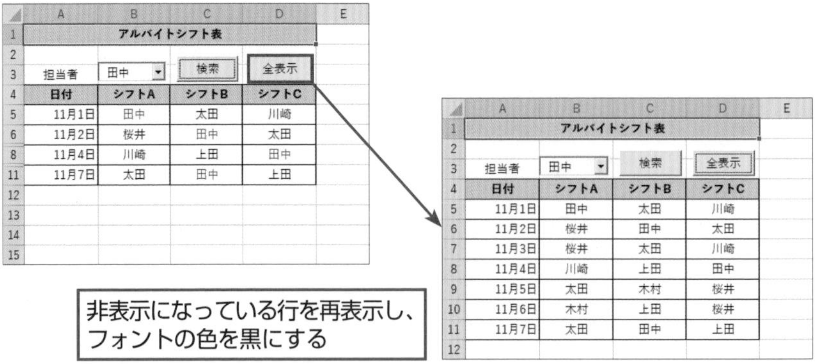

ブックを開く

❶ サンプルファイルの「12-4.xlsm」を開く。

❷ ワークシートは「シフト表」と「担当者」があることを確認する。

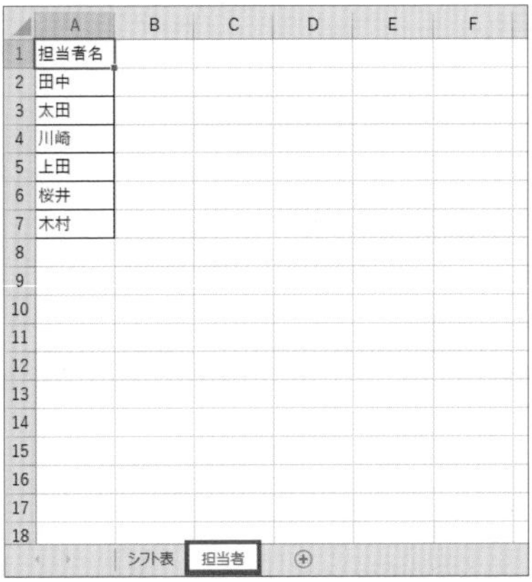

コントロールを作成する

　図を参考にワークシート「シフト表」にコマンドボタンとチェックボックスを配置し、プロパティを設定します。

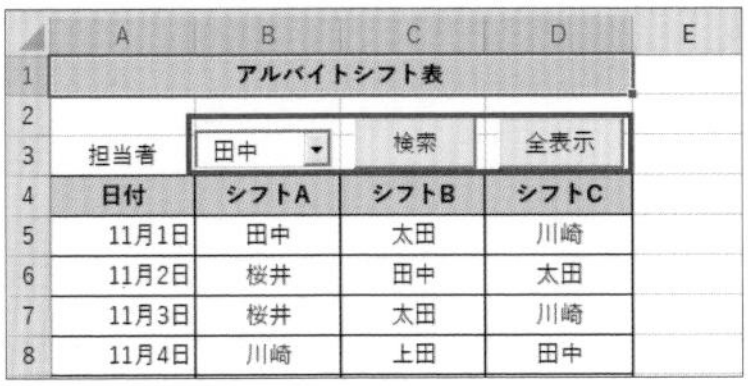

❶ 担当者を選択するコンボボックスを作成する。

・コンボボックスを作成する。

・オブジェクト名を「cboTanto」に設定する。

・ListFillRangeプロパティに「担当者!A2:A7」と設定する。

❷［検索］ボタンを作成する。

・コマンドボタンを作成する。

・オブジェクト名を「cmd検索」に設定する。

・Captionプロパティを「検索」に設定する。

❸［全表示］ボタンを作成する。

・コマンドボタンを作成する。

・オブジェクト名を「cmd全表示」に設定する。

・Captionプロパティを「全表示」に設定する。

検索のマクロを作成する

❶ ワークシート「シフト表」の「検索」ボタンをダブルクリックする。

❷ ワークシート「シフト表」に「cmd検索_Click」というイベントプロシージャが作成される。

❸ 次のコードを記述する。

```
Private Sub cmd検索_Click()
    Dim Gyou As Long          ┐
    Dim Retu As Long          ├←❶
    Dim Flag As Boolean       ┘
    Rows.Hidden = False  ←❷
    Range("A4").CurrentRegion.Font.ColorIndex = 1  ←❸
    Gyou = 5  ←❹
    Do Until Cells(Gyou, 1) = ""                                 ┐
        Flag = False  ←❻                                          │
        For Retu = 2 To 4  ←❼                                     │
            If Cells(Gyou, Retu).Value = cboTanto.Value Then  ┐   │
                Cells(Gyou, Retu).Font.ColorIndex = 3         │   │
                Flag = True                                   ├←❽ ├←❺
            End If                                            │   │
        Next Retu                                             ┘   │
        If Flag = False Then           ┐                          │
            Rows(Gyou).Hidden = True   ├←❾                        │
        End If                         ┘                          │
        Gyou = Gyou + 1  ←❿                                       │
    Loop                                                         ┘
End Sub
```

■ **コードの説明**

各行のコードの処理を説明します。

❶ 次の変数を宣言する。

- 行数を格納するためのLong型の変数Gyou
- 列数を格納するためのLong型の変数Retu
- 行を非表示にするか判断するためのBoolean型のFlag

❷ 直前に検索した結果を解除しないと、正しい結果が表示されないため全ての行を表示する。

▲Rowsプロパティの引数を指定しないと、ワークシートのすべての行を参照することができる。

❸ 表全体のフォントの色を黒にする。

❹ 5行目から処理を行うために、変数Gyouに5を代入する。

❺ 処理の対象となる行（変数Gyouの値）のA列が空白になるまで、❻〜❿の処理を繰り返す。

▲A列が空白であるかを判定することで、表の最終行であるかを調べている。

❻ 変数FlagにFalseを格納する。

❼ 変数Retuの値が2から4まで❽の処理を繰り返す。

❽ 処理の対象となる行（変数Gyouの値）の各列（変数Retuの値）のデータがコンボボックスcmdTantoで選択した担当者と同じであれば、フォントの色を赤に設定し、変数FlagにTrueを格納する。

▲選択した担当者が入力されている行であることを判断するために、変数FlagをTrueにする。

❾ 変数Flagの値がFalseであれば、処理の対象となる行（変数Gyouの値）を非表示にする。

▲処理❻で変数FlagをFalseにしているので、Trueになっていない場合は選択した担当者が入力されていない行であると判断できる。

❿ 次の行に処理を移すために、変数Gyouに1を足す。

■ 行を非表示にする

行または列の表示、非表示を切り替えるには、Hiddenプロパティを使用します。行または列を非表示にするにはTrue、再表示するにはFalseをHiddenプロパティに設定します。Hiddenプロパティは、行または列単位で設定する必要があります。

全表示のマクロを作成する

❶ ワークシート「シフト表」の「全表示」ボタンをダブルクリックする。

❷ ワークシート「シフト表」に「cmd全表示_Click」というイベントプロシージャが作成される。

❸ 次のコードを記述する。

```
Private Sub cmd全表示_Click()
    Rows.Hidden = False ←❶
    Range("A4").CurrentRegion.Font.ColorIndex = 1 ←❷
End Sub
```

■ コードの説明

各行のコードの処理を説明します。

❶ すべての行を表示する。

▲Rowsプロパティの引数を指定しないと、ワークシートのすべての行を参照することができる。

❷ 表全体のフォントの色を黒にする。

マクロを実行する

作成したマクロを実行します。

❶［開発］タブの［コントロール］の［デザインモード］ボタンをオフにする。

❷表示したい担当者をコンボボックスで選択する。

❸［検索］ボタンをクリックする。

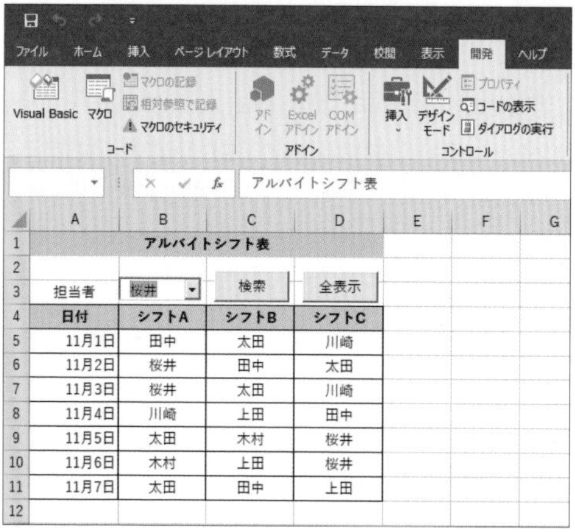

	A	B	C	D
1	アルバイトシフト表			
2				
3	担当者	桜井	検索	全表示
4	日付	シフトA	シフトB	シフトC
5	11月1日	田中	太田	川崎
6	11月2日	桜井	田中	太田
7	11月3日	桜井	太田	川崎
8	11月4日	川崎	上田	田中
9	11月5日	太田	木村	桜井
10	11月6日	木村	上田	桜井
11	11月7日	太田	田中	上田
12				

❹指定した担当者が入力されている行のみが表示され、担当者名のフォントの色が赤に設定される。

	A	B	C	D
1	アルバイトシフト表			
2				
3	担当者	桜井	検索	全表示
4	日付	シフトA	シフトB	シフトC
6	11月2日	桜井	田中	太田
7	11月3日	桜井	太田	川崎
9	11月5日	太田	木村	桜井
10	11月6日	木村	上田	桜井
12				

❺［全表示］ボタンをクリックする。

❻すべての行が表示され、表内のフォントの色が黒に設定される。

	A	B	C	D
1	アルバイトシフト表			
2				
3	担当者	桜井	検索	全表示
4	日付	シフトA	シフトB	シフトC
5	11月1日	田中	太田	川崎
6	11月2日	桜井	田中	太田
7	11月3日	桜井	太田	川崎
8	11月4日	川崎	上田	田中
9	11月5日	太田	木村	桜井
10	11月6日	木村	上田	桜井
11	11月7日	太田	田中	上田
12				

記号・英字

あ～ん

著者紹介

関 由紀子（せき ゆきこ）

ソフトウェア開発者、ビジネス専門学校のコンピュータ教員を経て、パソコンインストラクターとして、アプリケーション、ネットワーク、プログラミングなどのセミナーを担当していた。現在はフリーのテクニカルライターとしてパソコン関連の書籍の執筆に携わる。主な著書に「仕事にスグ役立つマクロ/VBAワザ！Excel 2016/2013/2010/2007対応」「MOS攻略問題集 Access 2013」（日経BP社）など。

佐藤 薫（さとう かおる）

情報処理の専門学校でOfficeアプリケーションや資格試験対策講座の講師を務めるほか、社会人のパソコン研修の講師も務める。また、株式会社ZUGA（https://zuga.jp）に所属して書籍の執筆、編集を行う。主な著書に「仕事にスグ役立つマクロ/VBAワザ！Excel 2016/2013/2010/2007対応」「MOS攻略問題集 Word 365&2019エキスパート」（日経BP）など。

●本書についての最新情報、訂正、重要なお知らせについては、下記Webページを開き、書名もしくはISBNで検索してください。

https://project.nikkeibp.co.jp/bnt/

●本書に掲載した内容についてのお問い合わせは、下記Webページのお問い合わせフォームからお送りください。電話およびファクシミリによるご質問には一切応じておりません。なお、本書の範囲を超えるご質問にはお答えできませんので、ご了承ください。ご質問の内容によっては、回答に日数を要する場合があります。

https://nkbp.jp/booksQA

●ソフトウェアの機能や操作方法に関するご質問は、製品パッケージに同梱の資料をご確認のうえ、日本マイクロソフト株式会社またはソフトウェア発売元の製品サポート窓口へお問い合わせください。

即効！ 仕事に役立つマクロ/VBAワザ！ Excel 365/2019/2016/2013対応

2021年10月18日　初版第1刷発行

著　　者　関 由紀子、佐藤 薫
発 行 者　村上 広樹
編　　集　岩波 明日香
発　　行　日経BP
　　　　　東京都港区虎ノ門4-3-12　〒105-8308
発　　売　日経BPマーケティング
　　　　　東京都港区虎ノ門4-3-12　〒105-8308
装　　丁　小口 翔平＋三沢 稜（tobufune）
ＤＴＰ制作　今田 博史（株式会社ZUGA）
印刷・製本　図書印刷株式会社

ISBN978-4-296-08008-3　Printed in Japan